»Ihnen auch fröhliche Weihnachten, mein lieber Junge«, sagte der Colonel. »Was halten Sie davon, mit mir Weihnachten zu feiern, in einem großen alten Landhaus namens Belcourt Manor? Tief im Herzen des ländlichen Cornwall, fernab vom Getriebe und Trubel der großen, bösen Stadt. Gutes Essen und guter Alkohol, und wer weiß? Vielleicht sogar Partyhüte und -spiele bis zum Morgengrauen. Wenn sie gleich losfahren, sind es nur ein paar Stunden anstrengender Fahrt von dort, wo Sie jetzt sind. Ich brauche Sie hier im Herrenhaus, und zwar so schnell Sie kommen können. Die Situation ist … gewissermaßen dringlich.«

»Wie lautet die Mission?«, fragte ich.

»Oh, es geht gar nicht um eine Mission im engeren Sinne, alter Junge«, sagte der Colonel. »Es geht eher um einen persönlichen Gefallen für mich. Ich erzähle es Ihnen, wenn Sie hier sind. Heutzutage weiß man nie, wer mithört. Früher waren es ja nur wir, doch dann bestand die Regierung darauf, mitzumischen. Hier im Herrenhaus habe ich ein ganz mieses Gefühl. Ich könnte mich natürlich täuschen. Ich könnte übernervös sein. Dann lassen wir es uns alle gut gehen, essen zu viel, trinken zu viel und schlafen vor dem Fernseher ein. Das übliche, tief religiöse christliche Weihnachtsfest.«

»Aber Sie glauben nicht, dass Sie sich irren, oder?«, fragte ich.

»Natürlich nicht, mein lieber Junge. Sonst hätte ich Sie nicht angerufen. Werden Sie kommen?«

Selbstverständlich sagte ich zu. Ich konnte ihm das nicht abschlagen; nicht nach allem, was der Colonel für mich getan hatte. Er nannte mir die Adresse in Cornwall und eine ausreichende, grobe Wegbeschreibung, damit ich auch hinfand, falls mich mein Navi im Stich ließ, und legte dann auf. Bevor ich Fragen stellen konnte. Etwa, was im Herrenhaus ihn so erschreckt hatte. Oder was ich für ihn tun sollte. Ich steckte mein Handy weg und nickte dem wortlos vor sich hin schäumenden Barkeeper zu, er solle mein Glas noch einmal füllen. Noch ein großes Getränk und dann wieder einmal ab in die Nacht, ins Dunkel. Um in den Schatten Dinge zu tun, von denen die normalen Menschen nicht wissen müssen. Irgendjemand muss schließlich die Drachen töten, selbst wenn die Rüstung nicht mehr so strahlend ist wie früher. Wenn man sich in den Schatten verstecken muss, hilft es, die Raubtiere auszudünnen, mit denen man sich dieses Versteck teilen muss.

Ich fuhr mit meinem Mietwagen viel schneller als das, was gemeinhin als sichere Geschwindigkeit galt, und wühlte mich mit kalter Entschlossenheit durch den Wintersturm. Der Wind heulte wie ein entfesselter Dämon, und wo immer ich auch hinsah, begrub dicht fallender Schnee das weite Land unter einem schimmernd weißen Leichentuch. Die Straße vor mir war fast völlig zugeschneit, doch ich zielte mit dem Auto einfach wie mit einer Schusswaffe und gab Vollgas. Volle Kraft voraus, mit Mut und Gottvertrauen. Ich beugte mich über das Lenkrad und spähte durch die Windschutzscheibe in die tödliche weiße Welt hinaus.

Die Scheibenwischer taten ihr Möglichstes, doch der Wind wehte jetzt so heftig, dass der Schnee praktisch waagrecht kam. Ich fuhr schon seit Stunden ohne Pause, und was bei meinem Aufbruch aus London als angenehmer Schneefall begonnen hatte, war schnell zu der Sorte widerlichem Schneesturm verkommen, der Eingang in die Annalen findet. Ich fuhr immer mehr nach Instinkt und Bauchgefühl.

Mein Navi behauptete, ich sei nicht mehr weit von meinem Ziel entfernt, aber ich war nicht sicher, ob ich das glauben sollte. Ich donnerte irgendwo im Nirgendwo eine schmale Landstraße entlang, umgeben von endlosen Meilen von ungebrochenem Weiß. Es fühlte sich an, als führe ich auf dem Mond, umgeben von Weltall und ohne jeden Orientierungspunkt. Die Reifen des Autos rutschten und schlitterten durch den hügeligen Schnee und gruben sich manchmal unerwartet tief hinein; dann bemühte sich das Lenkrad nach Kräften, zu bocken und mich ins Gesicht zu treffen. Oder tiefe Schneeverwehungen schüttelten das Auto so heftig durch, dass ich abwechselnd links und rechts von der Straße abkam; dann musste ich mich bemühen, das Lenkrad unter Kontrolle zu bekommen, bis ich den Wagen wieder zurück auf die Mitte der Straße lenken konnte. Bisher obsiegte ich durch eine Mischung aus Sturheit und brutaler Gewalt … Aber langsam schien es darauf hinauszulaufen, was zuerst nachgeben würde: meine Hände oder die Lenksäule.

Der Moderator mit der ruhigen Stimme im Autoradio (der zweifellos sicher und warm in einem Regionalstudio der BBC saß) schien mich mit größter Freude darüber zu informieren, dass ich mich mitten im schlimmsten Sturm seit Beginn der Wetteraufzeichnungen befand. Dass die meisten Straßen eingeschneit waren, Züge ausfielen und alle Flughäfen geschlossen waren … und dass man nur absolut notwendige Reisen unternehmen sollte. *Bleiben Sie daheim, bleiben Sie im Haus, wo Sie sicher sind.* Der Moderator gestattete sich ein leises Kichern. *Wir alle mögen ja weiße Weihnachten, aber das ist jetzt wirklich ein bisschen zu viel des Guten. Also halten Sie sich warm, und frohe Weihnachten.* Ich schaltete das Radio aus. Die Alternative wäre gewesen, das Gerät einfach aus dem Armaturenbrett zu reißen.

Als das Radio aus war, erfüllte das Fauchen der Heizung das Wageninnere; sie bemühte sich praktisch erfolglos, die Kälte ein wenig abzumildern. Man konnte bestenfalls behaupten, dass es im Auto wahrscheinlich wärmer war als draußen. Jeder normale Mensch hätte sich gehütet, bei solchen Wetterverhältnissen im Freien zu sein. Aber ich war noch nie ein normaler Mensch gewesen.

Grimmig klammerte ich mich ans Steuer und trat weiter das Gaspedal durch. Denn ich war entschlossen, das abgelegene Belcourt Manor zu erreichen, und wenn ich dafür durch die Hölle hätte fahren müssen.

Meine erste Begegnung mit dem Mann, der sich der Colonel nannte, lag fast fünfzehn Jahre zurück. In einer der besseren Bars in einem der besseren Hotels in London. Voller gut gekleideter Menschen, die sehr wohlhabend wirkten. Viel freundliches Geplauder; nichts davon galt mir. Ich wollte mich nicht unterhalten, und das merkte man. Ich versteckte mich nur in der Menge und versuchte herauszufinden, wie ich am besten aus der Bar und dem Hotel herauskam, ohne meine Zeche zu begleichen. Ich konnte es nicht riskieren, eine meiner Kreditkarten zu verwenden, weil darauf meine aktuellen Namen standen, und das hätte Aufmerksamkeit erregt. Aber was ich an Bargeld bei mir hatte, würde ich noch brauchen.

Noch hatte ich mich nicht entschlossen, wo ich hin wollte; am besten in ein kleines, verständnisvolles Land mit gutem Wetter und ohne Auslieferungsabkommen, aber mit einem gewissen Entgegenkommen gegenüber Personen, die einfach nur ihre Ruhe wollten. Früher, als ich anfing, hatte es viele solche Orte gegeben; aber dieser Tage wurde die Welt immer kleiner.

Der Colonel tauchte aus dem Nichts auf. Setzte sich einfach neben mich an die Bar und lächelte mich freundlich an. Ich erwiderte ruhig seinen Blick. Nicht viele Menschen konnten sich an mich anschleichen. Ich war wirklich nicht leicht zu überraschen.

Er nickte mir knapp zu. »Hallo, Ishmael«, sagte er. »Ich bin der Colonel. Ich bin hier, um Ihnen einen Job anzubieten, oder genauer gesagt eine Anstellung.«

»Unter diesem Namen kennen mich nicht viele Leute«, erwiderte ich, »und die meisten davon sind tot.«

»Ich finde, das sagt mehr über Sie aus als alles andere«, meinte der Colonel.

Ich musterte ihn in aller Ruhe. Er war groß und knapp dreißig. Breite Schultern, massiger Körperbau, selbstbewusste Körperhaltung und einstudierte Lässigkeit. Scharfe Züge, durchdringende, kalte, blaue Augen, ein allgegenwärtiges, aber im Grunde bedeutungsloses Lächeln. Ein teurer Maßanzug, den er aber trug wie eine Uniform. Vielleicht war er das ja für ihn auch. Das kurz geschnittene, blonde Haar und der akkurat gestutzte Schnurrbart ließen auf einen militärischen Hintergrund schließen. Zumindest war er ein ehemaliger Militär. Er sah aus wie ein Mann, an dessen Händen noch Blut von früher klebte.

Er bestellte einen Single Malt mit Wasser in einem gesonderten Glas, und der Barkeeper führte seine Bestellung hastig aus. Es lag an der Stimme des Colonels. Mit hochgezogener Braue betrachtete er mein leeres Glas, und ich nutzte die Gelegenheit, um einen doppelten Brandy zu bestellen. Alkohol hatte keine Wirkung auf mich, aber ich hatte gelernt, den Geschmack zu mögen. Der Colonel und ich saßen einfach da und sahen einander an, bis unsere Getränke kamen, wie Zweikämpfer im Ring, die einander abschätzten, ehe die Glocke läutete. Die Getränke kamen, wir prosteten einander zu und tranken.

»Also«, sagte ich. »Sie sind nicht hier, um mich zu töten?«

»Nein«, antwortete der Colonel. »Sonst wären Sie schon tot.«

»Dann können Sie mir so viele Drinks spendieren, wie Sie wollen«, beschloss ich. »Solange Sie fleißig bestellen, sitze ich hier und höre zu.«

Der Colonel schob dem Barkeeper ein großzügiges Trinkgeld zu und bedeutete ihm, sich für eine Weile zu verziehen. Der ließ das Geld verschwinden und tauchte ab. Mehrere Gäste, die versuchten, etwas zu trinken zu bestellen, protestierten lautstark. Der Colonel sah sie nur an, und auch sie entfernten sich. Dabei war ihnen die Waffe, die der Colonel unter dem Jackett verborgen trug, gar nicht aufgefallen. Ich hatte sie in dem Augenblick bemerkt, in dem er sich gesetzt hatte. Sie beunruhigte mich nicht. Ich hatte meine eigenen Geheimnisse.

Der Colonel musterte mich wie ein Rennpferd, das zu kaufen er erwägte oder auf das er zumindest einen Haufen Geld zu setzen gedachte. »Ich habe gehört, mein lieber Ishmael, dass Sie nicht mehr für Black Heir arbeiten.«

»Diesen Namen kennen nicht viele Leute«, sagte ich. »Noch weniger Leute haben von dieser sehr geheimen Organisation erfahren. Sie sagen, Sie haben das gehört? Von wem?«

»Es wird viel geredet«, sagte der Colonel lässig. »Vor allem in unserer Branche. Geheimagenten tratschen wie Teenager, nur weil sie wissen, dass sie es eigentlich nicht sollten.«

»Sie wissen, was Black Heir ist?«, fragte ich.

»Die Abteilung der britischen Regierung für außerirdische Angelegenheiten«, sagte der Colonel. Er nippte behutsam an seinem

Getränk, als befürchte er eine unangenehme Überraschung. »Echte Außerirdische, wohlgemerkt. Besucher aus dem All und so. Sie tauchen ständig hier auf, auch wenn niemand auf der Welt weiß, warum. Jemand muss hinter ihnen aufräumen und den Schaden regulieren, wenn etwas schiefläuft. Es ist viel besser für die breite Masse, wenn sie nicht weiß, wer und was da unbemerkt in ihrer Mitte wandelt. Man sagte mir, Sie hätten bei Black Heir hervorragende Leistungen erbracht. Hätten eine echte Gabe dafür, die aufzuspüren, die … abhandenkommen. Genau wie dafür, mit harter, gelegentlich auch gewalttätiger Hand einen Deckel auf solche Dinge zu halten. Deshalb muss ich fragen: Warum haben Sie aufgehört, Ishmael?«

»Die neue Richtung, die sie eingeschlagen haben, passt mir nicht«, sagte ich ruhig. »Jemand, der weiter oben in der politischen Nahrungskette steht, hat beschlossen, dass die alten Methoden, Eindämmung, Beobachtung und gelegentlich eine Tracht Prügel, nicht mehr ausreichen. Deshalb lautet die offizielle Vorgehensweise von jetzt an: Außerirdische werden getötet. Freunde, Feinde und alles dazwischen. Dann seziert man sie und klaut ihr Hab und Gut. Ich habe Zweifel angemeldet, und man hat mir gesagt, ich solle die Klappe halten und meine Befehle befolgen. Das hätten sie besser wissen müssen.«

»Zu weiches Herz?«, fragte der Colonel.

»Ich mache mir ungern unnötig Feinde«, erwiderte ich.

»Was für eine vernünftige Einstellung!«, sagte der Colonel. »Warum können wir nicht einfach alle miteinander auskommen, nicht wahr?« Er sah mich nachdenklich an. »Ich muss Ihnen sagen, dass die gegenwärtigen Leiter von Black Heir mit Ihrer Entscheidung sehr unglücklich sind. Sie mögen es ganz und gar nicht, wenn einer der ihren einen Abgang macht. Vor allem angesichts all der Dinge, die Sie wissen und getan haben.«

»Ich weiß, dass Menschen in böser Absicht nach mir suchen«, sagte ich. »Ich bin hier aber ziemlich sicher. Black Heir wird in der Öffentlichkeit nichts gegen mich unternehmen. Denn sie wissen, das würde übel ausgehen. Mein Weggang dürfte eigentlich niemanden überrascht haben. Ich habe meine Meinung ziemlich deutlich gesagt. Ich werde niemanden töten, nur weil er anders ist. Welchen Namen ich auch immer gerade trage und für wen auch immer ich gerade arbeite, es gibt Grenzen, die ich nicht überschreiten werde.«

»Das ist mir klar«, sagte der Colonel. »Sie haben im Laufe der Jahre für sehr viele unter dem Radar tätige Organisationen gearbeitet.«

»Das wissen Sie nicht«, sagte ich. »Sie raten nur.«

»Vielleicht. Aber ich rate aufgrund belegbarer Informationen. Kommen Sie und arbeiten Sie für mich, Ishmael. Ich könnte einen Mann wie Sie gebrauchen.«

Ich lächelte. »Es gibt keine Männer wie mich.«

»Genau!«, sagte der Colonel. »Deshalb will ich Sie.«

»Wofür?«, fragte ich unverblümt.

»Um Geheimnissen auf den Grund zu gehen, Mysterien zu untersuchen und Licht an finstere Orte zu tragen. Außerdem, um dann und wann Schuldige zu bestrafen, an die sonst niemand herankommt. Pour décourager les autres. Ich weiß, mein lieber Junge; klingt fast zu schön, um wahr zu sein, oder?«

»Die meisten Dinge, die zu schön klingen, um wahr zu sein, sind üblicherweise auch zu schön, um wahr zu sein«, stellte ich fest und begegnete seinem arglosen Blick mit einem ebensolchen. »Was, wenn wir uns irgendwann nicht einig sind, ob etwas wirklich geschehen muss? Oder ob jemand wirklich sterben muss? Was dann, oh mein Colonel?«

Er zuckte unbeschwert die Achseln. »Ich werde jeweils dafür sorgen, dass Sie alle Informationen erhalten, die Sie brauchen, um den Auftrag zu erledigen. Ich werde Sie niemals bitten, etwas zu tun, das Sie nicht tun wollen. Ich vertrete eine große Organisation mit sehr vielen Agenten. Deshalb achte ich immer sehr darauf, den richtigen Mann mit der richtigen Mission zu betrauen.«

»Aber warum ich?«, fragte ich. »Warum wollen Sie mich?«

»Sie haben Eigenschaften, die ich bewundere«, antwortete der Colonel. Dabei beließ er es.

»Ich kenne Sie nicht, Colonel«, sagte ich. »Das ist seltsam, denn von den meisten Leuten in unserer Branche habe ich zumindest schon einmal gehört. Ich achte sorgfältig darauf zu wissen, wer sich da so alles tummelt. Also: Wer sind Sie wirklich? An wessen Fäden hängen Sie? Wem sind Sie Rechenschaft schuldig?«

»Ich bin der Colonel, und ich vertrete die Organisation. Mehr müssen Sie nicht wissen. Es ist für alle Beteiligten besser so.«

Ich schaute in mein Glas und stellte überrascht fest, dass es leer war.

»Wieso glauben Sie, etwas über mich zu wissen, Colonel? Über mein wahres Ich?«

»Was weiß man je über jemand anderen?«, fragte der Colonel. »Ich beobachte Ihre Karriere seit einer Weile mit großem Interesse. Aus sicherer Entfernung.«

»Niemand sollte je erfahren, was ich tue«, sagte ich. »Egal, für wen ich arbeitete. Das war immer Teil der Absprachen.«

»Sie sind ganz hervorragend unsichtbar geblieben«, räumte der Colonel ein. »Sie waren immer schon gut darin, sich unauffällig in den Grauzonen der Welt zu bewegen. Das gefällt mir. Dafür habe ich Verwendung.«

Ich warf ihm meinen besten harten Blick zu. »Wo ist der Haken?«

Man musste ihm zugutehalten, dass er nicht mit der Wimper zuckte. Dabei hatte mein harter Blick schon erwachsene Männer sich einnässen lassen. Er erwiderte nur ruhig mein Lächeln.

»Wenn Sie Ja sagen, gehören Sie zu mir und meiner Organisation, bis ich sage, dass Sie gehen können. Ist das akzeptabel?«

»Natürlich«, antwortete ich.

Wir wussten beide, dass ich log, doch wir hoben trotzdem die Gläser und stießen an. Denn so schloss man in unserer Branche Geschäfte ab. Seither arbeitete ich für den Colonel und seine geheimnisvolle Organisation – seit fast fünfzehn Jahren.

Ich leistete gute Arbeit. Auf seinen Befehl hin brach ich in Gebäude ein, die es offiziell nicht gab, und beschaffte Informationen, deren Existenz mächtige Menschen nicht einräumen wollten, um sie dann der breiten Öffentlichkeit zugänglich zu machen. Ich bereiste die Welt, durchquerte unter Dutzenden Namen Dutzende Länder, von den größten Städten bis hin zu Dörfern, die so klein waren, dass sie auf keiner Karte verzeichnet waren. Ich untersuchte seltsame Begebenheiten und unglaubliche Geschichten und kümmerte mich darum. Immer blieb ich unter dem Radar, nie fiel ich auf. Ich fuhr auf der dunklen Seite der Straße, an den finstereren Orten der Welt, und hatte Umgang mit Leuten, ohne die die Welt besser dran gewesen wäre. Manchmal tötete ich Menschen. Manchmal tötete ich Wesen, die nicht einmal annähernd Menschen waren.

Es hatte mir bisher kein einziges Mal leidgetan.

Ich ließ mich von meinem Navi durch den Blizzard leiten und hoffte, dass es wusste, wo es mich hinführte, denn ich hatte jede Orientierung verloren. Die Maschine sprach in einem kühlen, unpersönlichen Tonfall mit mir, den ich den downloadbaren Stimmen von Promis bei Weitem vorzog. Ich hatte Maschinen noch nie gemocht, die so taten, als verfügten sie über einen eigenen Charakter. Technologie sollte ihren Platz kennen. Tatsächlich hatte das Ding schon seit einer ganzen Weile nicht mehr mit mir gesprochen, weil es keine Abzweigungen gegeben hatte. Ich hoffte, es funktionierte noch.

Gelegentlich ließ der Wind nach, vermutlich, um noch mal tief Luft zu holen und mich danach umso böswilliger anzugehen, und dann sah ich ringsum nur Schnee und noch mehr Schnee, der sich bis zum grauen Horizont erstreckte. Nirgends war ein Lebenszeichen zu sehen.

Das letzte Dorf, durch das ich eine halbe Stunde zuvor gekommen war, hatte aus zwei Reihen dunkler Steinhäuser bestanden, die sich aneinandergedrängt hatten, um einander Wärme zu spenden und zu stützen. Trübes Licht hatte hinter den Vorhängen hervorgeschienen, hinter denen sich Menschen vor der tödlichen Macht der Kälte und der brutalen Gewalt des Sturms verbargen. Ich hätte anhalten können, und sei es nur, um zu überprüfen, wo ich war, und mir etwas Warmes zu essen und zu trinken zu besorgen … aber ich wurde dieses schreckliche Gefühl der Dringlichkeit nicht los. Der Colonel bat nie um einen persönlichen Gefallen. Das tat er einfach nicht. Also fuhr ich weiter in den Schnee, den Wind und den Sturm, kämpfte gegen das Auto an, das sich alle Mühe gab, in Schneeverwehungen zu rasen oder mir die Kontrolle über sich zu entreißen, wenn ich wieder einmal um eine Ecke schlitterte.

Schließlich ließ sich das Navi dazu herab, mich in eine nicht ausgeschilderte Nebenstraße abbiegen zu lassen, die ich ohne seine Vorwarnung niemals gesehen hätte. Ich trat auf die Bremse, doch das interessierte sie nicht, also wartete ich bis zum letzten Augenblick und riss dann das Steuer scharf herum. Ich hielt mich mit aller Kraft fest, während sich das Auto in die Nebenstraße warf. Das Lenkrad setzte sich massiv zur Wehr, und ich hielt dagegen, hielt es fest, obwohl die Lenksäule seltsame, unglückliche Geräusche von sich gab. Ein ganzes Stück rutschte das Auto seitwärts, weil keiner der Reifen Halt auf dem rutschigen Boden fand … dann berührten sie plötzlich Schotter unter dem Schnee, krallten sich hinein, und das Auto machte einen Satz vorwärts.

Es hörte für einen Moment auf zu schneien, und ich konnte die schmale Nebenstraße, die sich vor mir erstreckte, besser sehen. Sie wurde von zwei niedrigen Bruchsteinmauern begrenzt, die praktisch unter aufgetürmten Schneeverwehungen verschwunden waren. Ich fuhr weiter, hüpfte und schlitterte über Schnee und zugeschneites Eis. Schon eine ganze Weile hatte ich das Licht an, aber das brachte nicht viel. Die Scheibenwischer … gaben sich alle Mühe. Beinahe hätte ich das abrupte Ende der Straße verpasst. Ich sah gerade noch rechtzeitig eine hohe Begrenzungsmauer vor mir, die sich nach links und rechts erstreckte, bis sie im Sturm verschwand. Unmittelbar vor mir befand sich ein gewaltiges, schwarzes, schmiedeeisernes Tor, das rasch näher kam. Es war sehr fest geschlossen.

Ich trat Bremse und Kupplung mit zwei Füßen durch, und das Auto erzitterte und wurde langsamer. Vor mir ragte das Tor auf. Ich hoffte wirklich, ich würde rechtzeitig anhalten können. Es würde keinen guten ersten Eindruck hinterlassen, wenn ich meine Ankunft in Belcourt Manor kund täte, indem ich durch das Vordertor krachte. Doch das Auto kam einen knappen Meter vor dem großen Eisentor schlitternd zum Stehen, und ich nahm den Gang heraus, zog die Handbremse an und saß eine Weile einfach nur keuchend da. Dann nahm ich die Hände vom Lenkrad, ballte sie mehrfach zu Fäusten und öffnete sie wieder, bis sie nicht mehr so verkrampft waren. Ich hatte mich so lange ans Lenkrad geklammert, dass ich fast nicht mehr wusste, wohin mit meinen Händen.

Die alte Steinmauer links und rechts des Tors war unverputzt, kahl und hatte keinerlei besondere Merkmale. Vermutlich umschloss sie den gesamten Familiensitz. Sie sah aus, als könne sie das meiste fernhalten. Das Tor war schmucklos und hatte keinerlei Schnörkel. Einfach nur brutale senkrechte Stäbe und schwere Querstreben. Vermutlich wäre ich doch nicht durchgebrochen. Ich hätte einfach nur das Auto zu Schrott gefahren. Nicht, dass mir das etwas ausgemacht hätte. Es war nur ein Mietwagen. Ich sah mich nach einem Schild um, um sicherzugehen, dass dies Belcourt Manor war, doch es schien keines zu geben. Wahrscheinlich wusste man entweder, wo man war oder hatte hier nichts zu suchen. In diesem Augenblick verkündete das Navi sehr selbstgefällig, ich hätte mein Ziel erreicht, und ich schaltete es aus. Durch die wirbelnden Schneeflocken betrachtete ich das Tor und konnte mit Mühe und Not ein Zahlenfeld an der Gegensprechanlage ausmachen, die sorgfältig in einer Nische eines der steinernen Torpfeiler verborgen war. Ich lehnte mich zurück und sah mir die Nische eine Weile an.

Der Colonel hatte mich nicht über einen Zugangscode informiert; wahrscheinlich hatte er die Telefonverbindung für zu unsicher gehalten. Aber ich wollte mein hübsches, warmes Auto wirklich nicht verlassen. Ich hupte mehrfach, empfand den Klang aber angesichts des tosenden Windes selbst als jämmerlich. Es gab keine Antwort von jenseits des Tors. Also seufzte ich tief, hüllte mich in meinen Mantel und stieß die Autotür auf.

Das erforderte mehr Kraft, als ich erwartet hatte. Das Auto war komplett vereist, die Tür zugefroren. Sobald es mir durch eine gesunde Mischung aus brutaler Gewalt und schlechter Laune gelungen war, sie zu öffnen, schlug der tosende Wind, der die Tür traf wie ein Rammbock, sie einfach wieder zu. Zum Leidwesen des Windes war ich nicht in der Stimmung, mich nerven zu lassen, also stemmte ich einfach nur die Schulter gegen die Tür und öffnete sie erneut.

Ich stieg vorsichtig aus, weil ich dem Eis und dem Schnee unter meinen Füßen nicht traute, und richtete mich trotz des Sturms auf. Die Kälte schnitt in mein ungeschütztes Gesicht wie ein Messer, und die eiskalte Luft tat beim Einatmen in der Lunge weh. Der Wind riss mir die Autotür aus der Hand und schlug sie wieder zu. Ich senkte den Kopf, zog die Schultern hoch und ging in Richtung des eisernen Tors. Schritt für Schritt. Meine Füße sanken tief in den Schnee ein, und es bereitete mir große Mühe, sie wieder zu befreien. Der tosende Wind traf mich heftig und schubste mich mit der Begeisterung eines Schulhofschlägers herum. Ich ging einfach weiter. Die Kälte und der Sturm hätten vermutlich jeden anderen aufgehalten, aber ich würde mich nicht aufhalten lassen.

Ich erreichte die Nische im Torpfeiler, wischte ein wenig von dem Schnee heraus, der hineingeweht worden war, drückte den Rufknopf und brüllte in die Gegensprechanlage. Ich sagte mehrfach laut meinen Namen und setzte ein paar gebrüllte Hallos hinzu, die durfte man nicht vergessen. Es entstand eine lange Pause, in der sich Schnee auf meinem Kopf und meinen Schultern sammelte, dann ertönte wie aus weiter Ferne eine Stimme aus dem Lautsprecher. Sie klang offen gestanden überrascht, dass jemand vor der Tür stand.

»Hallo?«, fragte sie. »Wer ist da?«

»Ishmael Jones!«, rief ich zurück und bemühte mich, das Tosen des Sturms zu überschreien. »Ich werde erwartet!«

»Ja! Ja, das werden Sie!«, sagte die Stimme. »Natürlich! Wir haben nur nicht erwartet, dass jemand bei … Ich öffne das Tor!«

Ich verkniff mir eine ganze Menge möglicher Antworten und kehrte zum Auto zurück. Die Tür von außen zu öffnen erwies sich als noch schwieriger, aber ich ließ mir jetzt, wo Wärme und ein Dach über dem Kopf in greifbare Nähe gerückt waren, von dem Auto nichts mehr gefallen. Ich stemmte einen Fuß gegen die hintere Tür, riss die Fahrertür auf und hechtete wieder hinein. Ich musste die Innenseite der Windschutzscheibe mit dem Mantelärmel abwischen, ehe ich wieder nach draußen sehen konnte. Ein paarmal ließ ich den Motor aufheulen, dann fuhr ich langsam auf das sich gemächlich öffnende Tor zu. Ich trieb das Auto erbarmungslos an. Der Motor machte Geräusche, die mir gar nicht gefielen, und ich war nicht sicher, wie lange er noch durchhalten würde.

Kaum war ich durch das Tor, als es sich auch schon wieder schloss. Irgendjemand im Herrenhaus war wirklich nicht scharf auf ungebetene Gäste. Ich machte mir eine geistige Notiz, so schnell wie möglich den Zugangscode für das Tor in Erfahrung zu bringen. Ich hasste das Gefühl, in der Falle zu sitzen. Die Steinmauer, die das Grundstück umgab, war allerdings kaum drei Meter hoch; im Notfall hätte ich sie überspringen können.

Ich fuhr weiter die sanft geschwungene Auffahrt entlang. Vor mir ragte ein altmodisches Herrenhaus aus dem Schneetreiben auf, umgeben von mehreren kleineren Nebengebäuden. Schlitternd kam ich vor dem Haupthaus zum Stehen. Belcourt Manor war ein riesiges, gedrungenes, quadratisches, Jahrhunderte altes Gebäude. Es war nur vier Stockwerke hoch, hatte aber auf jeder Etage ein Dutzend Fenster. Sie alle waren aktuell hinter geschlossenen Holzklappläden verborgen. Durch die Spalten in den Klappläden im Erdgeschoss fiel Licht. Sonst war nirgends welches zu sehen. Keine Gargoyles auf dem Dach und keine Spitzgiebel; nur einfache, funktionale Regenrinnen, von denen Eiszapfen hingen, und ein geneigtes Schieferdach.

Neben dem Haupthaus stand eine mittelalterliche Zehntscheuer, die nur aus unverputzten Steinwänden und einem Walmdach bestand, auf der anderen Seite drängten sich mehrere viktorianische Hütten aneinander. Auch dort brannte kein Licht.

Mir fiel etwas ins Auge, und ich sah rasch hinauf zum obersten Geschoss des Herrenhauses. Hatte dort oben gerade eben kurz ein Licht aufgeblitzt, als hätte jemand einen Klappladen geöffnet, um auf mich herabzuschauen? Jemand, der sich für meine Ankunft interessierte? Ich war mir ziemlich sicher. Ich sah eine Weile hinauf, doch alle Läden schienen fest geschlossen zu sein.

Ich sah mich nach einer Garage oder zumindest einem Carport um, wo ich meinen Wagen sturmgeschützt parken konnte, doch es schien nichts dergleichen zu geben. Ein halbes Dutzend großer, weißer Objekte vor dem Herrenhaus waren eindeutig geparkte, völlig eingeschneite Autos. Also lenkte ich meinen Wagen vorsichtig zwischen die reglosen weißen Formen und parkte so dicht an der Haustür wie möglich. Dann saß ich ein Weilchen einfach da und spähte hinaus ins Schneegestöber. Was tat ich hier? Es fühlte sich nicht an wie die Sorte Auftrag, die mir der Colonel üblicherweise erteilte. Etwas an der ganzen Sache fühlte sich nicht richtig an … Da war etwas in der Stimme des Colonels gewesen, das ich bei ihm normalerweise nicht hörte. Hätte ich es nicht besser gewusst, ich hätte gesagt, er hatte Angst gehabt …

Je schneller ich also hineingelangte, unter vier Augen mit dem Colonel sprach und ein paar Antworten von ihm bekam, desto besser. Ich schnappte mir meinen ziemlich mitgenommenen Koffer vom Beifahrersitz, drückte die Tür wieder auf und wagte mich ein letztes Mal in den Schnee hinaus. Der Wind hatte sich völlig gelegt, er flüsterte nicht einmal mehr; der Schnee fiel nur noch wie beiläufig, nahezu lustlos. Es war, als stünde ich im Auge des Sturms. Ich sah an der langen Reihe der Hütten entlang und konnte mit Mühe ein riesiges Gelände ausmachen, mit Blumenbeeten, Bäumen und Hecken sowie einigen Formschnitthecken, deren Einzelheiten allerdings unter den Schneemassen verborgen waren. Bei gutem Wetter sah das alles hier wahrscheinlich ziemlich beeindruckend aus.

Ich stapfte durch den tiefen Schnee zur Vordertür, meine Füße sanken mit jedem Schritt ein und erzeugten dabei laute, knirschende Geräusche. Es war wirklich sehr kalt, aber ich hatte schon

Schlimmeres erlebt. Als ich endlich vor dem Haupttor stand, stellte ich fest, dass es keinen Klingelknopf gab. Nicht einmal einen altmodischen Klingelzug. Nur ein großer, schwarzer, eiserner Türklopfer in Form eines fauchenden Löwenkopfes, aus dessen Maul der Ring des Klopfers hing. Ich ergriff ihn mit fester Hand und klopfte nachdrücklich. Ich friere im Gegensatz zu den meisten Menschen nicht, doch der Sturm war wirklich heftig. Ein Winter, der den Namen verdiente. Kalt genug, um sogar mir etwas auszumachen, wenn ich lange genug im Freien geblieben wäre. Also klopfte ich erneut, diesmal mit noch mehr Wucht. Das musste drinnen zu hören gewesen sein. Wahrscheinlich hörte man es noch auf dem Mond. Plötzlich öffnete sich die große Tür, und ich stürmte hinein, ohne eine entsprechende Aufforderung abzuwarten.

Ein Schwall Wärme umfing mich wie die Umarmung einer Lieblingstante, und ich blieb in der Halle abrupt stehen, um einen langen, zufriedenen Seufzer auszustoßen. Ich ließ meinen Koffer auf den Boden mit dem weichen Teppich fallen und streckte mich langsam, um meine verspannten Muskeln zu lockern. Schneeklumpen fielen von meinem Mantel, schmolzen und wurden von dem teuren Teppich aufgesogen. Ich scherte mich nicht darum. Die Tür schlug hinter mir zu, und ein großer, überheblicher Herr in einer eleganten Butlerlivree trat zu mir und ragte über mir auf. Er war wirklich außergewöhnlich groß, muskulös gebaut, ganz unbestreitbar schwarz und hatte einen schimmernden, rasierten Schädel. Er stand kerzengerade, um mich besser von oben herab anschauen zu können. Ich ließ ihn zuschauen, wie ich mir den Rest des Schnees von den Klamotten klopfte und heftig aufstampfte, um meine Schuhe vom Eis zu befreien. Es fühlte sich gut an, aus dem Sturm heraus und an einem zivilisierten Ort zu sein. Ich schüttelte mich heftig, und sofort wich die Kälte aus meinen Knochen und ich fühlte mich mollig warm und durch und durch wohl. Der Butler sah zu, wie ich Schnee überall verteilte und überlegte eindeutig, ob er mich einfach wieder hinauswerfen sollte. Ich lächelte ihn strahlend an, und er nickte knapp.

Ich sah, dass er viele Fragen an mich hatte, also ließ ich ihn warten. Man durfte nie Schwäche zeigen, das wurde nur ausgenutzt. Stattdessen sah ich mich in aller Ruhe in der großen Eingangshalle von Belcourt Manor um. Sie war groß und bewusst altmodisch gehalten, und bei der Einrichtung hatte man keine Kosten und Mühen gescheut. Die Wände waren bedeckt mit Porträts grimmig dreinschauender Leute, vermutlich Vorfahren der Familie, sowie mit traditionellen Landschaftsgemälden in unterschiedlichen, nicht besonders anspruchsvollen und wenig gewagten Stilrichtungen. Die Möbel waren groß und stabil, zweifellos Antiquitäten und durchweg vollkommen staubfrei und auf Hochglanz poliert. Die Halle war auch ein klein wenig düster, obwohl sich das moderne elektrische Licht alle Mühe gab. Über die gesamte Länge der Halle – die sich endlos zu erstrecken schien, ehe sie schließlich zögernd in eine große, geschwungene Treppe mit stabilem Holzgeländer überging – führten Türen zu beiden Seiten weiter. Ich hatte sicher schon mal irgendwo eine größere Eingangshalle gesehen, konnte mich aber in diesem Moment ums Verrecken nicht erinnern, wo das gewesen sein mochte. Ich hatte schon in Hotelsuiten gewohnt, die kleiner gewesen waren. Also gab ich mir natürlich Mühe, komplett unbeeindruckt zu wirken, als sähe ich so etwas jeden Tag. Ich erwiderte das Nicken des Butlers.

»Ich bin Ishmael Jones«, sagte ich. »Ich werde erwartet.«

»Natürlich, Sir«, erwiderte der Butler mit volltönender, kultivierter Stimme. »Ich bin Jeeves, der Butler Walter Belcourts, des Herrn von Belcourt Manor.«

»Natürlich«, sagte ich.

»Dem jüngsten Wetterbericht zufolge hatten Sie großes Glück, dass Sie es überhaupt hierher geschafft haben«, sagte Jeeves. »Der Sturm wird von Minute zu Minute schlimmer, er tobt jetzt schon über ganz Cornwall und Devon, sowie über dem Großteil Südwestenglands. Wahrscheinlich wird der Blizzard das Gutshaus in ein paar Stunden komplett vom Rest der Welt abgeschnitten haben.«

Etwas in seiner Stimme und seinem Blick gab mir sehr höflich zu verstehen, dass ich ein verdammter Narr sein musste, weil ich unter so extremen Wetterbedingungen überhaupt losgefahren war.

»Ich bin stur«, sagte ich. »Ich akzeptiere kein Nein.«

»Sehr wohl, Sir«, sagte Jeeves. »Darf ich Ihnen den Mantel abnehmen, Sir?«

Ich schälte mich aus meinem dicken Mantel. Schmelzwasser hatte selbst in der kurzen Zeit, die ich dem Sturm ausgesetzt gewesen war, das Futter durchnässt. Wasser tropfte vom unteren Saum des Mantels wie aus einem undichten Wasserhahn. Jeeves nahm mir den Mantel ab und hielt ihn mit ausgestrecktem Arm zwischen Daumen und Zeigefinger vor sich, als wolle er sich nicht daran anstecken. Ich sah ihn streng an.

»Passen Sie gut auf diesen Mantel auf, Jeeves. Ich habe ihn schon lange und hänge sehr daran. Dieser Mantel hat mit mir zusammen in vielen wilden Gegenden zahlreiche Abenteuer bestanden.«

»Den Eindruck hatte ich auch, Sir«, sagte Jeeves. »Ich habe selten ein Kleidungsstück gesehen, das so … mitgenommen aussah.«

»Dann behandeln Sie ihn mit Respekt«, sagte ich. »Sonst setze ich Ihre Hemdbrust in Brand.«

»Natürlich, Sir«, sagte Jeeves. »Ich werde einen angemessenen Haken dafür finden. Irgendwo, wo er sich nicht durch die Nähe anderer, weniger wilder Mäntel eingeengt fühlen wird.« Dann sah er meinen Koffer von oben herab an, der, wie ich zugeben musste, auch schon bessere Tage gesehen hatte. Jeeves machte keine Anstalten, ihn zu tragen.

»Soll ich Ihr restliches Gepäck aus dem Auto holen, Sir?«

»Nein«, sagte ich. »Ich reise mit leichtem Gepäck. So kommt man schneller voran.«

»In der Tat, Sir. Sie müssen ja geradezu dahineilen wie der Wind. Keine Sorge, Sir; ich bin sicher, wir können Ihnen alles zur Verfügung stellen, was Sie während Ihres Aufenthalts hier brauchen könnten.«

»Heißen Sie wirklich Jeeves?«, fragte ich unverblümt.

»Nein, Sir«, sagte der Butler. »Aber Mister Belcourt zahlt mir so schwindelerregend viel Geld, dass ich, wenn er mich Jeeves nennen möchte, nur zu gern bereit bin, auf diesen berühmten Namen zu antworten. Ich möchte allerdings darauf hinweisen, dass ich keine Cocktails mixe, und weder bei der Lösung emotionaler Probleme helfe, noch wenn jemand in Bedrängnis ist. Ich bin einzig und allein Butler.«

»Waren Sie immer schon ein Diener hochgestellter Herren?«

»Nein, Sir. Ich habe ein abwechslungsreiches, interessantes und höchst befriedigendes Leben geführt.«

»Allerdings ist mir die Waffe in Ihrem Rückenholster nicht entgangen«, sagte ich. »Genauso wenig wie das Messer in der Scheide in Ihrem linken Ärmel. Oder die Schmauchspuren an Ihrer Manschette, die darauf hinweisen, dass Sie in jüngster Zeit eine Waffe abgefeuert haben.«

Jeeves musterte mich einen Augenblick lang. »All das erkennen Sie auf einen Blick, Sir?«

»Ich bin auch rumgekommen«, sagte ich.

»Ein Butler hat viele Verpflichtungen, Sir«, sagte Jeeves. »Wenn Sie bitte hier warten würden, während ich mich um Ihren Mantel kümmere – ich werde Sie dann anschließend zu Mister Belcourt bringen. Er bestand darauf, unmittelbar nach Ihrer Ankunft mit Ihnen zu sprechen.«

»Ich würde lieber mit dem Colonel sprechen«, sagte ich. »Schließlich bin ich seinetwegen hier.«

»Ah«, sagte Jeeves. »Mister James Belcourt.«

Unwillkürlich hob ich eine Braue. »James?«

»Ja, Sir. Der älteste Sohn Walter Belcourts.«

»Der Colonel … ist James Belcourt«, sagte ich. »Ah ja. Das wusste ich nicht. Ist das der Stammsitz seiner Familie?«

»Ja, Sir. Er ist gestern am späten Abend eingetroffen.«

»Wo ist er denn jetzt?«

»Ich kann es Ihnen wirklich nicht sagen, Sir. Ich bin sicher, er ist hier irgendwo.« Tatsächlich war ich schockiert, quasi in einem

Nebensatz den wahren Namen des Colonels zu erfahren. In all den Jahren, die ich für ihn gearbeitet hatte, hatte ich ihn immer nur mit seinem Rang angesprochen. Er hatte nie etwas zu seinem Leben außerhalb unserer beruflichen Beziehung verlauten lassen. Solange er mir keine Frage gestellt hatte, hatte ich es bei ihm genauso gehalten. Manche Dinge sind umso bindender, wenn sie nicht ausgesprochen werden. Dann bellte eine raue, befehlsgewohnte Stimme meinen Namen, und ich fuhr herum. Der Herr des Hauses, das Oberhaupt der Familie, kam die Halle entlang auf mich zu. Ich wusste schon eine ganze Weile, dass er hinter mir stand, doch es war mir höflich erschienen zu warten, bis er sich zu erkennen gab.

»Dachte ich mir doch, dass Sie das sind!«, sagte Walter Belcourt fröhlich mit seiner lauten, weittragenden Stimme. »Habe Stimmen in der Halle gehört und gedacht: Das muss unser ungestümer junger Gast sein. Ishmael Jones – wie geht es Ihnen?«

Der alte Mann stapfte festen Schrittes durch die Halle, wobei er sich schwer auf einen schlichten, hölzernen Gehstock stützte. Eine gut aussehende Frau, deren Alter sich widerstrebend an die vierzig annäherte, bewegte sich geschmeidig an seiner Seite. Walter Belcourt schien weit über siebzig zu sein, wirkte aber recht aufgeweckt und gesund, obgleich er große Ähnlichkeit mit einem buckligen Geier mit brennendem Blick hatte. Er war einst ein großer Mann gewesen, doch das Alter hatte ihn sehr gebeugt, und er schien nur noch aus Knochen und Sehnen zu bestehen. Sein Gesicht war eingefallen. Er war mit Ausnahme einiger weißer, wehender Haarbüschel fast kahl. Seine blauen Augen waren noch immer scharf und blickten wissend. Sein buschiger, weißer Schnurrbart erinnerte mich unwillkürlich an den des Colonels. Walter trug einen Tweedanzug im Landjunkerstil mit Wollkniestrümpfen und schweren Schuhen, die für lange Spaziergänge in der freien Natur geeignet waren. Schließlich kam er jäh vor mir zum Stehen, nahm sich einen Augenblick Zeit, um wieder zu Atem zu kommen und lächelte dann munter. Er gab mir mit festem Griff die Hand und schüttelte sie heftig. Nur um deutlich zu machen, wer in Belcourt Manor das Sagen hatte.

»Freunde von James sind hier immer willkommen!«, sagte er fröhlich. »Kommen Sie von weit her?«

»Ich bin aus London hergefahren«, sagte ich. »Bin in Anbetracht des Wetters gut durchgekommen.«

»Gute Güte, Mann«, sagte Walter ehrlich erschrocken. Er sah mich schockiert und zugleich ein wenig beeindruckt an. »Sie sind … wirklich den ganzen Weg gefahren?«

»Bei dem Wetter?«, ergänzte die Frau an seiner Seite. Walter ignorierte sie.

»Es schien dem Colonel wichtig zu sein, dass ich mich so schnell wie möglich hierher begebe«, sagte ich. »Ich tue immer, was der Colonel sagt.«

Walter lachte auf und nickte rasch.

»Der Colonel. Ja … James hat es immer schon vorgezogen, sich mit seinem Rang ansprechen zu lassen. Auch wenn er mir nie verraten hat, was er eigentlich genau tut. Er verrät mir nicht mal, zu welchem Regiment er gehört … Immer noch nicht! Na ja, schätze, das geht mich nichts an. Geheimhaltung und so … Ja … Schön, dass Sie da sind, Ishmael! Einfach ein weihnachtliches Familientreffen, keine steife Angelegenheit. Nur gutes Essen, gute Getränke und noch bessere Gesellschaft! Was?«

»Wie schade, dass James nicht schon früher die Zeit gefunden hat, zu Weihnachten herzukommen«, sagte die Frau an seiner Seite. »Wie lange feiern wir jetzt schon hier, Liebling?«

»Ach, Mel«, knurrte Walter. »Du weißt doch, wie viel der Junge immer zu tun hat …« Wieder fixierte er mich mit seinem intensiven Blick. »Sie arbeiten für meinen Sohn … beim Militär?«

»Ich arbeite für ihn«, sagte ich. »Ich glaube, mehr darf ich nicht sagen. Sie wissen ja, wie es ist.«

Walter grinste plötzlich und zwinkerte mir tatsächlich verschwörerisch zu.

»Militärgeheimdienst, oder? Selbst wenn Sie wollten, dürften Sie mir nichts erzählen. Schon klar, schon klar. Wahrscheinlich ist James nach all den Jahren deshalb immer noch nur Colonel … Aber andererseits wusste er schon immer sehr genau, was er wollte. Was ihm wichtig war und was nicht. Der Junge ist immer schon seine eigenen Wege gegangen!«

Ich nickte respektvoll. Es fiel mir nach all den Jahren, die ich ihn nun schon kannte, schwer, mir den Colonel als Jungen vorzustellen.

»Er war seit … was weiß ich wie lange nicht mehr hier«, sagte Walter stirnrunzelnd. Sein Blick wurde weich, dann plötzlich zweifelnd, als er sich in der Vergangenheit verlor. Er sah mich irritiert an, als hätte er vergessen, warum er mit mir sprach. »Wo … wo war ich?«

Die Frau an seiner Seite hakte sich energisch bei ihm unter.

»Du hast Mister Jones hier erzählt, wie sehr es dich freut, dass James dieses Jahr zu Weihnachten heimgekommen ist.«

»Natürlich!«, sagte Walter, dessen Blick sofort wieder konzentriert auf mir ruhte. »Natürlich! Wo ist der Junge eigentlich? Ist gestern Abend angekommen, direkt ins Bett gegangen und hat nicht mit uns gefrühstückt … Wo treibt er sich denn rum?«

»Ich bin sicher, er ist hier irgendwo«, sagte die Frau. Demonstrativ drückte sie seinen Arm.

»Ah! Ja! Darf ich Ihnen meine zweite Frau Melanie vorstellen?«, sagte Walter. »Ich wüsste nicht, was ich ohne sie täte. Das ist Ishmael Jones, meine Liebe.«

»Ich weiß, Walter«, erwiderte Melanie. Sie schenkte mir ein freundliches Begrüßungslächeln und reichte mir die Fingerspitzen.

Melanie war sehr blond, sehr gepflegt, äußerst selbstsicher und auf charakterlose Weise gut aussehend. Aus der Nähe sah ich, dass sie schon weit über vierzig war, sich aber jünger kleidete. Ziemlich modisch und ohne einen Gedanken an Geld zu verschwenden. Um den Hals trug sie eine Perlenkette und ihre Diamantohrringe waren so schwer, dass sie ihr bis auf die Schultern hingen. Ich sah Anzeichen für Schönheits-OPs in ihrem Gesicht und an ihrem Hals.

»Ich bin Walters zweite Frau«, sagte Melanie. Angesichts des Altersunterschiedes zwischen den beiden huschte mir das Wort Vorzeigefrau durch den Sinn. Melanie musterte mich nachdenklich und runzelte ein ganz klein wenig die Stirn, als sie erkannte, dass sie einen Mann wie mich noch nie gesehen hatte.

»Ishmael Jones ...«, begann sie schließlich. »Was für ein außergewöhnlicher Name.«

»Ich mag ihn«, erklärte ich. »Ich habe ihn unter Tausenden ausgesucht. Die anderen haben mir nicht gefallen. Sie waren alle zu normal.«

Melanie nickte unbestimmt, denn sie vermutete, gerade einen Witz nicht kapiert zu haben, war aber nicht bereit, es einzugestehen.

Rasch schaltete sich Walter ein. »Wir hatten Sie schon fast abgeschrieben, Ishmael. Angesichts des Wetters und so. Grauenhaft. Ich meine, wir alle mögen weiße Weihnachten, dann ist alles irgendwie festlicher, aber das ist schon langsam nicht mehr witzig, was? Was?«

»Ja, Liebling«, sagte Melanie.

»Trotzdem war James sicher, dass Sie kommen würden«, sagte Walter. »Aber warum stehen wir hier in der Halle herum? Im Wohnzimmer brennt ein großes Feuer, an dem sich unser Reisender die Knochen wärmen kann, und um von innen heraus warm zu werden, kriegen Sie einen heißen Toddy. Den brauchen Sie jetzt. Kommen Sie! Jeeves ... Jeeves! Wo ist der Bursche?«

»Hier, Sir«, sagte der Butler und kam durch die Halle herbeigeeilt. Mir war aufgefallen, dass er sich mit meinem Mantel und Koffer davongemacht hatte, während ich mit Walter gesprochen hatte. Jeeves verbeugte sich kurz vor Walter.

»Ich habe Mister Jones' Tasche in den Rosenraum gebracht, Sir. Ich hoffe, das ist annehmbar.«

»Sehr gut, sehr gut«, sagte Walter. »Nur eine Tasche, Ishmael? Egal; Jeeves kann Ihnen alles besorgen, was Sie brauchen. Er ist hier für alle praktischen Fragen zuständig. Nicht wahr, Jeeves?«

»Gewiss, Sir.«

»Was genau tun Sie, Mister Jones?«, fragte Melanie.

»Ich arbeite für den Colonel«, antwortete ich.

»Ja«, sagte Melanie so gedehnt, dass es eher wie *nein* klang. »Das habe ich verstanden. Aber was genau tun Sie für ihn?«

»Was immer er von mir verlangt«, erklärte ich. Ruhig begegnete ich ihrem provokanten Blick. »Er hat mich gebeten, ihn hier zu treffen, und hier bin ich.«

»Aber Sie sind hoffentlich nicht zum Arbeiten hier«, sagte Melanie im Tonfall von jemandem, der gerade einen Punkt erzielt hatte. »Es ist doch Weihnachten. Eine Zeit des Feierns.«

»Ich arbeite ständig«, erwiderte ich. »Wo immer ich bin.«

»Setz den jungen Mann doch nicht so unter Druck, Mel«, sagte Walter. »Du weißt, es gibt Dinge, über die er nicht sprechen kann. Darf ich Sie wenigstens fragen, Ishmael, wie lange Sie schon für meinen Sohn arbeiten?«

»Das müssen jetzt fünfzehn Jahre sein«, antwortete ich.

»Aber Sie sind noch nicht mal dreißig!«, widersprach Melanie. »Hat der Colonel Sie direkt nach der Schule rekrutiert?«

»Ich bin älter, als ich aussehe«, entgegnete ich. »Aber sind wir das nicht alle?«

Melanies linke Hand fuhr automatisch zu ihrem Hals, wo sie am meisten hatte machen lassen.

Walter sprang in die Bresche. »Es muss über fünfzehn Jahre her sein, dass James das letzte Mal zu Weihnachten hier war!«, sagte er. »Es ist natürlich schön, dass er es diesmal geschafft hat, aber … Wahrscheinlich kennen Sie ihn inzwischen besser als ich, Ishmael …«

»Der Colonel war immer sehr verschlossen«, sagte ich vorsichtig. »Er erzählt mir nur, was ich seiner Auffassung nach wissen muss, und zwar dann, wenn ich es wissen muss. Aber wir können uns gerne irgendwann zusammensetzen und uns gegenseitig von unseren Erfahrungen mit dem Colonel erzählen.«

»Ja«, sagte Walter. »Ja, das würde mir gefallen.«

»Meine Tochter ist auch hier«, sagte Melanie. »Penelope. Liebes Mädchen. Fast schon unverschämt intelligent. Sie beide dürften gut miteinander auskommen. Ich bin sicher, Sie haben viel gemeinsam.«

»Wirklich?«, fragte ich. »Das wäre ja mal was Neues.«

»Penny! Ja!«, sagte Walter fröhlich. »Sie werden sie mögen, Ishmael – jeder mag sie. Aber kommen Sie doch mit; kommen Sie ins Wohnzimmer, da können Sie die anderen kennenlernen.«

Er wandte sich abrupt ab und schritt die Halle entlang davon; sein Gehstock knallte jedes Mal, wenn er auf den Teppich traf, und Melanie schwebte neben ihm her. Jeeves war bereits wieder verschwunden, zweifellos, um irgendetwas zu erledigen. Ich folgte Walter und Melanie den Gang entlang und dachte: *Die anderen?*

Zwei

Gespräche mit den Verdammten

Walter riss mit großer Geste die Tür zum Wohnzimmer auf und betrat es mit Melanie am Arm. Das laute Stimmengewirr, das uns aus dem Raum entgegenschlug, ruinierte seine Geste ein wenig. Walter war mitten in einen Streit hineingetreten, und zwar in einen heftigen. Als Walter und Melanie eintraten, ließ der Lärm langsam nach, und ich eilte ihnen hinterher, um nicht den ganzen Spaß zu verpassen.

Die wenigen verbleibenden Stimmen verstummten komplett, sobald ich den sehr großen Raum betrat. Ich blieb direkt hinter der Tür stehen und sah mir interessiert all die geröteten Gesichter und verblüfften Blicke an. Alle rückten ein wenig näher zusammen; im Innenverhältnis mochte einer gegen alle und alle gegen einen gelten, aber angesichts eines Fremden rückten sie automatisch zusammen. Es war so still, dass ich den Wind außerhalb der Klappläden hörte. Walter richtete sich zu seiner vollen Größe auf, rammte seinen Gehstock auf den Boden und sah sich mit funkelndem Blick um.

»Ich habe euch doch allen gesagt, kein Streit zu Weihnachten! Dies ist eine Zeit des Friedens und des Wohlgefallens, und bei Gott, ihr werdet nett zueinander sein, oder es gibt keine Geschenke! Wenn man zu Weihnachten nach Hause kommt, lässt man seine Probleme vor der Tür, ist das klar?«

Seine Stimme knallte wie eine Peitsche, und er sah sich mit kaltem, gnadenlos funkelndem Blick im Zimmer um. Einige seiner

Gäste nickten zögernd, viele senkten den Blick. Ich nutzte die Gelegenheit, um mich in dem überdimensionierten Raum umzusehen. Es wäre genug Platz für ein Fußballspiel fünf gegen fünf gewesen, auch wenn das eine ganze Menge Katzen ziemlich genervt hätte. Ein gewaltiger Weihnachtsbaum, der eine ganze Ecke für sich allein hatte, dominierte den Raum; seine Spitze war abgeknickt, weil er bis an die gemusterte Decke reichte. An den prächtigen Zweigen hingen zahllose Christbaumkugeln und anderer Baumschmuck, außerdem Lametta, das schon bessere Zeiten gesehen hatte, und altmodische Lichterketten. Ich vermutete, es handelte sich um langjährige Lieblingsstücke der Familie, die zu diesem Anlass vom Speicher heruntergeholt worden waren. Jemand hatte viel Zeit ins Schmücken des Baums investiert, aber er sah trotzdem aus, als hätte die Weihnachtsfee darauf gekotzt. Bunt verpackte Geschenke, alle sorgsam mit Namensschildern versehen, türmten sich um den Stamm. Hier stand jemand auf ein traditionelles, gut organisiertes Weihnachten.

Das Wohnzimmer war für die paar Leute, die darin herumstanden, komplett überdimensioniert, als sei der Raum ursprünglich für weit größere Zusammenkünfte gedacht gewesen. Große, wuchtige Antikmöbel standen unmotiviert in der Gegend herum wie Gäste, die man zum Auffüllen von der Straße geholt hatte, der wirklich hässliche Teppich sah abgetreten und an manchen Stellen sogar fadenscheinig aus. In einem gewaltigen, steinernen Kamin knisterte ein offenes Feuer. Ich spürte die Hitze, mit der es den Raum erfüllte. Andererseits war das Wohnzimmer beinahe groß genug für eine eigene Klimazone. Halb rechnete ich damit, zu sehen, wie sich um den schweren Messinglüster, der so unprofessionell angebracht schien, dass ich mir eine geistige Notiz machte, niemals direkt darunter zu stehen, Regenwolken ballten.

Dutzende unterschiedlicher Weihnachtskarten hingen an Schnüren, die an der Wand über dem Kamin gespannt waren, wie um zu sagen: Schaut, wie viele Leute wir kennen! In einem Radio liefen traditionelle Weihnachtslieder, gesungen von schmalzigen Massenchören ohne jedes echte Gefühl, aber wenigstens so leise, dass man sich noch unterhalten konnte. In einer entlegenen Ecke hing sogar ein jämmerlicher Mistelzweig, der niemanden interessierte, um die Druiden glücklich zu machen. Alles in allem hätte es eine ganz nette Veranstaltung sein können, hätte mein Eintreffen die Versammelten nicht auf so unangenehme Weise verstummen lassen.

»Das«, knurrte Walter, »ist Ishmael Jones. Ein Freund von James. Ich erwarte von euch allen, dafür zu sorgen, dass er sich hier wohlfühlt!«

Dass ich den Colonel kannte, provozierte bei den Anwesenden die unterschiedlichsten Reaktionen von heruntergefallenen Kinnladen bis zu zusammengekniffenen Augen. Aber niemand sagte ein Wort, auch nicht, als alle mich interessiert musterten. Worüber auch immer sie gerade gestritten hatten, sie hatten es jetzt, wo möglicherweise ein neues Ziel eingetroffen war, eindeutig vergessen.

Ich wandte den anderen Gästen meine volle Aufmerksamkeit zu und lächelte freundlich in die Runde. Den meisten gelang es irgendwie, mein Lächeln zu erwidern.

Walter nahm mich energisch am Arm und zog mich weiter.

»Kommen Sie ans Feuer, Ishmael. Wärmen Sie sich auf! Ihnen muss ja eiskalt sein, nachdem sie so lange durch den verdammten Schneesturm gefahren sind, um hierherzukommen.«

Eine attraktive junge Frau Mitte zwanzig kam sofort herüber, um uns zu begrüßen, und Walters üblicherweise finstere Miene hellte sich sofort auf; er strahlte sie liebevoll an.

»Das ist meine Tochter Penny, Ishmael. Von meiner zweiten Frau Melanie. Manchmal glaube ich, Penny ist das Beste, was die Familie seit sehr langer Zeit hervorgebracht hat. Bis die Kreditkartenabrechnung eintrifft.«

»Hallo, Ishmael«, sagte Penny. Ihr Lächeln wirkte ziemlich echt, als freue sie sich tatsächlich, mich zu sehen. »Ein neues Gesicht in Belcourt Manor! Wie erfreulich unerwartet. Sind Sie mein Weihnachtsgeschenk? Ich kann es kaum erwarten, Sie auszupacken …«

»Die liebe Penny«, murmelte Melanie. »Allzeit bereit, etwas Unangemessenes zu sagen.«

»Tut mir leid, Mami«, sagte Penny. Es klang nicht ehrlich.

Sie hielt mir die Hand hin und zog dann eine Braue hoch, als ich sie nahm.

»Wie warm Ihre Hand ist, Ishmael! Ich hätte nie gedacht, dass Sie draußen im Sturm waren. Ist Ihnen gar nicht kalt?«

»Ich bin sehr warmherzig«, sagte ich würdevoll. »Kann ich jetzt bitte meine Hand wiederhaben?«

Penny ließ meine Hand los und verzog kurz den scharlachroten Mund in gespielter Enttäuschung. Melanie seufzte leise, während Walter kicherte. Nur ich sah, dass Melanies hellrosa Lippen lautlos die Worte *Musst du immer so eine Schlampe sein, Liebes?* formten.

Penelope Belcourt hatte langes, dunkles Haar, strahlend grüne Augen, ein hübsches Gesicht mit einer guten Knochenstruktur, extrem dramatisches Make-up und ein Lächeln, das erkennen ließ, dass sie nur sehr wenige Dinge ernst nahm. Als sei die ganze Welt ein großer Witz und nur zu ihrem persönlichen Amüsement da. Selbst wenn sie still dastand, loderte in ihr kaum unterdrückte nervöse Energie. Sie wirkte wie jemand, der viel zu geben hatte und nur noch nach dem richtigen Empfänger suchte. Penelope war modisch, aber dennoch für ein Winterwochenende auf dem Land passend gekleidet. Kein Schmuck, als wolle sie nichts an sich haben, was den Blick des Betrachters von ihr selbst ablenkte.

»Interessant, dass Daddy niemandem von uns verraten hat, dass Sie auch zur Party kommen«, sagte Penny ruhig.

»Nun, in Anbetracht des Wetters …«, meinte Walter.

»Ich weiß selbst erst seit dem Anruf des Colonels heute Morgen, dass ich herkomme«, erklärte ich.

»Tun Sie immer, was James sagt?«, fragte Penny.

»Immer«, antwortete ich. »Außer manchmal.«

»Penny, Liebling«, murmelte Melanie, »hole doch unserem neuen Freund Ishmael ein Glas von unserem Spezial-Toddy. Genau das Richtige, um sich von innen aufzuwärmen.«

Penny warf Melanie einen raschen Blick zu und grinste dann kurz. Sie nahm einen schweren Porzellanbecher von einem Beistelltisch und reichte ihn mir mit ernster Miene, wobei sie ihn fest in beiden Händen hielt, um keinen Tropfen zu verschütten. Dampfschwaden stiegen vom dunklen Inhalt des Bechers auf. Penny sah mich seltsam an, als ich ihr den Becher abnahm, also nippte ich vorsichtig an dem Zeug, ehe ich meine Meinung äußerte.

»Widerlich«, sagte ich. »Richtig widerlich mit einem ekligen Beigeschmack von Achduliebergott.«

Ich reichte Penny, die entzückt laut auflachte, den Becher zurück. Sie stellte ihn wieder dahin, wo sie ihn hergeholt hatte. Auf dem Beistelltisch standen noch mehrere andere unberührte Becher.

»Endlich!«, sagte sie fröhlich. »Jemand, der wirklich bereit ist zu sagen, was er denkt! Wie charmant … Sie haben natürlich ganz recht, Ishmael; es ist wirklich ein schreckliches Familiengebräu, das nur bei den Weihnachtsfeiern zum Einsatz kommt. Ich glaube, das restliche Jahr über dient es zum Schrubben der Pferde.«

»Also ehrlich, Penny! Das ist ein altes, erprobtes Familienrezept.« Walter versuchte, verärgert auf sie zu reagieren, doch es gelang ihm nicht richtig. »Man muss sich eben ein bisschen an den Geschmack gewöhnen, das ist alles.«

»Warum trinkst du es dann selbst nie?«, fragte Penny süß.

»Nun«, sagte Walter. »Bei einem so guten Toddy darf man es nicht übertreiben.« Er lächelte mich kurz an, als hätte ich irgendeinen Test bestanden.

Penny nickte nachdenklich. »Sie sind richtig, Ishmael«, sagte sie. »Sie haben Potenzial.«

»Oh ja«, sagte ich. »Durchaus. Mehr, als Sie ahnen.« Walter nahm mich am Arm und führte mich weiter. Keiner von uns hatte etwas zu dem jungen Mann gesagt, der die ganze Zeit über mürrisch an Pennys Seite gestanden hatte. Zweifellos würden wir zu ihm noch kommen.

»Dies ist Alexander Khan«, sagte Walter, als wir vor einem schlanken, eleganten Inder Mitte fünfzig stehen blieben. Er trug einen topmodernen dreiteiligen Anzug mit schicker Weste und Schuhen, die so blank poliert waren, dass das Gesicht des Schuhmachers sich darin spiegelte. Ich begrüßte ihn, und Khan hieß mich in dem überkorrekten Englisch von jemandem willkommen, der sich nicht seiner Muttersprache bediente. Glattes, dunkles Haar, dunkle Haut und ein rundes Gesicht mit tief liegenden Augen. Er sah angestrengt und überarbeitet aus und schien in keiner Weise am Geist der Weihnacht interessiert zu sein.

»Mein Geschäftspartner«, sagte Walter. »Hat mir vor vielen Jahren geholfen, die Firma wiederaufzubauen und zu dem zu machen, was sie heute ist. Inzwischen bin ich halt im Ruhestand, bin aber noch immer sehr interessiert an den Vorgängen in der Firma.«

»Nicht ganz so sehr im Ruhestand, wie es einige von uns gern hätten«, wandte sich Khan an mich statt an Walter. »Wenn du darauf bestehst, weiterhin am Entscheidungsfindungsprozess beteiligt zu sein, Walter, musst du auch Verantwortung übernehmen. Wichtige Entscheidungen halten sich nicht an Feiertage.«

»Sie halten nichts davon, sich an Weihnachten freizunehmen?«, fragte ich.

Khan lächelte frostig. »Ich bin Hindu, Mister Jones. Ich feiere Weihnachten nicht.«

»So ist er, unser Alex«, sagte Walter und kicherte laut und nur ein ganz klein bisschen gezwungen. »Dieser Mann hat im Grunde für einen Hindu eine erzprotestantische Arbeitsethik. Ständig lastet die Verantwortung auf seinen Schultern, dauernd macht er sich Sorgen um unseren nächsten Schritt. Ich sage ihm dauernd: Mach langsam und schnuppere mal am Kaffee, sonst stirbst du an einem Herzinfarkt, lange bevor es Zeit für den Ruhestand ist.«

Khan nickte geistesabwesend. Er starrte mich an, bedachte mich mit einem seltsamen Blick. »Verzeihen Sie, Ishmael, aber … Sie sehen einem früheren Arbeitskollegen aus den Achtzigern verblüffend ähnlich …«

Walter stieß ein bellendes Lachen aus. »Na, das kann er ja wohl kaum sein, oder, Alex? Das war vor dreißig Jahren! Damals war Ishmael noch gar nicht geboren!«

»Vielleicht kannten Sie meinen Vater, Mister Khan«, sagte ich. »Dann hätten Sie mir etwas voraus, denn ich habe ihn nie getroffen.«

»Ja … natürlich«, meinte Khan. »So muss es sein, nicht wahr …« Er warf mir einen letzten, neugierigen Blick zu und wandte sich dann ab, um Walter seine uneingeschränkte Aufmerksamkeit schenken zu können. »Wir müssen reden, Walter. Es ist sehr wichtig! Du kannst das nicht dauernd auf die lange Bank schieben!«

»Ich glaube, du wirst feststellen, dass ich genau das kann, Alex«, sagte Walter fröhlich. »Ich werde in meinem eigenen Haus verdammt noch mal tun, was mir passt.«

Er entfernte sich, und Khan folgte ihm auf der Stelle, versuchte weiter, mit Walter übers Geschäft zu reden, während der lautstark über alles andere sprach. Ich sah Khan nach und schwelgte in Erinnerungen. Er hatte natürlich völlig recht gehabt. Ich kannte ihn aus den Achtzigern, als wir noch beide für Black Heir gearbeitet hatten. Er war Jahre vor mir ausgestiegen, um einer unehrenhaften Entlassung zuvorzukommen. Er hatte ein außerirdisches technisches Gerät nach draußen geschmuggelt, als er glaubte, niemand bekäme es mit, und sich damit in eine große Telekommunikationsfirma eingekauft. Ich hatte nicht gewusst, dass es sich um die Firma des Vaters des Colonels gehandelt hatte.

Khan hatte seine Spuren mit gewohnter Gründlichkeit verwischt, aber ich hatte vor ihm gewusst, was er tun würde. Ich hatte es an seinem Gesicht abgelesen, es aus den Themen herausgehört, die er sorgfältig vermied. Ich hätte ihn aufhalten können, hatte aber keinen Grund dazu gesehen. Damals hatte ich schon begonnen, an Black Heir zu zweifeln, und seine ziemlich auffälligen Taten hatten von meinen weniger offensichtlichen Nebenverdiensten abgelenkt. Khan hatte ja nichts Gefährliches oder Beunruhigendes an sich genommen. Nur einfache außerirdische Kommunikationstechnologie; fortschrittlich genug, um einer irdischen Firma einen Vorsprung gegenüber der Konkurrenz zu verschaffen. Aber nichts … Auffälliges. Wenn es etwas Gefährliches oder Beunruhigendes gewesen wäre, hätte ich es mitsamt ihm verschwinden lassen. Es gab Grenzen, die ich nicht überschritt.

Alexander Khan und ich hatten mehrere Jahre in derselben Abteilung gearbeitet, aber ich konnte nicht behaupten, dass wir einander je nahegestanden hatten. Wir waren Kollegen gewesen, keine Freunde. Khan hatte viele Kollegen gehabt und war immer ein bisschen zu schnell bereit gewesen, sich für die Auslöschung eines gestrandeten Aliens stark zu machen, statt dafür, es mit einem kräftigen Arschtritt wieder nach Hause zu schicken.

Dennoch schien ich bei dem Mann einen bleibenden Eindruck hinterlassen zu haben, wenn er mich nach dreißig Jahren noch so schnell erkannte.

Während ich darüber nachdachte, kam ein weiterer Gast Walters lächelnd zu mir herüber. Eine grauhaarige Frau Ende sechzig mit runzligem Gesicht, das immer noch Reste einstiger großer Schönheit zeigte. Sie trug stilvolle, aber dezente Kleidung, die unauffällig, aber überzeugend von den Tugenden einer vergangenen Epoche zeugte. Als Menschen noch Kleidung trugen, um sich gut zu fühlen, nicht um die angesagtesten Marken zur Schau zu tragen. Sie trug einen Haufen Schmuck in allen Größen und Formen, als wolle sie sagen: *Sehen Sie? Ich war einmal wunderschön. All das haben mir Männer geschenkt, weil ich so liebenswert war.* Sie reichte mir eine schmale, geäderte Hand, die ich vorsichtig schüttelte, weil sie so zerbrechlich wirkte.

»Hallo, Ishmael Jones«, sagte sie mit einer warmen, aber auf dezente Weise sehr durchdringenden Stimme. »Ich bin Diana Belcourt. Walters erste Ehefrau. Willkommen. Dies war einst mein Zuhause, bis mich Walter den augenfälligeren Qualitäten Melanies zuliebe aufgab. Mir fehlt dieses Haus … nur eines der vielen Dinge, die mich die Scheidung gekostet hat. Weil Walter all unsere Bankangelegenheiten regelte, konnte er sich bessere Anwälte leisten als ich. Ich schätze, ich hätte mich heftiger zur Wehr setzen können, aber am Ende wollte ich nur noch weg. Meine Freiheit war jeden Preis wert. Mrs Walter Belcourt zu sein war harte Arbeit. Nichts drängt einen stärker in die Schatten, als mit einem Business-Tycoon verheiratet zu sein.«

Walters Rückkehr ersparte mir die Notwendigkeit einer Antwort. Er nickte Diana lässig zu.

»Lebst du immer noch in der Vergangenheit, meine Liebe? Du wirst dich niemals weiterentwickeln können, wenn du immer nur zurückblickst.«

»Du hast wieder umgeräumt, Walter«, stellte Diana fest. »Gefällt mir nicht.«

»Mel mag es«, sagte Walter.

»Sie hatte noch nie Geschmack«, erklärte Diana. »Aber deswegen hast du sie ja geheiratet. Weißt du, mir hast du nie so leicht nachgegeben, als wir noch verheiratet waren.«

»Nun, einer von uns beiden musste ja mit den Jahren nachgiebiger werden«, sagte Walter.

»Aber du kamst dafür nicht infrage, oder?«

»Sind Sie sicher, dass Sie beide nicht mehr verheiratet sind?«, fragte ich. »Es klingt nämlich ganz so.«

Beide lächelten. »Wir kommen alle gut miteinander aus«, meinte Walter. »Niemand von uns ist nachtragend.«

»Solange die Unterhaltszahlungen fließen«, sagte Diana süß. Dann hielt sie inne und musterte mich nachdenklich. »James ist mein Sohn. Ich glaube, ich habe noch nie jemanden getroffen, der für ihn arbeitete. Er war immer so verschlossen. Ich bin froh, endlich jemanden aus seinem Berufsleben getroffen zu haben. Er mailt mir regelmäßig und ruft an, sooft er kann, wie es ein guter Sohn tun sollte, aber ich habe ihn seit Jahren nicht mehr gesehen. Er spielt gern den Geheimnisvollen.«

»Ja«, sagte ich. »Da muss ich Ihnen zustimmen.«

Eine weitere, auffällig gut aussehende Frau Mitte dreißig trat zu uns. Walter und Diana lächelten sie auf sehr unterschiedliche Weise an.

»Darf ich Ihnen meine gute Freundin und Gefährtin Sylvia Heron vorstellen?«, sagte Diana. »Sie kümmert sich um meine Termine. Ich weiß nicht, was ich ohne sie täte.«

Sylvia lächelte mich strahlend an, als sei ich eigentlich nur gekommen, um sie zu treffen. Ein warmes, suggestives Lächeln, begleitet von einem festen Blick, als seien wir ganz allein im Zimmer. Im Fokus von Sylvias ungeteilter Aufmerksamkeit zu stehen war, als schaue man in einen Scheinwerfer. Sie schüttelte mir herzhaft die Hand, und ihre Fingerspitzen strichen über meine, als sie wieder losließ. Einen Augenblick lang spürte ich definitiv einen Funken. Das geschah mir nicht oft. Sylvia war die Art Frau, bei der sich ein Mann als Mann fühlen konnte und die ihm das Gefühl vermittelte, etwas ganz Besonderes zu sein, einfach indem sie ihn zur Kenntnis nahm. Sie musterte mich unverblümt und gab mir wortlos zu verstehen, dass ihr durchaus gefiel, was sie sah.

Das war ja alles gut und schön, aber ich wurde den Verdacht nicht los, dass sie jeden auf diese Weise behandelte.

»Hör auf, Sylvia«, sagte Diana amüsiert, aber in leicht warnendem Tonfall. »Du kannst sie nicht alle haben, sonst bleiben für uns andere nicht genug.«

»Tut mir leid«, grinste Sylvia. Es klang aber nicht so. »Meine Augen waren größer als mein Magen.«

»Nun, friss den Jungen nicht bei lebendigem Leibe auf; zumindest nicht, bevor er sich ein bisschen zurechtgefunden hat.«

»Ich sage immer: Warum Zeit verschwenden?«, erwiderte Sylvia plump. Sie kleidete sich glamourös in satten Farben und sich beißenden Schattierungen und kam damit durch, weil ihre Präsenz im gesamten Raum loderte wie eine offene Flamme. Ihr Gesicht war ein bisschen zu lang und zu breit, um von einer klassischen Schönheit zu sprechen, aber wenn sie einem den Blick zuwandte, verschlug es einem dennoch die Sprache. Mit einem solchen Gesicht und diesem Rassekörper kam Sylvia bei Männern mit allem durch, und das wusste sie. Wie Melanie kleidete sie sich nicht ihrem Alter angemessen; im Gegensatz zu Melanie konnte es sich Sylvia aber leisten.

Also erwiderte ich einfach ihr Lächeln und zeigte mich betont unbeeindruckt von ihrer spektakulären Präsenz. Weil ich kompliziert war. Etwas anderes konnte ich mir nicht leisten.

Sylvia blinzelte ein wenig verblüfft. »Wie schön, Sie bei uns zu haben, Ishmael«, sagte sie. »Ich habe mich nur einverstanden erklärt, in diese zugige alte Burg mitzukommen, um Diana Gesellschaft zu leisten. Ich habe mit einem langweiligen, altmodischen Weihnachtsfest gerechnet, aber danach sieht es langsam wirklich nicht mehr aus. Frisches Blut bei einem alten Treffen ist immer gut.« Sie nahm einen tiefen Schluck aus ihrer Champagnerflöte, zog eine Schnute, als sie sah, dass sie sie geleert hatte, und hielt das Glas einfach von sich weg, damit jemand ihr nachschenkte. Walter war rasch zur Stelle, um das zu erledigen. Sylvia bemerkte es nicht einmal. Sie war vollauf damit beschäftigt, mich nachdenklich zu mustern. »Diana hat mir viel über James erzählt. Ihren Colonel. Ich hätte nie erwartet, ihn oder einen seiner geheimnisvollen Mitarbeiter dieses Wochenende hier zu treffen. Machen Sie sich nichts daraus, wenn Sie mir keine Geheimnisse anvertrauen können; erfinden Sie einfach ein paar faszinierende Lügen. So mache ich das immer.«

»Ich werde mein Bestes tun«, sagte ich.

Sämtliche Zuhörer lachten; es waren … alle. Sylvias Auftritt hatte sie alle angelockt wie eine Flamme die Motten. Sie mochte nur als Dianas Freundin und Begleiterin gekommen sein, aber sie wusste, man erwartete von ihr, zur Unterhaltung beizutragen, und hatte kein Problem damit.

Die Gruppe löste sich auf, als Diana Sylvia für ein Vieraugengespräch beiseite nahm, und alle unterhielten sich weiter. Diskret beobachtete ich, wie Sylvia den Raum mit skrupelloser Effizienz bearbeitete, charmant und strahlend von Person zu Person und von Gruppe zu Gruppe ging und mit jedem ganz offen flirtete, und zwar auf eine völlig mühelos erscheinende Weise. Die Dame war ein Profi. Ich machte mir eine geistige Notiz, mich von ihr fernzuhalten, denn ich erkannte ein Raubtier, wenn ich eines sah. Ich war schon früher Frauen wie Sylvia begegnet, auf allen möglichen Zusammenkünften. Die Profi-Freundin, der perfekte Gast. Allzeit bereit, sich an die richtigen Leute zu hängen, ihnen eine Freundin und Gefährtin in der Not zu sein, sodass sie immer sicher sein konnten, an die richtigen Orte und zu den richtigen Partys eingeladen zu werden … wo sie sich dann an jemand Besseren hängten. So war Sylvia. Immer unterwegs, immer auf dem Weg nach oben, bis sie schließlich jemandem, der groß genug war, gestattete, Jagd auf sie zu machen, sie zu erhaschen und zu überreden, sesshaft zu werden – natürlich in angemessenem Luxus.

Die Frage war, was Sylvia hier in Belcourt Manor tat. Sie war doch wohl nicht hinter Walter her? Vielleicht wollte sie nur netzwerken. Oder vielleicht … hatte sie beruflich etwas Konkretes im Auge. Hätte ich Wertsachen besessen, ich hätte sie an einem sehr sicheren Ort eingeschlossen, solange Sylvia auf der Pirsch war.

Ich schien meine Begrüßungsrunde der Gäste abgeschlossen zu haben, denn ich stand wieder vor Penny, die sich zu freuen schien, mich wiederzusehen. Sie war vielleicht nicht so glamourös wie Sylvia, doch ich fühlte mich in ihrer Nähe viel wohler, und sei es nur, weil ihr Lächeln ehrlich zu sein schien. Der junge Mann stand immer noch stur neben ihr und trat abrupt vor, vermeintlich, um sich vorzustellen, aber wohl eher, um sich zwischen mich und Penny zu stellen.

»Roger Levine«, sagte er knapp. »Lassen Sie Penny in Ruhe.«

»Ah, ja«, entgegnete ich. »Der junge Mann, der ständig an Pennys Seite ist, auch wenn klar ist, dass sie seine Anwesenheit völlig vergessen hat.«

»Was?«, fragte er zurück und nahm sofort eine drohende Haltung ein.

»Ich fürchte, den Spruch hast du dir selbst zuzuschreiben, Roger, mein Schatz«, warf Penny ein. »Du kannst dich nicht wie ein Rohling aufführen und dann das Echo nicht vertragen. Jetzt benimm dich und sei nett zu unserem neuen Gast, oder ich schwöre, ich werde das ganze Wochenende kein Wort mit dir wechseln.«

Roger wollte etwas sagen, verstummte aber unter ihrem wütend funkelnden Blick. Es war klar, dass er ihr die Stirn bieten wollte, aber es war genauso klar, dass er keine Ahnung hatte, wie. Selbstbewusste, selbstständige Frauen würden Männern wie ihm immer ein Rätsel bleiben. Also zuckte er nur knapp die Achseln, wandte sich mir wieder zu und reichte mir die Hand. Ich schüttelte sie vorsichtig und ließ sie dann wieder los. Ich gab mir alle Mühe, ihn verständnisvoll anzusehen, und er nickte kurz, als wolle er sagen *Was soll man machen?* So machte die Liebe Narren aus uns allen. Die Liebe oder etwas Ähnliches.

Roger war Anfang zwanzig, groß und schlaksig und steckte in einem teuren, taillierten Anzug, der an ihm herumschlackerte, weil er sich keinerlei Mühe gab, aufrecht zu stehen. Krumm dastehen und mürrisch schauen waren für ihn offenbar Vollzeitbeschäftigungen, denn er begriff nicht, warum sein Geld und sein Stand nicht dafür sorgten, dass ihm einfach alles in den Schoß fiel. Penny zum Beispiel. Es war auch nicht zu übersehen, dass er nur unter Protest an der Weihnachtsfeier teilnahm, um Zeit mit Penny verbringen zu können. Noch deutlicher war, dass sie ihn nicht hatte dabeihaben wollen. Man musste sich nur ihre Körpersprache ansehen. Roger tat sein Bestes, um Selbstvertrauen oder zumindest Arroganz auszustrahlen, aber sein unsicheres Lächeln und der unstete Blick untergruben seine Bemühungen.

»Also«, begann ich. »Was führt Sie her, Roger? Sie gehören nicht zur Familie …«

»Beinahe hätte ich dazugehört«, antwortete Roger wohlüberlegt. »Vielleicht werde ich das ja sogar eines Tages.«

»Oh, Roger!«, sagte Penny scharf. »Hör auf. Ich habe doch gesagt, es ist vorbei.« Sie warf mir einen Verständnis heischenden Blick zu.

»Roger und ich waren verlobt, aber das ist aus und vorbei. Wir sind jetzt nur noch gute Freunde.«

Aber ich musste mir nur ansehen, wie Roger Penny anschaute, um zu wissen, dass aus seiner Sicht er in dieser Frage das letzte Wort hatte.

Wir plauderten eine Weile über alles Mögliche. Penny gab ein Bonmot nach dem anderen von sich, während Roger meist nur grunzte. Ich empfand es tatsächlich als Erleichterung, als Diana zu uns trat, um mich für ein Vieraugengespräch beiseite zu nehmen. Sie musterte lange mein Gesicht.

»Tut mir leid, Ishmael; ich weiß, ich starre Sie an, aber … Sie erinnern mich so sehr an einen alten Bekannten. Damals, in Paris, Ende der Sechziger.«

»Das muss Ishmaels Großvater gewesen sein!«, bemerkte Walter im Vorübergehen.

»Das könnte sein«, sagte ich sanft zu Diana. »Ich glaube, er war zu der Zeit in Frankreich.«

Ich entfernte mich, vorgeblich, um mir ein Glas Glühwein zu holen. Ich hatte Diana tatsächlich erst erkannt, als wir die ersten Worte gewechselt hatten. Sie hatte sich so sehr verändert, seit wir 1969 in Paris eine Affäre gehabt hatten.

Ich nippte an meinem Glühwein, beschloss, dass ein Schluck genug war, und stellte das Glas wieder weg. Es musste hier doch irgendetwas Trinkbares geben. Ich stand etwas abseits, bemühte mich, gedankenverloren auszusehen und belauschte die anderen. Ich konnte einer beliebigen Anzahl von Gesprächen folgen, selbst wenn mehrere Personen gleichzeitig sprachen. Das war eine gute Methode, Dinge aufzuschnappen, die man wissen musste, die einem andere aber vorenthalten wollten.

Alex Khan wollte nach wie vor mit Walter übers Geschäft reden, der dazu allerdings keine Lust hatte. Walter mied Khan, indem er sich jeder sich neu bildenden Gruppe anschloss. Er sprach fröhlich und laut und sorgte dafür, nie mit Khan allein zu sein. Khan, der leise und manchmal auch weniger leise vor sich hin grollte, wurde schließlich in eine Unterhaltung mit Roger verstrickt, der keinen Gesprächspartner hatte, weil Penny gerade nicht mit ihm redete und es sonst niemand wollte. Der junge Mann starrte mürrisch zu Boden, während Khan leise, aber eindringlich auf ihn einredete.

»Ich war viele Jahre lang ein guter Freund deines Vaters, Roger«, sagte Khan, »und auch wenn er jetzt nicht mehr unter uns weilt, so weiß ich doch, dass du das Richtige tun willst. Du hast versprochen, eine erkleckliche Summe in meine Firma zu investieren, und ich nehme dich beim Wort.«

»Damals war ich noch mit Penny verlobt«, erwiderte Roger. Er brachte es noch immer nicht über sich, Khans brennendem Blick zu begegnen, doch seine Stimme war recht fest. »Die Investition hätte mein Hochzeitsgeschenk für sie sein sollen. Nun, sie hat die Verlobung gelöst; Sie und Ihre Firma können sich das Geld in den Arsch schieben.«

»Du kannst es dir leisten«, sagte Khan.

»Darum geht es nicht!« Roger hob den Blick vom Teppich und funkelte Khan errötend an. »Sie wollen das Geld? Dann sorgen Sie dafür, dass Penny mich wieder mag!«

»Sei doch vernünftig, Roger ...«

»Nein!«, sagte Roger lauter, als Khan lieb war. »Ich habe es satt, vernünftig zu sein. Das bringt gar nichts. Es bedeutet nur, ausgenutzt und von allen möglichen Leuten über den Tisch gezogen zu werden. Ich habe es satt, immer zu tun, was die anderen wollen. Penny hat mich an der Nase herumgeführt und dann fallen gelassen wie eine heiße Kartoffel. Als seien meine Wünsche völlig unerheblich. Ich hasse dieses Gefühl. Ich will Penny zurück; ich will, dass alles wieder so ist wie früher, als ich glücklich war. Sie wollen das Geld, Khan? Nun, Sie wissen, was Sie dafür tun müssen.« Er ließ Khan stehen und ging davon.

Khan schien tatsächlich überrascht zu sein, dass Roger so willensstark auftreten konnte. Er sah sich nach Walter um und sah ihn allein an der Hausbar stehen. Khan eilte hinüber und drängte Walter gegen den Barschrank, schnitt ihm den Fluchtweg ab. Walter sah ihn finster an, aber wenn er Khan nicht aus dem Weg stoßen wollte, würde er ihm nicht entkommen.

»Wie gesagt«, beharrte Walter stur. »Ich werde an Weihnachten nicht über Geschäfte sprechen!«

»Du musst!«, sagte Khan. »Die ganze Firma läuft Gefahr unterzugehen!«

»Du übertreibst.«

»Es ist meine Firma, ich weiß, was läuft.«

»Ich denke, du wirst feststellen müssen, dass es noch immer meine Firma ist, Alex«, erklärte Walter ruhig. »Sie gehört seit Generationen meiner Familie ...«

»Es ist nicht deine Firma, Walter, schon seit Jahren nicht mehr. Du darfst nur Vorstandsvorsitzender bleiben, weil dein Name in der Stadt nach wie vor Gewicht hat. Aber der Vorstand trifft jetzt alle Entscheidungen, und er möchte von mir geführt werden.«

»Sie werden ja sehen, was sie davon haben«, konterte Walter boshaft.

»Du bist nicht der Einzige, der alles verlieren wird, wenn die Firma in die Insolvenz geht«, sagte Khan stur. »Wir waren schon einmal fast insolvent, weißt du noch? Wenn ich euch nicht die neue Kommunikationstechnologie gebracht hätte … aber der Markt hat sich weiterentwickelt und droht, uns abzuhängen. Wir brauchen Investoren, um unsere Forschungslabors zu finanzieren und ein neues umsatzstarkes Produkt zu entwickeln.«

»Über so viel Geld verfüge ich nicht mehr«, sagte Walter. Er sah sich rasch um, um sicherzugehen, dass niemand sie belauschte, und senkte die Stimme, bis sich Khan vorbeugen musste, um ihn zu verstehen. »Ich habe das Haus, die Ländereien und die Einnahmen daraus, und das war's! Mehr als genug, um für den Rest meiner Tage ein angenehmes Leben zu führen und Melanie und Penny einen hübschen Notgroschen zu hinterlassen, aber damit hat sich's. Das werde ich nicht aufs Spiel setzen, um deine Träume davon, was das Beste für die Firma wäre, zu unterstützen!«

»Dir gehören Dinge, Walter«, sagte Khan völlig ungerührt. »Kunstgegenstände, Antiquitäten, Land. Alles sehr wertvoll. Verkaufe etwas.«

Walter lächelte ihn humorlos an. »Stehen die Dinge wirklich so schlecht, dass du glaubst, mich unter Druck setzen zu können? Ich muss nur abwarten, bis der Vorstand erkennt, wie wertlos du für uns geworden bist. Mit etwas Glück wird er dann einen Anfall von Vernunft haben und dich rauswerfen.«

»Wenn es nicht anders geht, werde ich dich als Vorstandsvorsitzenden absetzen«, sagte Khan kategorisch. »Wenn nötig auch mit Gewalt.«

Walter sah ihn scharf an; als er schließlich sprach, war seine Stimme ruhig, beherrscht und eiskalt. »Du brauchst einen einstimmigen Vorstandsbeschluss, um die Anteile überstimmen zu können, die ich nach wie vor halte. Das schaffst du niemals. Zu viele von diesen Leuten schulden mir was.«

»Du redest über die Vergangenheit, ich über die Zukunft«, erwiderte Khan. »Du redest über Gefühle, ich übers Geschäft. Es ist egal, was du in der Vergangenheit für diese Leute getan hast; sie werden wie ich stimmen, weil es in ihrem Interesse ist. Bei Geld hören die Freundschaft, die Loyalität und die Schuld auf.«

Walter grinste ihn höhnisch an. »Wenn ich falle, reiße ich euch alle mit. Ich weiß, wer von euch welche Leichen im Keller hat, weil ich euch geholfen habe, die meisten davon verschwinden zu lassen. Sag diesen verräterischen kleinen Scheißern in meinem Vorstand, sie sollen sich benehmen, sonst erledige ich sie – und was ich mit dir machen werde, Alexander Khan … würde ich meinem schlimmsten Feind nicht wünschen.« Er schaute sehr finster drein. »Jetzt schau, was du angerichtet hast! Du hast mir vollkommen die Festtagsstimmung verdorben! Mel, wo bist du, Mädchen …?«

Melanie eilte an seine Seite, und Khan gab auf. Er schritt von dannen, während sich Melanie um Walter bemühte, ihm ein frisches Glas Champagner besorgte und ihn mit fröhlichem, nichtssagendem Geplapper aufheiterte. Ich konnte nicht umhin zu bemerken, dass Melanie zwar stets bereit war, die schützende Hand über ihren Gatten zu halten, sich aber um Penny keinen Deut kümmerte. Als erwartete Melanie von ihrer Tochter, dass sie auf sich selbst aufpassen konnte.

Derweil betätigte sich Sylvia nach wie vor als Herz und Seele der Party. Ich beobachtete, wie sie bewusst mit allen Anwesenden sprach, einzeln und in Gruppen; jeder freute sich, sie zu sehen. Lachen folgte ihr durch den Raum, und alle anwesenden Männer musterten sie nachdenklich, wenn auch nur für einen Augenblick. Mit mir jedoch schien sie nicht mehr sprechen zu wollen. Vielleicht, weil ihr klar war, dass es Zeitverschwendung gewesen wäre. Ich brachte sie wohl ein wenig aus dem Konzept. Sie war es gewohnt, Leute um den Finger wickeln zu können, und wie hieß es so schön? Raubtiere witterten einander.

Schließlich gelang es Roger, Penny in eine Ecke zu drängen und nicht mehr herauszulassen, sodass sie sich mit ihm auseinandersetzen musste.

»Du kannst mir nicht ewig aus dem Weg gehen, Penny!«

»Ich glaube doch, Liebling. Langsam habe ich den Bogen raus.«

»Du hast gesagt, wenn ich mit herkomme, in dieses schreckliche alte Spukhaus am Arsch der Welt, und Weihnachten mit dir und deiner fürchterlichen Familie verbringe, könnten wir darüber reden, es noch einmal miteinander zu versuchen!«

»Ich habe nichts dergleichen gesagt!«, antwortete Penny scharf. »Du hast auf diese Einladung bestanden, obwohl ich dir gesagt habe, dass es keine gute Idee ist. Ich habe dir versprochen, ein letztes Mal mit dir über diese Angelegenheit zu reden, und das haben wir getan. Ich will nicht mehr mit dir verlobt sein. Wie oft muss ich dir das denn noch sagen?«

Roger sah sie an und schmollte dann wie ein kleiner Junge, der etwas zu hören bekommen hatte, was ihm nicht passte. »Warum willst du nicht mehr mit mir verlobt sein? Wir hatten doch Spaß! Wir waren doch glücklich zusammen!«

»Du warst glücklich«, sagte Penny nicht unfreundlich. »Ich glaube, ich habe nur so getan, um Daddy einen Gefallen zu tun. Er hat sich so sehr gewünscht, sein kleines Mädchen glücklich verheiratet und unter der Haube zu sehen. In der Obhut von jemand anderem. Aber letztlich ist mein Glück wichtiger als seines. Du bist kein schlechter Kerl, Roger, aber du bist nicht, was ich suche. Tut mir leid.«

Roger starrte auf seine Schuhspitzen, weil er Pennys furchtbar verständnisvollem Blick nicht standhalten konnte. »Ich schätze, jetzt sagst du gleich: *Es liegt an mir, nicht an dir.*«

»Nein, ich bin ziemlich sicher, dass es an dir liegt, Roger«, sagte Penny überzeugt. »Du bist irgendwie schon ganz süß, wenn du gerade mal nicht an dich selbst denkst. Ja, wir hatten durchaus auch schöne Zeiten zusammen. Aber das ist keine Grundlage für eine Ehe! Du bist nicht, was ich will und definitiv nicht, was ich brauche. Schreib es einfach als Erfahrung ab, Roger, und brich zu neuen Ufern auf. Wie ich es auch getan habe.«

»Was willst du?«, fragte Roger verzweifelt. »Was auch immer es ist, ich werde es dir besorgen! Versprochen. Nur … sag mir, was ich tun soll.«

»Genau das ist dein Problem, Roger. Ich will niemanden, dem ich sagen muss, was er tun soll. Vor allem, weil ich selbst gar nicht weiß, was ich will. Nur, dass ich es wissen werde, wenn ich es sehe. Oder ihn.«

Sie drehte sich um, sah mir direkt in die Augen und ertappte mich dabei, wie ich sie beobachtete. Roger sah uns an und schien eher müde und verletzt als wütend.

Pointiert wandte ich den Blick ab. Ich wollte mit diesen Leuten nichts zu tun haben. Ich war wegen des Colonels hier … und er war noch immer nirgends zu sehen.

Ich wandte mich ab, suchte nach etwas, womit ich mich ablenken konnte, und sah Diana, die gerade für einen Augenblick allein dastand und nachdenklich beobachtete, wie sich Sylvia strahlend durch den Raum flirtete. Vielleicht war Diana nicht mehr so sicher, ob es eine gute Idee gewesen war, ihre neue Freundin und Gefährtin mitzubringen, denn es hatte eine Zeit gegeben, da Diana selbst charmant und strahlend der Mittelpunkt der allgemeinen Aufmerksamkeit gewesen war. Ich erinnerte mich daran, wie strahlend schön sie gewesen war. Vielleicht erkannte Diana, dass es auf diesem Treffen für Sylvia nur eine sinnvolle Beute gab, nämlich Walter. Diana mochte von dem Mann geschieden sein, aber das bedeutete nicht notwendigerweise, dass sie dabei zusehen wollte, wie er an die Haie verfüttert wurde. Doch gerade, als ich das dachte, wandte sich Sylvia von Walter ab und wieder Diana zu. Nach wenigen Augenblicken plauderten die beiden wieder lachend miteinander, glücklich wie zwei eng befreundete Teenagerinnen. Manchmal verstand ich die Menschen wirklich nicht.

Melanie und Khan standen dicht nebeneinander, den Rücken zum Feuer, und unterhielten sich leise, als stünden sie nur zufällig an derselben Stelle. Aber etwas an der Art, wie sie beisammenstanden, an ihrer Körperhaltung fiel mir auf. Ich hörte genauer hin.

»Hast du ihm schon ins Gewissen geredet?«, fragte Melanie.

»Ich habe es versucht«, antwortete Khan. »Es ist schwierig. Dein Mann kann sehr stur sein.«

»Das weiß ich«, sagte Melanie. »Vertraue mir, Alex; das weiß ich. Tue, was du tun musst. Ich werde nicht Belcourt Manor und alles, was dazugehört, verlieren, nur weil Walter keine Vernunft annehmen will. Es ist höchste Zeit, dass er sich aus der Firma zurückzieht und sie in fähigere Hände legt. In deine.«

»Sehen wir uns nachher?«, fragte Khan, der noch immer stur geradeaus starrte.

»Wir werden sehen«, sagte Melanie. »Wir werden sehr vorsichtig sein müssen, Alex. Wir dürfen es nicht riskieren ...«

»Nein«, stimmte Khan zu. »Das dürfen wir nicht. Wir werden also tatsächlich einfach vorsichtig sein müssen.« Sie gingen in unterschiedliche Richtungen auseinander, um mit anderen Leuten zu sprechen.

Sylvia glitt durch die Reihen der Gäste auf Roger zu, der wieder allein dastand. Ich nickte vor mich hin. Leute wie Roger würden für Leute wie Sylvia immer leichte Beute sein. Er wollte nicht mit ihr reden, weil er nur mit Penny reden wollte, aber Sylvia flatterte vor ihm auf und ab, hing an seinen Lippen und lachte begeistert über alles, was auch nur im Entferntesten lustig war. Daraufhin lächelte Roger, lachte sogar manchmal. Wenn er locker wurde, wirkte er viel sympathischer. Dann und wann warf Roger Penny Blicke zu, um zu sehen, ob sie bemerkte, dass er auch ohne sie glücklich sein konnte, doch die wenigen Male, bei denen sie es mitbekam, schien sie sich tatsächlich für ihn zu freuen. Was ihm ganz und gar nicht passte.

Jeeves, der Butler, betrat das Wohnzimmer so leise und geschmeidig, dass er kaum da zu sein schien. Auf einem Silbertablett brachte er frische Getränke. Höchst professionell machte er die Runde, und sein dunkles Gesicht war ruhig und ausdruckslos, als er den Gästen Getränke anbot. Niemand schien besonders durstig zu sein, aber Jeeves zog sich nicht zurück.

»Es gäbe auch Kaffee und heiße Schokolade«, verkündete er mit seiner tiefen, sonoren Stimme, die das allgemeine Geplauder problemlos übertönte. »Ich kann jederzeit in der Küche Bescheid sagen …«

»Ah! Ja«, sagte Walter. »Sind Sie sicher, dass es pünktlich Essen geben wird, Jeeves? Ich meine, schließlich ist die Köchin da unten ganz allein …« Er sah sich entschuldigend um. »Kein Personal, wissen Sie. Egal, was ich für einen Bonus bot, keiner wollte über Weihnachten arbeiten. Wir haben Glück, dass wir Mrs Bridges haben. Erstklassige Köchin. Jeeves hat sie für mich gefunden. Nicht wahr, Jeeves?«

»In der Tat, Sir«, sagte Jeeves. »Die Köchin hat mir versichert, dass sie das Essen genau pünktlich servieren wird, Sir – und zwar das mit Ihnen abgestimmte Weihnachtsessen. Die Dame ist ein Schatz.«

»Das will ich doch hoffen«, knurrte Walter. »Sie kostet mich ein Vermögen …«

»Nun, Walter, ich bin sicher, sie ist jeden Penny wert, den wir ihr bezahlen«, sagte Melanie überzeugt. »Alle anderen wollten Weihnachten mit ihrer Familie verbringen.« Sie hielt inne und sah mich fragend an. »Wird Ihre Familie Sie an Weihnachten nicht vermissen, Ishmael?«

»Ich habe keine Familie«, antwortete ich. »Sie sind alle tot. Es gibt nur noch mich.«

Sofort angerührt trat Penny einen Schritt vor. »Oh, das ist so traurig! Nun, für dieses Weihnachten müssen Sie uns als Ihre Familie betrachten! Nicht wahr, Daddy?«

»Was? Oh, ja! Natürlich! Wir sind froh, Sie bei uns zu haben, junger Mann«, sagte Walter. »Ein Freund von James …«

Ich beschloss, dass ich lange genug den höflichen, geduldigen Gast gespielt hatte.

»Wo ist der Colonel? Ich habe ihn nicht gesehen.«

Ich brachte es immer noch nicht über mich, ihn James zu nennen; nicht, nachdem er so viele Jahre der Colonel für mich gewesen war.

»Ja …«, sagte Penny. »Wo ist mein lieber Stiefbruder, den endlich kennenzulernen ich mich so gefreut habe?«

Sie sah die anderen an, und alle erwiderten ihren Blick ausdruckslos. Dann schauten alle einander an, ehe sie unterschiedliche Theorien äußerten, wo der Colonel sein mochte. In der Bibliothek, im Arbeitszimmer, im Billardzimmer … Es gab sogar die Theorie, er habe sich oben in seinem Zimmer hingelegt. Schließlich räusperte sich Jeeves bedeutungsschwer, und alle verstummten und sahen ihn an.

»Wenn ich so frei sein dürfte … danke. Ich bin durch das gesamte Haus gegangen und habe überprüft, ob alle Läden richtig geschlossen und gesichert sind. Ich war in allen Räumen in allen Stockwerken und habe Mister James nirgends gesehen.«

Es entstand eine lange, peinliche Pause, in der alle einander ansahen. In der plötzlichen Stille hörte ich den Wind heulen und an den schweren Klappläden des Wohnzimmers rütteln. Es war ein kaltes, hässliches, bedrohliches Geräusch. Der Reihe nach wandten sich alle den Fenstern mit den geschlossenen Läden zu und dachten an die Witterungsbedingungen außerhalb von Belcourt Manor, und dann erschauerten alle ein wenig. Allgemein herrschte Einigkeit, dass er nicht da draußen sein konnte. Nicht bei diesem …

»Er wird schon auftauchen!«, sagte Walter munter. »Ich meine, mal im Ernst! Er wird doch wohl das Abendessen nicht versäumen wollen. Es gibt seinen Lieblingsnachtisch. Er wird doch wohl sein erstes Abendessen daheim nicht versäumen wollen, nachdem er so viele Jahre weg war.« Fast flehend sah er sich um. »Er ist beruflich häufig im Ausland. Nicht wahr, Ishmael?«

»So könnte man das sagen«, stimmte ich ihm zu. »Hat niemand von Ihnen den Colonel heute gesehen?«

Niemand antwortete. Die Situation missfiel mir immer mehr.

»Er muss doch hier irgendwo sein!« sagte Walter. »Er wäre nicht einfach gegangen. Das Haus ist groß, Jeeves! Sie müssen ihn übersehen haben. Schauen Sie noch einmal nach.«

»Natürlich, Sir«, sagte der Butler. Er klang nicht überzeugt. Walter sah sich langsam in dem großen Wohnzimmer um, als sei ihm plötzlich klar geworden, wie klein der riesige Raum die wenigen Anwesenden wirken ließ.

»Wir waren früher so viele«, erzählte er langsam. »Mehr als alle anderen Feiertage führt einem Weihnachten vor Augen, wie viele Menschen man verloren hat. Mum und Dad natürlich. Sie sind jetzt fast zwanzig Jahre tot, aber es vergeht kein Tag, an dem ich nicht an sie denke. Dann meine Brüder Paul und Eamon. Sie waren beide so viel jünger als ich … Ich hätte nie gedacht, dass ich mal auf ihre Beerdigung würde gehen müssen. All die Tanten und Onkel, Cousins und Cousinen, Ehemänner, Ehefrauen und Kinder … Ich habe aufgehört, zu den Beerdigungen zu gehen. Ich ertrug es nicht mehr. Jetzt … sind nur noch wir übrig. Niemand sagt einem vorher, dass das Schwierigste am Älterwerden das Weiterleben ist, wenn alle anderen einfach wegsterben …«

Melanie und Diana näherten sich ihm von beiden Seiten, hielten seine Hände und tätschelten seine Schultern. Sie murmelten tröstend auf ihn ein, aber er wollte sich nicht trösten lassen.

»Wo ist James?«, fragte er laut. Er war den Tränen nahe. »Ich will meinen Sohn!«

»Ich bin sicher, er wird zum Abendessen herunterkommen«, sagte Penny leicht verzweifelt. Sie wusste nicht recht, was sie sagen oder tun sollte. »Er kann ja bei diesem Wetter nirgends hingegangen sein.«

Walter funkelte sie an. »Ich dachte immer, James würde mir Enkel schenken und für den Fortbestand der Familie sorgen. Aber danach sieht es im Augenblick nicht aus. Also liegt es an dir, Penny, mein Mädchen. Sei nicht so schrecklich wählerisch und tu deine verdammte Familienpflicht!«

»Ja, Daddy«, sagte Penny. Nicht, weil sie es so meinte, sondern weil sie den alten Mann nicht noch mehr aufregen wollte.

»Könnte James rausgegangen sein?«, fragte Sylvia. »Vielleicht für einen Spaziergang im Park vor dem Abendessen?«

»Bei dem Wetter?«, fragte ich. »Haben Sie gesehen, was da draußen los ist?«

»Na ja, nein«, sagte Melanie. »Die Klappläden sind zu.«

»Ich werde alle Zimmer im Haus durchsuchen«, erklärte Jeeves.

»James wird schon noch auftauchen«, sagte Walter heftig nickend. Sein Blick war wieder verschwommen. Dann sah er mich plötzlich scharf an.

»Vielleicht möchten Sie sich ein wenig frisch machen, junger Mann. Sich vor dem Abendessen umziehen?«

»Natürlich«, sagte ich. »Bis später. Gehen Sie vor, Jeeves.«

Ich folgte dem Butler aus dem Wohnzimmer. Ich musste ihm unter vier Augen ein paar Fragen stellen.

Drei

Der Stoff, aus dem die Erinnerungen sind

Ich folgte Jeeves die breite, geschwungene Treppe in den ersten Stock hinauf. Sie war steil, und Jeeves verlangsamte freundlicherweise seinen Schritt, damit ich nicht zurückfiel. Wenn er die Treppe hinauf hüpfen wollte wie eine Gazelle auf Steroiden, schön und gut – er hatte ja auch nicht stundenlang ein Auto durch einen Blizzard geprügelt. Selbst ich hatte meine Grenzen. Ich sah mich gründlich um, während ich mich die Treppe hochschleppte, und tat, als sei ich an meiner Umgebung interessiert, um mein geringes Tempo zu erklären. Noch mehr altmodische Teppiche, so dick und hochflorig, dass meine Schritte kaum ein Geräusch verursachten. Massive Holzgeländer, deren Oberseite von Generationen von Händen, die darüber geglitten waren, blank poliert waren. Weitere Portraits von weiteren mürrisch blickenden Ahnen. Lächelte denn in dieser Familie niemals jemand? Schließlich kam ich oben an, wo Jeeves geduldig auf mich wartete. Ich blieb einen Augenblick stehen, um in Ruhe wieder zu Atem zu kommen, dann sah ich ihm offen in die Augen.

»Was glauben Sie, wo der Colonel ist, Jeeves?«

»Ich habe wirklich keine Ahnung, Sir. Er ist an keinem der Orte, an denen ich ihn erwartet hätte. Es ist mir ein Rätsel – und ich hasse Rätsel.«

»Aber Sie wollen nicht wirklich noch einmal das ganze Haus absuchen, oder?«

»Nein, Sir«, sagte Jeeves ruhig. »Das bringt nichts. Ich habe in allen Räumen in allen Stockwerken nachgesehen. Das ist meine Aufgabe. Ansonsten ist keine Menschenseele im Haus, außer natürlich der Köchin unten in der Küche. Gewiss, Mister James könnte sich auch in einem der Nebengebäude verstecken. In der Zehntscheuer oder einer der Hütten …«

Ich sah Jeeves streng an. »Warum sollte er sich da draußen verstecken? Bei dem Wetter?«

Er sah mich unverwandt an. »Das weiß ich wirklich nicht, Sir. Es sei denn, er wartet auf Sie.«

»Aber er muss doch inzwischen wissen, dass ich hier bin.«

»Ja, das würde ich meinen, Sir.«

»Warum hat er sich dann noch nicht gezeigt?«

»Das müssen Sie besser wissen als ich, Sir.«

Bei manchen Gesprächen spürte man einfach, dass sie zu nichts führten. Also wandte ich den Blick ab und sah mir den ersten Stock von Belcourt Manor an. Der ebenfalls prunkvolle lange Korridor schien sich bis zum Horizont zu erstrecken, hier und da standen weitere Antikmöbel herum, und an den Wänden prangten sorgsam auf Zierpaneelen angebrachte alte Waffen. Zweifellos Andenken an die kriegerische Vergangenheit der Familie, ehe die Belcourts sesshaft und zivilisiert geworden waren. Wenn man an der Oberfläche einer alten und alteingesessenen Familie kratzte, stieß man praktisch immer auf irgendwelche Raubritter. Hohe, breite Türen führten links und rechts vom Treppenabsatz weg, stumm, hoch aufragend und geschlossen.

»Alle Gäste sind im ersten Stock untergebracht, Sir«, sagte Jeeves. »Die oberen beiden Stockwerke sind abgesperrt. Dort wohnt niemand. Offenbar wurde es zu teuer, sie in Schuss zu halten. Heute hat Belcourt Manor praktisch nur noch zwei Stockwerke.«

»Aber Sie haben alle Zimmer in den oberen Stockwerken überprüft?«, fragte ich.

»Gewiss, Sir. Ich musste ja sichergehen, dass alle Läden richtig zu sind, damit der Sturm nicht hereinweht. Das Haus hat so schon genug Probleme mit Feuchtigkeit. Ich musste mir von Mister Belcourt einen speziellen Schlüsselbund geben lassen. Mrs Belcourt musste ihn erst daran erinnern, wo der lag. Die Räume selbst … Ich habe nie zuvor so viele Spinnweben gesehen. Die Staubschicht war dick und völlig gleichmäßig. Seit Jahren hat niemand mehr diese Räume betreten, Sir. Schon gar nicht Mister James.«

»Sehr gut, Jeeves«, sagte ich. »Auf geht's.«

Der Butler brachte mich in mein Zimmer, das ganz am Ende des Korridors lag. Die Tür trug keine Nummer, sondern nur das stilisierte Bild einer Rose. Jeeves schloss die Tür auf, gab mir den Schlüssel und führte mich ins Zimmer.

»Das ist das Rosenzimmer, Sir. Es heißt so wegen der Rosen auf der Tapete. Alle Zimmer haben eine eigene Blumentapete. Glockenblume, Tulpe, Fingerhut und so weiter.«

Ich schaute mich um und versuchte auszusehen, als sei ich nicht sicher, ob ich dieses Zimmer nehmen wollte. Man muss Butlern seine Unabhängigkeit zeigen, sonst fahren sie Schlitten mit einem. Das Zimmer war regelrecht geräumig, aber trotzdem angenehm gemütlich. Stilvoll gealterte Möbel und Einrichtungsgegenstände, an den Wänden eher moderne Drucke. Ganz hübsch anzusehen. Ein großes Himmelbett nahm den meisten Platz ein, die Matratze war groß genug für jede Menge Spaß und Spiele. Ich wäre am liebsten darauf gesprungen und auf und ab gehüpft, nur um den Gesichtsausdruck des Butlers zu sehen, aber ich musste an meine Würde denken. Mein Koffer lag offen und leer auf dem Bett. Ich sah Jeeves an.

»Ich habe mir erlaubt, ihn für Sie auszupacken, Sir. Ich habe alles weggeräumt.«

»Gut, dass ich keine Zeit hatte, eine meiner üblichen Überraschungen auszupacken«, sagte ich. »Ich möchte Ihnen ja nach Möglichkeit Peinlichkeiten ersparen.«

»Einem Leibdiener ist nichts peinlich, Sir«, erwiderte Jeeves. »Er ist nur manchmal furchtbar enttäuscht.«

Er zeigte mir die Tür zum angrenzenden Badezimmer und wies dann extra auf das offene Feuer hin, das fröhlich im gemauerten Kamin vor sich hin knisterte.

»Belcourt Manor hat keine Zentralheizung, Sir. Offenbar glaubten die Vorfahren Mister Belcourts, solche Annehmlichkeiten verweichlichten die Bewohner. Als Mister Belcourt mir mitteilte, dass Sie auf dem Weg hierher sind, habe ich hier das Feuer entzündet, um die Kälte ein wenig aus dem Zimmer zu vertreiben. Aber ich fürchte, Sie werden das Feuer selbst am Brennen halten müssen. Legen Sie wenn nötig Holz nach. Kein Personal, Sie verstehen. Sie sind alle daheim bei ihren Familien.«

»Sie und die Köchin aber nicht«, sagte ich.

Jeeves lächelte flüchtig. »Mister Belcourt zahlt überaus gut, Sir, und wir lieben beide unseren Beruf.«

»Ah«, meinte ich. »Aber was genau ist Ihr Beruf, Jeeves?«

»Ich bin hier, um dafür zu sorgen, dass bei Mister Belcourts Weihnachtsfeier alles glattläuft, Sir. Im Übrigen habe ich den Kohleeimer befüllt und Ihnen einen Vorrat an Holzscheiten neben dem Kamin gestapelt, damit Sie das Feuer am Brennen halten können. Es sollte mehr als genug Holz sein, um bis morgen früh einzuheizen, aber Sie können sich ruhig im Kohlenkeller bedienen. Den Zugang finden Sie auf der Rückseite des Hauses, vom Park aus. Aber ich an Ihrer Stelle würde versuchen, mit dem vorhandenen Brennstoff auszukommen, Sir.«

»Ich bin sicher, was Sie hergebracht haben, wird ausreichen«, sagte ich.

»Ich könnte Ihnen eine Bettflasche bringen lassen, wenn Ihnen kühl ist …«

»Nicht nötig«, lehnte ich ab. »Sagen Sie … Sie kennen doch den Colonel. Wie finden Sie ihn?«

»Ein sehr beeindruckender Mann, Sir. Sehr scharfsinnig. Sehr an allem und jedem interessiert. Genau wie Sie, Sir.«

»Der Colonel hat mich hierher eingeladen«, begann ich vorsichtig, »weil er glaubte, hier drohe Gefahr. Irgendeine Bedrohung … Er ist nicht ins Detail gegangen.«

Jeeves dachte darüber lange nach. »Gefahr für ihn oder für alle Anwesenden?«

»Das hat er nicht gesagt, und ich kann ihn gerade nicht fragen.«

Jeeves stand lange nachdenklich da, sein dunkles Gesicht verriet keine Regung, sein Blick war in weite Ferne gerichtet. »Ich werde das beherzigen, Sir. Wenn das dann alles wäre, muss ich mit der Köchin über das Abendessen sprechen. Ich würde Ihnen raten, die Tür verschlossen zu halten, solange Sie sich in diesem Haus aufhalten.«

»Das tue ich immer«, sagte ich.

Jeeves nickte und verließ das Rosenzimmer mit kerzengeradem Gang und hoch erhobenem Haupt. Für einen Butler bewegte er sich ziemlich soldatisch. Ich wog den schweren, alten Metallschlüssel in der Hand, den er mir gegeben hatte. Er fühlte sich stabil und fest an. Ich hoffte, dasselbe galt auch für das Schloss. Jedenfalls machte der Schlüssel ein erfreulich lautes Geräusch, als ich ihn im Schloss drehte.

Ich brauchte nicht lange, um meine Habseligkeiten zu finden, die sich in verschiedenen Schubladen der massiven Kommode befanden. In einer so luxuriösen Umgebung sahen meine Sachen sehr klein und fehl am Platz aus. Alles war hübsch gefaltet und eingeräumt. Besser, als es mir üblicherweise gelang. Wenn ich gewusst hätte, dass ein Butler meine Klamotten wegräumen würde, hätte ich natürlich meine guten Sachen eingepackt. Man musste allerdings sagen, dass »gut« in diesem Zusammenhang ein relativer Begriff war. Ich konnte mir auffällige Kleidung nicht leisten.

Meine wenigen Toilettenartikel hatte er griffbereit hübsch auf einem praktischen Beistelltisch arrangiert. Sie alle sahen im Vergleich zu der verblassten Opulenz des Rosenzimmers sehr nach dem armen Verwandten vom Land aus. Ich späte in das angrenzende Badezimmer. Es wirkte ziemlich funktionsfähig, wenn auch sehr altmodisch. Die Badewanne sah aus, als könne man darin olympische Schwimmwettbewerbe abhalten.

Ich setzte mich auf das Fußende des Himmelbettes, und meine Beine baumelten, ohne dass meine Füße den Boden berührten. Beim Blick an die Decke mit ihren Stuckornamenten und der einzelnen Glühbirne samt Lampenschirm dachte ich über die beiden ungenutzten Stockwerke über mir nach. Leere Räume, in denen niemand mehr lebte, hatten immer etwas Gespenstisches an sich. Sie waren voller Staub, Schatten und vergessener Erinnerungen. Eigentlich waren es nur Geister von Zimmern. Ich fragte mich, ob ich hinaufgehen und sie mir persönlich ansehen sollte, nur für den Fall, dass es dem Colonel gelungen war, sich in einem davon vor Jeeves zu verstecken. Konnte hier wirklich eine so große Gefahr drohen, dass er es für nötig hielt, sich im Dunkeln und in der Stille vor allen anderen zu verstecken? Unwahrscheinlich. Ich hatte nie erlebt, dass der Colonel vor etwas Angst hatte. Es gab natürlich das kleine Problem, dass alle Türen nach oben verschlossen waren, aber wir beide kannten dafür Lösungen. Schließlich ... hatte ich nur Jeeves' Wort darauf, dass er in allen Räumen nachgesehen hatte. Ich hatte keinen Grund, ihm zu vertrauen.

Genauso wenig wie all den Leuten unten im Wohnzimmer. Ich war des Colonels wegen hier. Die anderen interessierten mich nicht.

Wütend zuckte ich die Achseln. Ich wollte mit all dem nichts zu tun haben. Diesen Leuten, diesem Ort, dieser Situation. Ich hasste es, nicht zu wissen, was hier vor sich ging oder warum ich hier war. Der Colonel hätte sofort bei meinem Eintreffen mit mir Kontakt aufnehmen sollen, wenn die Lage wirklich so verzweifelt war, wie er angedeutet hatte. Da er das nicht getan hatte, musste ich davon ausgehen, dass ihn etwas daran gehindert hatte. Dass ihn vielleicht sogar jemand gefangen hielt. Eine solche Person hätte ... sehr stark und sehr erfahren sein müssen. Der Colonel mochte mittlerweile Mitte vierzig sein, doch er war nach wie vor ein erstklassiger Agent, wenn es darauf ankam. Ich hatte ihn in Aktion gesehen. Er war schnell und unauffällig, und ich hätte bei einem Kampf gegen so ziemlich jeden, den ich kannte, auf ihn gesetzt.

Da der Colonel nicht zugegen war, um mir Anweisungen zu erteilen, würde ich improvisieren müssen. Alle Gäste und meine Gastgeber befragen und herausfinden, was sie zu sagen hatten. Sie alle hatten ihre Geheimnisse und spannen ihre eigenen kleinen Intrigen. Sie alle hatten darüber hinaus Verbindungen zueinander, die sie den anderen vorenthielten. Beispielsweise Alex Khan und Melanie Belcourt. Sie hatten offenbar beide Gründe zu wollen, dass sich Walter aus der Firmenleitung zurückzog … aber ging ihre Beziehung darüber hinaus?

Mir gefiel außerdem gar nicht, dass ich zwei Teilnehmer an diesem kleinen Treffen von früher kannte, und zwar aus unterschiedlichen Zeiten meiner Vergangenheit. Khan hatte ich in den Achtzigern bei Black Heir kennengelernt. Diana '69 in Paris. Das konnte Zufall sein. Ich hatte schon seltsamere Dinge erlebt. Es konnte aber auch alles sorgsam arrangiert sein, um mich in eine Falle zu locken. Es suchten ständig Leute nach mir, wollten mich in die Finger kriegen …

So saß ich also am Fußende des Bettes, ließ müßig die Füße baumeln und sank schließlich tief, tief in die bequeme Matratze. Ich lauschte dem Heulen des Windes und dem Klappern der Klappläden vor meinem Fenster. Es fühlte sich sehr gut an, sicher und bequem in der Wärme dieses Zimmers zu liegen, während draußen das schlechte Wetter tobte, aber nicht an mich herankam. Ich starrte in die flackernden Flammen des Kaminfeuers am anderen Ende des Zimmers, hörte es knistern … Die Luft war herrlich warm, und das Bett war beinahe unverschämt bequem. Ich wollte mich so gerne einfach nur hinlegen und ausruhen, mich ausstrecken und entspannen, die Verspannungen der langen Fahrt loswerden … Aber das wagte ich nicht. Dafür war ich zu müde. Ich musste wach und aufmerksam bleiben, bis ich wusste, wo der Colonel war und was zum Teufel hier in Belcourt Manor wirklich vor sich ging.

Dann hatte ich einen Traum, der keiner war.

Ein anderer Ort, eine andere Zeit. Ganz weit weg und doch so nah wie das Gestern. Ein tosendes Meer mit turmhohen Wellen. Schäumendes, dunkel purpurnes Wasser brach sich an einer gewaltigen, überhängenden Klippe, die glatt war und fast organisch geformt schien. Auf der Klippe stand ein großes Gebilde, seltsam und außergewöhnlich. Es bestand ganz aus Metallplatten und schimmernden Oberflächen, mit bedrohlichen Dornen und unnatürlichen Ausstülpungen, deren Anordnung sich mir in keinster Weise erschloss. Teile des Gebildes waren nur manchmal da, sie verblassten oder falteten sich ein, um sich bald darauf wieder auszustülpen, und in einem furchtbar komplexen, endlosen Kreislauf ersetzten neue Teile die alten. Das ganze Ding erhob sich immer höher, fast unüberschaubar hoch, in einem Maße, das sich dem menschlichen Begriffsvermögen entzog. Türme sprossen wie Blumen, bohrten sich in den Himmel. Gleißende, durchdringende Lichter kamen und gingen in wahren Farbexplosionen.

All dies trug sich unter einem flaschengrünen Himmel zu, an dem eine gleißend weiße Sonne und drei kleine Monde, die über das wolkenlose Firmament rasten, prangten. Ringsum ertönten Geräusche, die ich weder identifizieren noch verstehen konnte, die aber dennoch schrecklich vertraut waren. Eine Reihe von Bildern huschte vor meinen Augen, die nicht zu blinzeln schienen, vorbei; seltsame Formen, quälend vertraute Orte; sonderbar, albtraumhaft, verstörend. Eine dröhnende Stimme sagte meinen Namen … und er lautete nicht »Ishmael«.

Etwas brachte mich zum Schreien. Mir wurde schlecht. Etwas sorgte dafür, dass ich mich schrecklich einsam und unglücklich fühlte, dass ich um verlorene Personen und Orte trauerte.

Abrupt veränderte sich der Traum, der kein Traum war. Wurde zu etwas, das noch gar nicht so lange zurücklag. Ich war an einem Ort, den ich sofort erkannte, an dessen Namen ich mich aber nicht mehr erinnerte. Als habe jemand seinen wahren Namen, sein wahres Wesen vor mir verborgen; er lag mir für immer auf der metallenen Zunge.

Das Innere eines künstlich geschaffenen Raumes. Kein Gebäude, aber dennoch etwas Gebautes. Ein schimmerndes, phosphoreszierendes Licht huschte an hohen, gekrümmten Wänden auf und ab, die Kämme hatten wie aus Knochen oder Korallen, während komplexe Maschinen, die in mehr als drei Dimensionen existierten, sich rings um mich erhoben und Dinge taten, die ich weder verstand noch beurteilen konnte, von denen ich aber nichtsdestoweniger wusste, dass sie ungeheuer wichtig und bedeutsam waren. Rings um mich geschahen mit unglaublicher Geschwindigkeit Dinge. Ich konnte mich nicht bewegen, war festgeschnallt, von allen Seiten bohrten sich schreckliche lange Nadeln in mich, drangen tief in meinen Körper. Taten Dinge mit mir. Ich hatte keine Schmerzen, aber ich spürte, wie sie arbeiteten. Nach unten sehen konnte ich nicht. In diesem Traum – oder dieser Erinnerung – war mir das nicht erlaubt. Denn ich sollte nicht wissen, wie ich aussah.

Eine Maschinenstimme sprach mit mir, gab mir Informationen und Anweisungen, und ich verstand kein Wort davon. Ich antwortete, und meine Stimme klang nicht im Entferntesten menschlich.

Als ich wieder zu mir kam, lag ich zuckend und zitternd ausgestreckt auf dem Bett, und mein Gesicht war von kaltem Schweiß bedeckt. Ich war körperlich und geistig erschöpft. Manchmal kamen mir diese Erscheinungen wie Erinnerungen vor, manchmal wie falsche Erinnerungen, die etwas noch viel Schlimmeres überdecken sollten. Sie überkamen mich aus dem Nichts, ohne Vorwarnung, mit voller Wucht. Ich wurde das Gefühl nicht los, dass irgendwo tief in mir mein altes Ich saß und verzweifelt versuchte, mir etwas mitzuteilen. Dass es mich unbedingt auf etwas hinweisen wollte, woran ich mich erinnern musste …

Na dann. Höchste Zeit, endlich die Wahrheit zu sagen. Oder das, was ich für die Wahrheit hielt.

Ich war ein Alien, das sich als Mensch ausgab. Mein Raumschiff war 1963 über Südwestengland abgestürzt. Es war hart aufgeschlagen und hatte einen tiefen Krater in den Boden gerissen. Ich erinnerte mich nicht mehr an den Grund des Absturzes, doch es war wohl hoch über den Wolken, aber unter den Sternen etwas Schlimmes passiert. Der Rest meiner Mannschaft war bei dem Absturz gestorben. Ich war der einzige Überlebende. So viel wusste ich noch, auch wenn ich mich an den Rest meiner Mannschaft nicht mehr erinnern konnte. Die Maschinen meines Schiffs hatten mich neu geschaffen, meine körperliche Gestalt bis zur DNA umprogrammiert, bis ich als Mensch durchging. Damit ich unbemerkt, unentdeckt unter den Menschen wandeln konnte, bis mein Volk auf das Notsignal meines Schiffs reagieren konnte. Bis mein Volk kam und mich fand, mich abholte und wieder nach Hause brachte.

Der Gestaltwandel in Notsituationen war eine Standardvorgehensweise. Denn die Menschen durften nicht wissen, dass wir unter Ihnen wandeln.

Doch weil mein Schiff beim Absturz so schwer beschädigt worden war, hatten die Umwandlungsmechanismen nicht richtig funktioniert. Sie hatten mir einen menschlichen Körper verpasst, aber dann den Großteil meiner Erinnerungen gelöscht. Ich wusste nicht mehr, wer oder was ich vor dem Absturz gewesen war. Ich wusste nicht, wo ich herstammte. Ich erinnerte mich, dass ich von der Absturzstelle weggetaumelt war, hinaus in meine neue Welt, durchströmt von menschlichen Gedanken und Empfindungen. Bis ich mich wieder unter Kontrolle hatte, war ich kilometerweit entfernt, verirrt und orientierungslos. Ich hatte keine Ahnung mehr, wo mein Schiff abgestürzt war. Es hatte keinen Sinn, auch nur danach zu suchen, selbst wenn ich meinen Weg ungefähr an die richtige Stelle hätte zurückverfolgen können. Das Schiff hätte die Standardvorgehensweise angewandt und sich tief vergraben, sich in der Erde mit mächtigen Schilden und Schutzmaßnahmen getarnt.

Weil wir nicht hier sein sollten. Daran erinnerte ich mich. Niemand war mich retten gekommen. Nach so vielen Jahren bezweifelte ich, dass das je geschehen würde. Wahrscheinlich war auch das Notsignal des Schiffs bei dem Absturz beschädigt worden.

Seit über fünfzig Jahren wandelte ich nun allein auf Erden und gab mich als Mensch aus. Ich alterte nicht, sah immer gleich aus. Die Umwandler hatten gute Arbeit geleistet. Ich war ständig unterwegs, verbarg mich in aller Öffentlichkeit und bemühte mich, den menschlichen Behörden immer einen Schritt voraus zu sein. Aber es wurde in dieser zunehmend digitalisierten Welt mit ihren sich ständig verändernden Anforderungen an Identitätsnachweise immer schwerer für mich, unter dem Radar zu bleiben. Deshalb hatte ich im Laufe der Jahre keine andere Wahl, als für viele unterschiedliche, mächtige Geheimdienste zu arbeiten, die mich im Gegenzug beschützten. Ich brauchte die Namen und Identitäten, die sie mir bereitstellten, komplett mit allen notwendigen Papieren, sodass es so aussah, als hätte ich ein Leben und eine Vergangenheit.

Ich brauchte ihren Schutz, weil man nicht wie ich sein konnte und die Dinge tun konnte, die ich nun einmal tat, ohne dabei aufzufallen. Ich war im Laufe der Jahre von Ort zu Ort und von Organisation zu Organisation gezogen; viele Menschen suchten inzwischen nach mir. Weil sie mich befragen oder vivisezieren wollten. Einer der Gründe, warum ich mich Black Heir angeschlossen hatte, war, dass ich ihre Dateien nach Besuchen von Aliens durchsuchen wollte, um möglicherweise Informationen darüber zu erlangen, wer oder was ich war, aber ich hatte nichts Nützliches gefunden. Natürlich fühlte ich mich sicherer, solange ich mich auf der Innenseite aufhielt und nach draußen schauen konnte … Ich leistete gute Arbeit, spürte die Aliens auf, die sich unter uns verbargen. Weil ich von mir auf andere schließen konnte.

Manche meiner Aufträge mochte ich lieber als andere. Ich versuchte, Dinge zu tun, auf die ich stolz sein konnte. Wenn ich schon ein Mensch war, dann wenigstens ein guter. Deshalb gab es für mich klar definierte Grenzen, egal, wo ich hinging, egal, für wen ich arbeitete und egal, für wen ich mich ausgab. Es gab Dinge, die ich nicht tat. Irgendwann wurde es dann wieder Zeit, weiterzuziehen. Ein anderer zu werden.

Die vergangenen fünfzehn Jahre hatte ich für den Colonel und seine Organisation gearbeitet. Ich hatte gute, notwendige Arbeit geleistet. So lange war ich nie zuvor bei einer Person oder einer Organisation geblieben. Der Colonel hielt mich auf Trab und gewährte mir Schutz. Denn mit den Leuten des Colonels legte man sich nicht an. Ich schätze … ich hätte wohl mehr Fragen stellen sollen. Aber ich vertraute dem Colonel und verdankte ihm so viel …

So. Das war meine Geschichte. Ein Alien, das sich als Mensch ausgibt. Natürlich gibt es noch eine andere Erklärung. Ich könnte wahnsinnig sein. Völlig durchgeknallt, den Kopf voller Halluzinationen. Vielleicht erfand ich wirre Geschichten, um einen simplen Fall von Amnesie schönzureden. Ich dachte über diese Erklärung von Zeit zu Zeit ernsthaft nach. Aber dann blieben immer noch die Dinge, die ich tun konnte und normale Menschen nicht. Die Dinge, die ich sah, die mir auffielen, die aber anderen Menschen verborgen blieben. Außerdem alterte ich tatsächlich nicht.

Ich richtete mich auf, bis ich wieder am Fußende des Bettes saß, und betrachtete mein Bild in dem Spiegel auf der Frisierkommode am anderen Ende des Raumes. Ein sehr menschliches Gesicht, das sich nicht verändert hatte, seit ich 1963 zum ersten Mal in einen Spiegel geschaut hatte, sah mich an.

Ich kannte Alex Khan aus unserer gemeinsamen Zeit bei Black Heir von 1982 bis 1987. Damals hatten wir einander sehr ähnlich gesehen. Er war ... intelligent gewesen, arrogant, sehr bestrebt, voranzukommen. Erfolg zu haben. Er hatte seine Zeit bei Black Heir immer nur als eine Sprosse auf der Erfolgsleiter gesehen, als Station auf seinem Weg zur unvermeidlichen Größe. Aber als er schließlich gegangen war, hatte er kurz davor gestanden, aufzufliegen und unehrenhaft entlassen zu werden. Weil er einfach nicht hatte warten können. Er hatte sich ohne Rücksicht auf Verluste die fette Beute sichern wollen.

An Diana Helm erinnerte ich mich so, wie sie damals gewesen war: eine schöne junge Engländerin, die ihre Ballettkarriere an den Nagel gehängt hatte, um in Paris im Crazy Horse zu tanzen. In jenem lange zurückliegenden Jahr 1969 ein echter Skandal. Eine Weile waren wir ein Paar gewesen. Ich hatte sie im Wohnzimmer wirklich zuerst nicht erkannt. Sie hatte sich so verändert, und ich gar nicht. Eine Weile waren wir glücklich gewesen. Ich hatte sie verlassen, weil sie zu viele Fragen über meine Vergangenheit gestellt hatte. Wo kam ich her, wie sah es mit meiner Familie aus ... Dann hatte sie begonnen, unsere Zukunft zu planen, doch ich hatte damals schon gewusst, dass wir keine haben würden. Damals war ich noch kein so guter Lügner gewesen. Also hatte ich getan, was ich immer tat, wenn ich mich bedroht fühlte: Ich war abgehauen. Ich hatte nicht einmal einen Abschiedsbrief hinterlassen. Was hätte ich auch schreiben können? *Tut mir leid, ich bin nicht, wofür Du mich hieltest?* Ich hatte auf die harte Tour lernen müssen, dass ich Menschen nicht nahe an mich heranlassen durfte. Dass es für alle Beteiligten sicherer war, wenn ich allein blieb.

In meinem Leben kamen und gingen so viele Menschen, dass es mich eigentlich nicht hätte überraschen dürfen, dass einige auch wieder auftauchten. Meist erkannten sie mich nicht. Wenn doch, war es kein Problem zu behaupten, die Person, an die sie sich erinnerten, müsse mein Vater oder mein Großvater gewesen sein. Das war einer der Gründe, warum ich nirgends sesshaft wurde: damit nicht auffiel, dass ich im Gegensatz zu Menschen nicht alterte. Ich blieb in Bewegung, weil ich mir nicht leisten konnte, zurückzublicken. Weil Menschen ein Leben hatten, mit einem Anfang, einem Mittelteil und einem Ende, während ich … nur auf der Durchreise war.

Ich muss allerdings sagen, dass ich es unendlich witzig fand, dass sich die Mutter des Colonels als eine meiner früheren Geliebten erwiesen hatte.

Die Träume, Rückblenden oder worum auch immer es sich handelte, hatten mich während meines gesamten Lebens als Mensch gequält. Kurze Schlaglichter aus der Welt, die einst die meine gewesen war. Von dem Schiff, das mich hergebracht hatte. Die Träume ergaben selten Sinn und hatten mir noch nie weitergeholfen. Es fiel mir schwer, mich an sie zu erinnern; sie verblassten so schnell. Ich hatte versucht, sie unmittelbar nach dem Aufwachen niederzuschreiben, aber wenn ich dann las, was ich geschrieben hatte, war es immer wirres Zeug. Ich vernichtete meine Aufzeichnungen unmittelbar nach dem Lesen. Es hatte keinen Sinn, die, die mir ständig auf der Spur waren, auch noch mit Munition zu beliefern.

Ich hatte irgendwie das Gefühl, schon einmal in Belcourt Manor gewesen zu sein. Teile davon kamen mir vertraut vor. Aber ich war dieses Gefühl gewöhnt. Ich war im Laufe der Jahre an so vielen

Orten gewesen, dass die Erinnerungen daran ineinander rannen. Es war mir nie schwergefallen, weiterzuziehen, Menschen, Dinge und Orte zurückzulassen. Ich konnte es mir nicht leisten, Bindungen zuzulassen, denn das Loslassen tat zu weh.

Ich zog mich zum Abendessen nicht um, weil ich keine weiteren Klamotten dabeihatte. Ich gab mir Mühe: Ich spritzte mir im Bad kaltes Wasser ins Gesicht und kämmte mein Haar. Ich betrachtete im Spiegel mein Gesicht. *Wer bist du wirklich?* Dann ging ich zum Abendessen nach unten.

Vier

Die Welt ist kälter, als man denkt

Ich trampelte die Treppe wieder hinunter, wobei ich mehr Lärm machte, als unbedingt notwendig und Grimassen in Richtung der Familienporträts schnitt. Am Fuß der Treppe blieb ich abrupt stehen, denn Alexander Khan verstellte mir den Weg. Mit sehr ernstem Gesicht stand er da, wankte und wich nicht, also blieb ich eine Stufe über ihm stehen und hob eine Braue. Die besten Beleidigungen und die beste Form von Arroganz waren die, an denen sich das Ziel eigentlich nicht stoßen konnte.

Khan warf mir seinen finstersten Blick zu. »Ich will mit Ihnen reden, Mister Jones.«

»Nun«, sagte ich fröhlich. »Es ist schön, wenn man Dinge will.«

»Was?«

»Was wollen Sie, Khan? Reden Sie!«

»Schleichen Sie mir nach?«, fragte Khan unvermittelt. »Sind Sie bei diesem furchtbaren Wetter den ganzen Weg hierher gefahren, nur um mich zu beschatten? Werdet ihr Typen mich nie mehr in Ruhe lassen?«

Ich dachte über seine Worte nach. »Wovon reden Sie?«

»Wenn ich Sie ansehe, sehe ich ein Gesicht aus meiner Vergangenheit«, sagte Khan. »Einen Mann, an dessen Seite ich beinahe fünf Jahre lang gearbeitet habe. Aber das liegt rund dreißig Jahre zurück ... Sie können also nicht er sein. Wer sind Sie wirklich?«

»Sie verwechseln mich mit meinem Vater«, antwortete ich ruhig. »Einem Mann, den ich nie gekannt habe. Ich habe jedoch durch die Arbeit für den Colonel von Black Heir gehört. Ich weiß, wie sie sind und was sie tun … und dass die erste Regel von Black Heir lautet: Man spricht nicht über Black Heir.«

»Ich gehöre jetzt länger nicht mehr dazu, als ich dazugehört habe«, sagte Khan. »Aber wenn die einen erst mal am Haken haben, kommt man nie wieder wirklich von ihnen los. Ich habe die Organisation verlassen, weil ich in Misskredit geraten war, und jetzt Ihr so vertrautes Gesicht zu sehen … weckt böse Erinnerungen. Die Ähnlichkeit ist unglaublich.«

»Das höre ich häufig«, sagte ich. »Ich kann es nicht beurteilen. Glauben Sie mir, Khan: Ich bin nicht Ihretwegen hier.«

Khan sah aus, als hätte er gerne noch etwas dazu gesagt, doch dann fiel ihm eine Bewegung ein Stück weiter den düsteren Gang hinunter ins Auge. Er sah, um wen es sich handelte und winkte halbherzig. Es war Melanie, sie stand am anderen Ende des Ganges. Mich sah sie gar nicht. Sie hatte nur Augen für Khan. Er wandte seinen Blick rasch wieder mir zu.

»Entschuldigen Sie mich, Ishmael. Ich muss kurz mit unserer Gastgeberin sprechen …«

Es wirkte kein bisschen verstohlen, wie er den Gang entlang zu der wartenden Melanie huschte. Nicht im Geringsten. Ich wollte gerade selbst lässig den Gang entlangschlendern, um herauszufinden, was die beiden so dringend zu besprechen hatten, als ich Walter und Jeeves ein Stück den Gang hinunter zusammen unter einer Tür stehen sah. Sie würdigten den vorbeieilenden Khan nicht einmal eines Blicks. Dafür waren sie viel zu sehr in ihr Gespräch vertieft. Was mich besonders interessierte, war die Tatsache, dass sie kein bisschen wie Herr und Diener aussahen. Jeeves wirkte viel eher wie ein Soldat, der seinem vorgesetzten Offizier Bericht erstattet. Das war … interessant. Also blieb ich, wo ich war, und lauschte.

Sie wähnten sich in Sicherheit, glaubten, weit weg von irgendwelchen Lauschern zu sein, aber ich hatte ein viel besseres Gehör als die meisten anderen Leute. Außerdem bemerkte man mich nicht, wenn ich es nicht wollte.

»Das Haus ist sicher«, sagte Jeeves. »Ich bin treppauf und treppab und von links nach rechts gerannt, bis mir die Füße wehtaten – das ganze Gebäude ist dichter als ein Fliegenarsch. James ist nirgends zu finden. Seine Sachen sind noch in seinem Zimmer, aber er hat sein Bett nicht benutzt.«

»Ich mache mir Sorgen um James«, sagte Walter. Er schaute so finster drein, dass ihm das Gesicht wehtun musste, und rang die Hände so heftig, dass seine Knöchel weiß hervortraten. »Er kann doch nicht einfach verschwunden sein! Irgendwo muss er doch sein!«

»Nicht im Haus«, sagte Jeeves ausdruckslos.

»Er kann aber nicht einfach weggegangen sein!«, widersprach Walter. »Nicht, nachdem er so ein Gewese darum gemacht hat, dass er dieses Jahr zu Weihnachten hier erscheint, nachdem er es so viele Jahre lang nicht geschafft hat.«

»Seine Kleidung ist noch hier«, sagte Jeeves.

»Außerdem ist sein Mitarbeiter, dieser Ishmael, aus heiterem Himmel hier aufgetaucht … Was halten Sie von ihm?«

»Ich habe die Gelegenheit genutzt, sein Gepäck sehr gründlich zu durchsuchen«, berichtete Jeeves. »Ich habe seinen Koffer fast auf links gedreht, so gründlich habe ich nach Geheimfächern gesucht … Seine Klamotten sind billig und hässlich, und seine Habseligkeiten waren eindeutig nicht teuer – sie sind so schlicht, dass sie komplett charakterlos wirken. Keine Waffen, keine interessanten Geräte, überhaupt keine Überraschungen. Nichts, was darauf schließen ließe, dass er nicht der ist, der er zu sein vorgibt. Aber in Anbetracht der Tatsache, dass er James immer als den Colonel bezeichnet und der geübten Art und Weise, wie er jede Frage beantwortet, ohne je wirklich etwas zu sagen …«

»Ja«, sagte Walter. »Ich weiß. Er ist einfach zu durchschnittlich, um wahr zu sein. Aber kein durchschnittlicher Mann hätte es bei diesem grauenhaften Wetter von London hierher geschafft.«

»Nicht in dieser Scheißkarre«, stimmte Jeeves zu.

»Mein Sohn würde niemals durchschnittliche Menschen für sich arbeiten lassen. Warum ist er hier, Jeeves? Warum wollte mein Sohn so unbedingt, dass er herkommt?«

»Wir wissen ja gar nicht genau, ob dieser Ishmael Jones wirklich der ist, der er zu sein vorgibt«, stellte Jeeves fest. »Dafür haben wir nur sein Wort. Ihr Sohn hätte Ihnen doch sicher gesagt, wenn einer seiner Leute auf dem Weg hierher gewesen wäre.«

»Vielleicht wollte er das ja«, meinte Walter. »Ehe er verschwunden ist. Ishmael ist die Sorte Mann, die ich in Diensten meines Sohnes erwarten würde.«

»Ich könnte ihn mir ja greifen«, schlug Jeeves vor. »Ein paar Antworten aus ihm herausprügeln.«

»Nein!«, sagte Walter scharf. »Nein. Behalten Sie ihn nur … im Auge.«

»Was soll ich – in Sachen James unternehmen?«

»Sie haben getan, was in Ihrer Macht stand.« Walter schaute auf seine Hände hinab und schien überrascht zu sein, sie so ineinander gekrampft zu sehen. Mit einiger Mühe löste er sie voneinander. Er wirkte jetzt älter, gebrechlicher. »Wir müssen einfach hoffen, dass James wieder auftaucht. Was?«

»Ja … und dann sollte er besser eine verdammt gute Erklärung für sein Abtauchen haben!«

Sie gingen getrennter Wege, verschwanden in den Tiefen des großen, alten Hauses. Ich sah mich rasch nach Khan und Melanie um, aber sie waren verschwunden. Entweder war ihr kleines Schwätzchen bereits beendet oder sie hatten beschlossen, es an einem ungestörteren Ort fortzusetzen. Schade … Aber dafür entdeckte ich Diana und Sylvia, die an der Haustür standen. Diana riss sie auf, bemühte sich mit beiden Händen und mit aller Kraft, die schwere Tür zu bewegen, und dann standen die beiden Frauen nebeneinander und starrten durch die offene Tür in das dichte Schneegestöber hinaus. Diana schlang die Arme um sich und erschauerte. Sie glaubten sich allein und unbeobachtet, meinten, offen reden zu können. Also nutzte ich erneut die Gelegenheit zu lauschen.

»Ich hatte gehofft, der Sturm hätte sich mittlerweile gelegt«, sagte Diana, »und wir könnten gehen. Aber schau dir das an! Furchtbares Wetter ... es ist eher noch schlimmer geworden. Ich kann nicht einmal erkennen, welche dieser Grabhügel aus Schnee unser Auto ist.«

»Warum willst du weg?«, fragte Sylvia. »Amüsierst du dich nicht? Immerhin lässt du wie üblich hier eine spitze Bemerkung und dort eine unangenehme Wahrheit fallen, geigst Walter die Meinung und verdirbst der kleinen Mel so richtig den Abend.«

»Aber dieses Jahr ist mir irgendwie nicht danach«, sagte Diana. »Manchmal fühlt es sich an, als kratze man an Schorf, wenn man sich die Vergangenheit vor Augen führt. Dann fühle ich mich richtig alt ... und das hasse ich. Weißt du was, Sylvia? Das ist eigentlich gar nicht das Problem ... Eigentlich hat es mich hart getroffen, diesen süßen Jungen, diesen Ishmael, zu sehen. Er erinnert mich so sehr an meinen geliebten Adam, die süße Torheit meiner wilden Jugend. Ich hätte nie gedacht, dass ich sein Gesicht nochmals sehen würde ... Ich frage mich, wo Adam heute ist ...«

Sylvia schloss ruckartig die Tür und wandte sich an Diana. »Du musst vor dem Abendessen noch ein Nickerchen machen, meine Liebe. Ruh dich aus, komm wieder zu Kräften und arbeite an ein paar richtig gehässigen Kommentaren, die du Mel beim Nachtisch an den Kopf werfen kannst. Komm. Ich bringe dich auf dein Zimmer.«

»Ich wünschte, James wäre hier«, sagte Diana gereizt, als die beiden Frauen den Gang entlang auf mich zukamen und Richtung Treppe gingen. »Ich habe mich so darauf gefreut, nach all den Jahren meinen Sohn wiederzusehen ...«

»Ich weiß, Liebes«, sagte Sylvia. »Ich weiß.«

Sie half Diana die Treppe hoch wie eine Pflegerin, die eine ihr anvertraute Kranke stützte. Sie sahen nicht, dass ich am Fuß der Treppe in den Schatten stand. Ich blieb dort und lehnte mich nachdenklich an die Wand. Was für einen Schaden ich im Leben der Menschen anrichtete, ohne es zu wollen!

Schließlich begab ich mich in den Salon. Ich stieß die Tür auf und blieb dann auf der Schwelle abrupt stehen, als mir klar wurde, dass ich beinahe mitten in einen Streit hineingelaufen wäre. Penny und Roger standen einander mitten im Raum gegenüber, die Fäuste geballt und so in ihre Auseinandersetzung vertieft, dass sie mich nicht einmal bemerkten. Also blieb ich natürlich, wo ich war, und sah und hörte mit großem Interesse zu.

»Hör auf, mich anzuschreien!«, forderte Penny.

»Aber das muss ich!«, entgegnete Roger. »Nur so kann ich mir bei dir Gehör verschaffen!«

Penny gab einen genervten Laut von sich und schickte sich an, den Salon zu verlassen. Sofort trat ihr Roger in den Weg. Penny sah ihn drohend an. »Roger, Liebling, geh mir sofort aus dem Weg, oder ich schwöre bei Gott, ich trete dir so hart zwischen die Beine, dass deine Eier bis nach Schottland fliegen!«

»Was für Eier?«, fragte Roger bitter. »Die hast du mir abgeschnitten, als du mich ohne jeden Grund sitzen gelassen hast.«

»Sei nicht melodramatisch, Roger. Das passt nicht zu dir.«

»Du gehst nirgendwo hin, bis wir das ausdiskutiert haben!«, sagte Roger. »Glaubst du, mir gefällt das? Glaubst du, ich will, dass es so zwischen uns ist? Ich hasse das! Wir waren früher so glücklich ... Du hast ja keine Ahnung, wie schlecht es mir geht, seit du mich verlassen hast ...«

»Lass dich nicht hängen«, riet Penny, deren Stimme unwillkürlich sanfter wurde. »Gesteh dir einfach ein, dass es vorbei ist. Vergiss es und leb weiter. Such dir jemand anderen.«

»So wie du?«, fragte Roger.

»Wovon redest du?«, fragte Penny.

»Ich habe dich gesehen. Ich habe gesehen, wie du diesen Typ, diesen Ishmael, angestarrt hast ...«

»Ach, um Himmels willen!«

»Du hast mir nie erklärt, warum du unsere Verlobung gelöst hast. Oder warum du mir keine zweite Chance geben willst! Ich kann mich ändern, das weiß ich! Du weißt, ich liebe dich noch immer, Penny ...«

»Nein, Roger«, widersprach Penny entschieden. »Du willst mich. Das ist etwas anderes.«

»Ich kann sein, was auch immer du willst«, bot Roger ihr an, der nicht einmal versuchte, die Verzweiflung in seiner Stimme zu bemänteln. »Sag mir einfach nur, was du willst …«

»Ich werde darüber nicht länger diskutieren«, erklärte Penny. »Ich habe gesagt, was ich zu sagen hatte. Wenn du klug bist, belässt du es dabei.«

»Ich könnte dafür sorgen, dass du mich wieder willst«, sagte Roger, richtete sich zu seiner vollen Größe auf und tat sein Bestes, um beeindruckend auszusehen. »Es gibt Dinge, die ich tun könnte, ich habe Kontakte … Du hast keine Ahnung, wozu ich imstande bin. Überhaupt keine Ahnung, wie die richtige Welt funktioniert.«

»Dafür hast du keine Ahnung, wie eine richtige Frau funktioniert«, sagte Penny. »Sonst würdest du unser beider Zeit nicht mit diesem Unsinn verschwenden. Ich bin nicht die Sorte Frau, die du gewohnt bist. Die Sorte, die man kaufen oder einschüchtern kann. Jetzt geh mir aus den Augen, Roger! Ehe ich die paar wenigen Dinge vergesse, die ich noch an dir mag.«

Roger wandte sich abrupt ab und stürmte von ihr weg. Dabei wäre er beinahe in mich hineingerannt, denn ich stand noch immer unter der Tür. Er wollte sich entschuldigen, dann erkannte er mich. Er lief rot an, als ihm klar wurde, dass ich alles gehört haben musste.

»Lauschen Sie?«, fauchte er. »Was soll man von einem wie Ihnen auch anderes erwarten? Haben Sie etwas Gutes gehört? Seien Sie bloß vorsichtig, Jones. In der Stimmung, in der ich gerade bin, könnte ich Ihnen glatt den Schädel einschlagen.«

»Nein«, sagte ich. »Könnten Sie nicht.«

Etwas in meiner Stimme oder meinen Augen ließ Roger zögern, dann stürmte er einfach an mir vorbei. Immer weiter. Ich hörte ihn die Treppe hochstürmen, zurück in sein Zimmer, wobei er stampfte wie ein Kind, das einen Wutanfall hat und will, dass alle mitbekommen, wie zornig es ist.

Sorgsam schloss ich die Tür hinter mir. Penny stand mit dem Rücken zum Feuer, die Arme eng verschränkt, und starrte finster vor sich hin. Sie war bleich, nur auf den Wangen hatte sie zwei rote Flecken. Plötzlich sah sie mich fast trotzig an.

»Machen Sie sich Rogers wegen keine Gedanken. Er hat endlich etwas gefunden, das er wirklich will, aber nicht haben kann, und daran ist er nicht gewöhnt. Er kann damit nicht umgehen.«

»Um manche Dinge lohnt es sich zu kämpfen«, sagte ich.

»Er wüsste nicht einmal, wie«, meinte Penny. Sie sah mich nachdenklich an. »Sie sehen aus, als könnten Sie um Dinge kämpfen, die Sie wollen.«

»Das tue ich nicht mehr«, erwiderte ich. »Ich bin ein Einzelgänger. Ich lebe für die Arbeit.«

»Ja …«, sagte Penny. »Sie arbeiten für den Colonel, meinen lieben, verschwundenen Stiefbruder James.«

»Ja«, sagte ich.

Wir sahen einander in die Augen, und ich spürte eindeutig, wie es zwischen uns funkte. Mein einziger Gedanke war: *Nein. Das geht nicht.* Dies war nicht der richtige Zeitpunkt, um alte Fehler zu wiederholen.

Penny trat langsam vor mich hin. »James ist Daddys einziger Sohn aus seiner ersten Ehe mit Diana. Ich bin Daddys einzige Tochter aus seiner zweiten Ehe mit Melanie, meiner geliebten Mami. Ich erbe alles. James bekommt gar nichts. Darauf hat Mami unmittelbar nach meiner Geburt bestanden. Sie machte ein riesiges Aufheben, bis sich Daddy einverstanden erklärt hat, sein Testament zu meinen Gunsten zu ändern. Mich hat keiner gefragt. Aber so ist Mami. Sie hat den Großteil ihres Lebens damit verbracht, mir aus der Ferne Gutes zu tun. Mehr müssen Sie nicht über diese Familie wissen.«

»Was dachte der Colonel über all das?«, fragte ich.

»Meines Wissens ist es ihm völlig egal«, antwortete Penny. »Wissen Sie, ich bin meinem geheimnisvollen Stiefbruder nie begegnet. James ist Jahre vor meiner Geburt von zu Hause ausgezogen. Auf Nimmerwiedersehen. Er hat immer strikt zwischen seinem Leben und dem seiner Familie getrennt. Sie müssen ihn doch besser kennen als wir … Wissen Sie, warum er gegangen ist, Ishmael?«

»Ich arbeite nur für den Colonel«, sagte ich. »Er schickt mich an Einsatzorte und dort tue ich Dinge. Meist gute Dinge. Dinge, die getan werden müssen. Ich arbeite seit fünfzehn Jahren für ihn, und er hat seine Familie kein einziges Mal erwähnt.«

»Ist er ein guter Mann?«, fragte Penny. Die Antwort schien sie wirklich zu interessieren.

»Das würde ich schon sagen, ja.«

»Aber Sie werden mir nicht erzählen, was Sie oder er beruflich machen?«

»Tut mir leid«, antwortete ich. »Dann müsste ich Sie erschießen.«

»Ein Mann voller Geheimnisse«, stellte Penny bewundernd fest. »Sind Sie Spion?«

»Soweit ich weiß, nicht«, sagte ich.

Wir lächelten einander an und waren uns einig, dass es Zeit für einen Themenwechsel war, ohne dass jemand von uns etwas sagen musste.

»Alle haben sich so gefreut, als James seinen Weihnachtsbesuch ankündigte«, erzählte Penny. »Zum ersten Mal seit Gott weiß wie vielen Jahren. Ohne Vorwarnung. Einfach nur ein Anruf aus heiterem Himmel gestern Morgen. Ich hatte Daddy nie zuvor so aufgeregt gesehen … Er stapfte auf und ab, wedelte mit den Armen, war so glücklich und so voller Leben … Ich dachte die ganze Zeit nur: Wenn ich heimkomme, freut er sich nie so. Aber andererseits hat ihm James immer mehr bedeutet als ich. Ich bin vielleicht Daddys kleines Mädchen, aber Sie wissen ja, wie das ist mit Vätern und Söhnen.«

»Nicht wirklich«, sagte ich, doch sie hörte mir gar nicht zu.

»Gegen die idealisierte Erinnerung an einen abwesenden Bruder ist schwer anzukommen. Mami … war weniger glücklich über seine Ankündigung. Aber sie wusste, es hatte keinen Sinn, Daddy ausreden zu wollen, ihn herkommen zu lassen. In manchen Fragen ist Daddy stur wie zwei Panzer.«

»Was war mit den anderen?«, fragte ich, als sie zwischendurch einmal Luft holen musste. »Was hielten sie davon, dass der Colonel dieses Jahr an den Festivitäten teilnehmen wollte?«

»In erster Linie waren sie neugierig«, antwortete Penny. »Ganz scharf darauf, diesen geheimnisvollen, lange verlorenen Sohn mit eigenen Augen zu sehen. Diana hingegen … Ich mag mich irren, aber ich muss sagen, sie schien alles andere als glücklich beim Gedanken, ihren lange vermissten Sohn wiederzusehen. Jedenfalls traf James am gestrigen Abend spät ein. Nachdem wir alle des Wartens müde und ins Bett gegangen waren. Daddy blieb natürlich auf. Um James zu begrüßen. Offenbar redeten sie ewig, dann zog sich James in sein Zimmer zurück. Ich schätze, er war müde von der langen Fahrt.«

»Also ist Ihr Vater der Einzige hier, der den Colonel gesehen hat?«, fragte ich. »Gestern spät in der Nacht.«

»Sie machen sich Sorgen um ihn, nicht wahr?«, fragte Penny zurück.

»Ja«, antwortete ich. »Hier stimmt etwas nicht. Das spüre ich. Der Colonel ist gegen die meisten Dinge gewappnet, aber … Haben Sie eine Ahnung, warum er sich so lange von hier ferngehalten hat? Hatte es Streit gegeben?«

»Das weiß niemand«, sagte Penny. »Außer Daddy, und der möchte nicht darüber reden. Aber es war nicht zu übersehen, wie sehr ihn allein der Gedanke freute, dass James endlich heimkommen wollte. Mami war alles andere als begeistert. Sie macht sich schon immer Sorgen, Daddy könnte seine Meinung ändern und mich zugunsten seines Erstgeborenen, James, enterben.«

»Aber Sie machen sich darüber keine Sorgen«, stellte ich fest.

»Nein. Woher wissen Sie das?«

»Ich sehe vieles«, sagte ich. »Ich spüre außerdem, dass Ihnen das Geld ihres Vaters scheißegal ist.«

»Na ja, eigentlich nicht«, entgegnete Penny. »Ich führe mein eigenes Leben. Ich habe mein eigenes Geld. Ich arbeite in einem Verlag in London. Ja, ich bin sehr glücklich dort, danke der Nachfrage. Mami sollte sich nicht so große Sorgen machen … Daddy hat sicher dafür gesorgt, dass sie ein Auskommen hat, egal, was passiert. Genau, wie er es für Diana getan hat. Aber Mami will all das hier … das Gutshaus, das Grundstück und alles. Sie will Gutsherrin und Königin der hiesigen Gesellschaft sein. Das liebt sie einfach.«

»Sie aber nicht?«

»Ehrlich gesagt, mein Lieber, ist mir all … *das* hier scheißegal.«

Ich hätte nie gedacht, dass es möglich wäre, so viel Verachtung in ein einziges Wort zu legen. Pennys Miene hellte sich wieder auf und sie strahlte mich an.

»Ich habe mich darauf gefreut, James zu treffen. Meinen unsichtbaren Halbbruder. Wissen Sie, er hat mir immer zu meinem Geburtstag und zu Weihnachten eine Karte geschickt. Ausnahmslos jedes Jahr, seit ich ein kleines Mädchen war. Er hat kein einziges Jahr ausgesetzt. Das war nett von ihm. Er hätte das für eine kleine Stiefschwester, die er nie getroffen hat, nicht tun müssen.«

»Sie haben erwähnt, der Colonel habe nur mit Ihrem Vater gesprochen«, sagte ich. »Aber Jeeves gab an, er habe mit ihm geredet.«

»Das habe ich nicht gewusst«, sagte Penny. »Warum? Ist das wichtig?«

»Ich weiß nicht. Arbeitet Jeeves immer hier als Butler?«

»Um Himmels willen, nein!«, antwortete Penny sofort. »Er macht mir eine Scheißangst! Ich muss mich jedes Mal beherrschen, nicht wegzurennen, wenn ich ihn kommen sehe. Daddy konnte keinen seiner Hausangestellten überzeugen, über Weihnachten zu bleiben. Musste sich an irgendeine Agentur wenden. Eine Weile sah es sogar so aus, als müssten wir uns selbst bedienen. Darauf hatte ich mich schon gefreut … Aber dann tauchte in letzter Minute Jeeves auf, mit der Köchin im Schlepptau, und rettete die Lage. Er ist … sehr effizient.«

»Sie haben Jeeves also nie zuvor getroffen.«

»Nein. Ist das wichtig?«

»Weiß nicht«, sagte ich. »Ich versuche immer noch, ein Gefühl für diesen Ort und diese Familie zu kriegen.«

»Was denken Sie?« wollte Penny wissen. »Über … uns?«

»Es macht mir Sorgen, dass der Colonel so spurlos verschwunden ist«, sagte ich. »Jeeves scheint sehr sicher zu sein, dass er sich nicht im Haus aufhält.«

»Dann lassen Sie uns rausgehen und ihn suchen!«, strahlte Penny. »Wir können ein Spaziergang machen und nachschauen, ob er sich irgendwo versteckt.«

»Bei dem Wetter?«, fragte ich.

»Oh, das schaffen wir schon!«, versicherte Penny. »Wir müssen uns nur ordentlich einpacken. Kommen Sie schon! Das wird ein Abenteuer!«

»Ich habe schon genügend Abenteuer für mein ganzes Leben erlebt«, sagte ich.

»Ich kann auch Roger fragen«, meinte Penny.

Ich seufzte leise. »Ich kann nicht zulassen, dass Sie sich einem derartigen Martyrium unterziehen. Na schön. Machen wir zusammen einen Spaziergang und trotzen wir den Minusgraden. Wer weiß? Vielleicht begegnen wir einem Pinguin.«

»Die gibt es nur in der Antarktis«, erklärte Penny schrecklich nüchtern. »Ich habe aber gerade neulich etwas sehr Interessantes über Eisbären gehört, in irgendeiner Doku. Offenbar hält sich ein Eisbär immer ein Vorderbein vors Gesicht, wenn er sich in der verschneiten Einöde an jemanden anschleicht. Weil seine Nase pechschwarz ist und sich gegen den weißen Hintergrund zu sehr abheben würde!«

»Denken Sie daran, wenn wir draußen durch den Schnee stapfen«, riet ich ernst. »Aber eigentlich hat dieses Verhalten einen anderen Grund. Eisbären halten sich immer ein Vorderbein vors Gesicht, weil sie so tun, als seien sie Batman. Die Eisbären sind Riesenfans von Adam West.«

Penny kicherte unwillkürlich. »Oh, Sie …! Kommen Sie, kleiden wir Sie für unseren großen Wildnistrip nach draußen passend ein.«

»Nun gut«, gab ich nach. »Aber ich behalte mir das Recht vor, direkt und zügig ins Haus zurückzukehren, wenn die Gefahr besteht, dass ich mir wichtige Körperteile abfriere.«

Penny führte mich den ganzen Korridor entlang zu einem einschüchternd großen Schrank neben der Haustür. Er war groß genug, um eine politische Versammlung darin abzuhalten und zugleich als

Zuflucht für eine ganze Reihe gefährdeter Tierarten zu dienen. Außerdem war er total vollgestopft mit Dutzenden von Pelzmänteln sowie einer großen, vielfältigen Auswahl von Pelzmützen, Handschuhen und wirklich schweren Stiefeln. Keine Skier oder Schneeschuhe, aber man kann eben manchmal nicht alles haben.

»Wem gehört das alles?«, fragte ich. »Können wir uns wirklich einfach bedienen?«

»Dafür sind die Sachen da«, erklärte Penny geduldig. »Für Daddys Gäste. Je nach Bedarf. Sie waren vorher noch nie auf einem Landsitz, oder? Probieren Sie den an. Der sieht aus, als könnte er Ihnen passen.«

»Er sieht aus, als hätte jemand einen Eisbären gehäutet«, sagte ich, »und zwar einen großen. Weiß Greenpeace von diesem Schrank?«

»Dieser Schrank ist wahrscheinlich älter als Greenpeace«, meinte Penny.

Ich zog mein Jackett aus, hängte es sorgfältig auf den nächstbesten Kleiderbügel und probierte ein paar Pelzmäntel an.

Penny musterte mich nachdenklich. »Beeindruckender Körper ...«

»Nicht mein Verdienst«, erwiderte ich. »Er war ein Geschenk.«

»Zumindest haben Sie gut darauf geachtet«, sagte Penny.

»Gesundes Leben und viel Gemüse ... sind zwei Dinge, die ich immer gemieden habe«, erklärte ich ernst. »Ich vermute da einen Zusammenhang.«

Es dauerte eine Weile, aber schließlich fanden wir beide etwas, das uns gefiel. Halb verschüttet unter Pelzmänteln, Mützen, Handschuhen und wirklich schweren Stiefeln musterten wir einander kritisch. Penny betrachtete die russische Pelzmütze, die ich mir zögerlich aufgesetzt hatte, und schüttelte den Kopf, eher traurig als wütend. Dann schnappte sie sich die Mütze mit beiden Händen und zog sie heftig nach unten, bis sie mir tief in der Stirn saß.

»So«, sagte sie und trat zurück. »Schon besser.«

»Erschießen Sie mich«, bat ich. »Ehe mich noch jemand so sieht.«

»Sie sehen sehr stilvoll aus!«

»Stil interessiert mich nicht.«

»Jetzt schon. Es sei denn, Sie wollen sich das Hirn im Schädel erfrieren. Da draußen ist es kalt!«

»Das war mir aufgefallen.«

Wir marschierten vom Schrank Richtung Haustür. Unter der Last unserer schweren Pelzmäntel watschelten wir eher, als dass wir gingen. Ich öffnete die Tür, und wir standen nebeneinander im Türrahmen und schauten hinaus in die jungfräulich weiße Winterwelt. Die beißende Kälte traf mich ins Gesicht wie eine Ohrfeige. Penny quiekte laut und erschauerte trotz der vielen Schichten Kleidung. Ich nicht.

Seit meiner Ankunft war es leicht neblig geworden, perlgrauer Dunst lag schwer in der Luft und nahm uns die Fernsicht. Aber es schneite nicht mehr, und der Wind hatte sich gelegt. Das Außengelände war vollkommen friedlich und ruhig, geradezu unheimlich still, als warte die ganze Welt auf einen Startschuss. Ich machte vorsichtig einen Schritt, und meine schweren Stiefel sanken tief im Schnee ein. Penny folgte mir dicht auf den Fersen und schlug die Eingangstür hinter sich zu.

Ich nahm mir Zeit, mich umzusehen. Verschneite Rasenflächen erstreckten sich in alle Richtungen, rein weiß und völlig ohne jede Spur, bis sie im mattgrauen Nebel verschwanden. Die weißen Formen eingeschneiter Autos kauerten vor uns, während sich zu beiden Seiten des Gutshauses vage zu erkennende Gebäude erstreckten. Einige der weiter entfernten undeutlichen Umrisse hätten Bäume oder Hecken sein können. Der Winter hatte Belcourt mit harter Hand getroffen, als habe er jede Spur von menschlicher Zivilisation in der Landschaft auslöschen wollen. Die Luft war beißend kalt und schmerzte jedes Mal in meiner Lunge, wenn ich einatmete. Penny schmiegte sich an mich, gab mit jedem Atemzug leise, verzweifelte Geräusche von sich und sah sich mit großen, verblüfften Augen um wie ein Kind, das zum ersten Mal dem Weihnachtsmann begegnet.

Dann grinste sie mich an, freute sich über dieses Winterwunderland, und ich musste ihr Grinsen einfach erwidern.

»Wenn Sie einen Schlitten mit Rentieren sehen, schnappen Sie sich die Geschenke und hauen Sie ab«, sagte ich.

»Die Elfen würden mich niederstrecken, ehe ich auch nur zehn Schritte zurückgelegt hätte«, erwiderte Penny. »Hier entlang …«

Sie bestimmte unseren Weg, stapfte ungeschickt durch den Tiefschnee, und ich ging lässig neben ihr her und wirbelte mit den Füßen den Schnee auf. Die graue Nebelwand wich vor uns zurück und enthüllte zögernd immer mehr von dem schneebedeckten Gelände. Es musste inzwischen später Nachmittag sein, und es herrschte ein unheimliches Zwielicht. Ringsum war es, abgesehen vom Knirschen unserer Stiefel im Schnee, mucksmäuschenstill. Penny sah sich um und hielt sich manchmal an meinem Arm fest. Ich ließ es zu.

»In diesen Gärten bin ich aufgewachsen«, sagte sie atemlos und ein wenig benommen von unserem anstrengenden Marsch. »Ich erinnere mich, als kleines Kind wie wild hier herumgerannt zu sein. Ich verwüstete immer die kunstvoll angelegten Blumenbeete, war aber fest davon überzeugt, den Gärtnern eine große Hilfe zu sein. Niemand sagte je irgendetwas dazu. Damals war ich ein Kind, dem man alles durchgehen ließ. Sehen Sie diese großen Silhouetten da aus dem Nebel ragen? In Tierformen geschnittene Hecken. Wenn man sie jetzt so sieht, ganz begraben unter dem Schnee, käme man nie darauf, was sie darstellen sollen. Ich weiß es nur, weil ich mich noch erinnere, was wo steht. Das da ist ein riesiger Hase. Das sind ein Löwe und ein Einhorn. Das da ist ein riesiger Hahn.«

Bei diesen Worten blieb ich abrupt stehen und schaute zum Gutshaus zurück. Selbst durch den Nebel konnte ich es einigermaßen erkennen. Lange starte ich reglos zum Haus hinüber.

Penny sah zuerst das Haus und dann mich an. »Was? Was ist denn?«

»Ich dachte … ich hätte ein Licht gesehen«, sagte ich. »Hinter einem der Fenster im obersten Stockwerk. Nur einen Augenblick lang. Als hätte jemand die Fensterläden geöffnet, um herauszuschauen.«

Penny starrte skeptisch zum obersten Stockwerk empor. »Da oben ist niemand, Ishmael. Alle Räume dort sind abgeschlossen, und der Zugang zu ihnen ist versperrt.«

»Ich weiß«, erwiderte ich. »Aber ich bin sicher, bei meiner Ankunft genau dasselbe gesehen zu haben. Als betrachte mich jemand. Hätte ganz spezifisch an mir Interesse.«

»Sie glauben, jemand im Haus beobachtet Sie?«, fragte Penny.

»Ja«, antwortete ich. »Ich frage mich, warum.«

Penny schniefte. »Wenn Sie mich fragen, ist es wahrscheinlich Roger. Der uns beobachtet. Geben wir ihm doch etwas zum Schauen!«

Sie packte meine Schultern und küsste mich heftig. Ich stand ganz still. Ihr Mund auf meinem fühlte sich warm und freundlich an, und ihr Körper war Trost und Versprechen zugleich. Penny trat zurück, sah mich einen Augenblick lang an, dann wandte sie sich ab und winkte fröhlich zum Gutshaus hinüber.

»Alles gesehen, Roger?«

In keinem der Fenster brannte Licht, hinter keinem der Fensterläden konnte ich die geringste Bewegung erkennen.

Penny wandte sich wieder mir zu. »Ich werfe mich Männern normalerweise nicht an den Hals, Ishmael. Es ist nur … Sie sind irgendwie anders.«

»Ja«, gab ich ihr recht. »Bin ich.«

»Ich muss sagen, ich erwarte eigentlich enthusiastischere Reaktionen von einem Mann, dem ich gerade die Zunge in den Hals geschoben habe.«

»Ich kenne Sie kaum«, erklärte ich ruhig. »Sobald meine Angelegenheiten mit dem Colonel erledigt sind, werde ich mich wieder von hier entfernen.«

»Na und?«, fragte Penny. »Sie wissen schon, Carpe diem und so. Mögen Sie mich nicht?«

»Ich habe mich noch nicht entschieden«, sagte ich.

Sie sah mich an. So offene Worte war sie wohl nicht gewohnt. »Gibt es … eine andere?«, fragte sie schließlich.

»Nein«, antwortete ich. »Es hat schon sehr lange niemanden mehr gegeben. Liebe … ist etwas für andere.«

»Wissen Sie«, sagte Penny, »für jemanden, der nur ein paar Jahre älter ist als ich, klingen Sie manchmal wirklich wie ein alter Mann.«

»Das höre ich häufig«, sagte ich. »Ein kluger Mann hat einmal gesagt: Nicht das Baujahr ist wichtig, sondern die Kilometerleistung. Jetzt erzählen Sie mir von den anderen Gebäuden.«

»Sind Sie sicher, dass Sie darüber sprechen möchten?«

»Ja.«

»Sie sind mysteriös, Ishmael Jones«, befand Penny.

»Auch das höre ich häufig«, sagte ich.

Wir gingen weiter. Penny hatte meinen Arm losgelassen. Sie deutete auf die Reihe der terrassenförmig angeordneten viktorianischen Cottages, die sich auf einer Seite des Gutshauses erstreckten, und die mittelalterliche Zehntscheuer auf der anderen. Im Augenblick waren sie nur große, dunkle Umrisse, die im dichter werdenden Nebel aufragten. Auch hier brannte nirgends Licht und es war totenstill.

»Alle Cottages sind verschlossen und winterfest gemacht«, informierte mich Penny.

»Keine Anzeichen für Bewohner«, stellte ich fest.

»Daddy vermietet sie von Frühjahr bis Herbst als Ferienhäuser«, sagte Penny. »Im Winter ist es immer zu kalt.«

»Was ist mit der Zehntscheuer?«, fragte ich.

»Oh, die ist uralt. Vierzehntes Jahrhundert, wenn ich mich richtig erinnere. Auf jeden Fall viel älter als das Gutshaus. Eigentlich nur eine große, alte Scheune, in der das Getreide des Dorfes aufbewahrt wurde. In jüngerer Zeit dann schweres landwirtschaftliches Gerät. Wenn Sie glauben, James versteckt sich vielleicht dort – das können Sie vergessen. Sie sehen ja, dass sie keine Türen hat. Sie ist einfach vorn und hinten offen. Den Elementen ausgeliefert … Wenn er da drin wäre, wäre er schon erfroren.«

»Ich glaube, ich sehe mich trotzdem mal um«, sagte ich.

Penny zuckte die Achseln und spielte überzeugend die Gleichgültige. Ich ging voran, stapfte durch den Tiefschnee. Penny hatte Mühe, mit mir Schritt zu halten. Unsere Stiefel sanken tief ein und erzeugten laute, knirschende Geräusche, als wollten sie die Scheune vor unserem Kommen warnen. Die vordere Öffnung erwies sich als drei Meter hoher und fast ebenso breiter Torbogen. Große Mengen Schnees waren hineingeweht und bedeckten weite Teile des sehr unebenen Steinbodens. Ich musste über die größte Schneeverwehung hinwegklettern, um hineinzugelangen. Penny hatte Probleme, mir zu folgen, also streckte ich den Arm aus, ergriff ihre Hand und zog sie über den Schneehügel. Vor Überraschung darüber, wie stark ich war, quiekte sie laut und hielt sich dann mit beiden Händen an mir fest, bis sie wieder zu Atem gekommen war. Ich ließ es zu. Ich wusste, es war unfair, ihr Mut zu machen, aber ich war nicht immer so stark, wie ich hätte sein müssen.

Das Innere der Zehntscheuer war nur ein großer, offener Raum, weitläufig, dunkel und düster. Lange, schmutziggraue Lichtbahnen fielen durch schmale Fenster hoch in den kahlen Steinwänden. Rauer Stein, dick und massiv, erhob sich zu einer hohen Holzbalkendecke. Einfach nur ein Lagerraum. Hier hätte der Colonel nur überleben können, wenn er sich ein Iglu gebaut hätte, aber ich sah nirgends eines. Ich schaute aufmerksam in die Schatten, aber nichts erwiderte meinen Blick. An einem Ende der Scheune konnte ich zahlreiche große, unförmige Umrisse ausmachen: alte landwirtschaftliche Maschinen unter durchhängenden Planen.

»Hässlicher alter Kasten, nicht wahr?«, fragte Penny. »Daddy würde ihn am liebsten abreißen, damit man vom Herrenhaus aus eine bessere Aussicht hat, aber er steht unter Denkmalschutz. Er ist Teil unseres großen englischen architektonischen Erbes. Wir müssen also die Finger davon lassen. Auch wenn er potthässlich und völlig unnütz ist. Auch wenn ein schönes Feuerchen den Wert des gesamten Geländes um Millionen von Pfund erhöhen würde. Mal ehrlich, mein Lieber, nur weil etwas schon ein paar Jahre in der Gegend herumsteht, wird es dadurch doch noch nicht zum Quell ewiger Schönheit und Freude!«

Ich ging zurück zur vorderen Öffnung und starrte hinaus in die stille, schweigende Welt. Kalt, weiß und perlgrau. Penny trat neben mich.

»Wie unglaublich friedlich«, sagte sie nach einer Weile. »Schade nur, dass es nicht so bleiben wird.«

»Nein«, bestätigte ich. »Das wird es nicht. Ich spüre, wie der Sturm ringsum stärker wird. Der Druck wächst bis zu einem kritischen Punkt. Dann wird uns der Wind treffen wie ein Rammbock, und der Schnee wird fallen wie der Zorn Gottes.«

»Sie sind nicht gerade der fröhlichste Mensch, den ich je getroffen habe«, sagte Penny. Sie legte den Kopf in den Nacken und starrte an der Krempe ihrer Pelzmütze vorbei in den eisengrauen Himmel hinauf, dann wandte sie ihren Blick mir zu. »Spüren Sie wirklich, dass ein Sturm kommt?«

»Ja«, antwortete ich. »Das ist eine Begabung, die ich habe. Aber uns bleibt noch etwas Zeit. Erzählen Sie mir von Ihrer Familie, Penny. Der Familie des Colonels. Er hat nie davon gesprochen.«

»Wenn Sie wollen«, meinte Penny. »Ich habe kein Problem damit. Wenn Sie aber auf Skandale hoffen, fürchte ich, die kann ich nicht liefern. Zumindest keine richtig interessanten. Die Belcourts leben seit Generationen im Herrenhaus, aber mit Daddy wird diese Tradition enden. Er gibt es zwar nicht gerne zu, aber er wird das Herrenhaus bald verkaufen müssen. Ich glaube allerdings, das ist ihm ziemlich egal. Er hält nur noch aus einer Art familiärem Pflichtgefühl daran fest. Mami hingegen hängt furchtbar daran. Wenn sie nicht wäre, hätte Daddy es schon lange verkauft und wäre weggezogen. An einen billigeren, wärmeren Ort. Daddy könnte das Geld brauchen, um es in seine Firma zu investieren. Deshalb ist Alex hier.«

»Was ist mit Ihnen?«, fragte ich. »Sie werden das doch alles vermutlich irgendwann mal erben. Wie stehen Sie zum Verkauf Belcourt Manors?«

»Ich kann nicht behaupten, dass mir der alte Kasten wirklich gefällt«, sagte Penny. Sie stand da und starrte in den Nebel, die Hände tief in den Taschen, den Blick in weite Ferne gerichtet. »Ich will gar nicht daran denken, wie hoch die Unterhaltskosten sind. Die oberen Etagen des Herrenhauses haben wir aufgegeben, als ich noch ein Kind war. Ich habe dort oben immer gespielt, obwohl es streng verboten war. Na ja, vermutlich eher, weil es streng verboten war. Ich war immer ein aufsässiges Kind. Ich habe früher immer die Schlüssel geklaut und wahllos Räume aufgeschlossen, nur um zu sehen, was sich darin befindet. Ich habe Schätze gesucht und mich voller Begeisterung vor jedem Schatten gefürchtet. Habe Schubladen aufgezogen und unter die Tücher gespäht, die die unbenutzten Möbel vor Staub schützen sollten, habe Unordnung gemacht … Irgendwann hatte Mami es satt, genau wie den ganzen anderen Schabernack, den ich trieb. Als es nichts half, mich anzubrüllen, haben sie mich weggeschickt. Den Rest meiner Kindheit habe ich in einem Internat und meine Jugend in einem sehr standesgemäßen Mädchenpensionat in Grenoble in der Schweiz verbracht. Dort habe ich eine erstklassige Erziehung genossen, mir einen vornehmen Akzent angewöhnt und einen tiefen, unerschütterlichen Hass gegen jegliche Form von Autorität entwickelt. Ich durfte immer nur über die Feiertage nach Hause. Als wäre man in die Hölle verbannt worden und dürfte dann zwischendurch kurze Ausflüge zurück in den Himmel machen. Nur damit man richtig zu schätzen weiß, wie schlimm die Hölle ist.«

Sie wandte mir den Kopf zu und sah mich an. »Es ist wirklich sehr leicht, sich mit Ihnen zu unterhalten, Ishmael. Wissen Sie das?«

»Ja«, sagte ich. »War die Schule wirklich so schlimm?«

»Nein … Es geht ums Prinzip!« Sie schaute wieder in die verschneite Landschaft hinaus. »Ich habe dieses Gelände und den Luxus des Hauses immer gemocht, aber mir hätte alles gefallen, was nicht die Schule war. Mit all ihren kleinlichen Regeln und Vorschriften … Wo waren wir gerade? Ach ja … die Familie. Die Familie des Colonels …«

»Ja«, sagte ich.

»Daddy gibt Mami meist nach, um des lieben Friedens willen. Er hat sich von Diana scheiden lassen, weil man ihr ihr Alter langsam ansah und er eine schöne Frau an seiner Seite haben wollte. Er hat Mami bei einer Verkaufstagung kennengelernt, wo sie knapp bekleidet auf hohen Hacken herumstöckelte und ein Tablett mit Gourmethäppchen herumreichte. Ehrlich – ich habe die Fotos gesehen. Es ist ein Wunder, dass sie sich nicht erkältet hat. Daddy verliebte sich in sie und nahm sie mit heim. Das war's für Diana. Ersetzt durch ein neueres Modell. Mit einer Abfindung, die so hoch war, dass sie keine Gegenwehr leistete. Sie wird jedes Jahr zu Weihnachten eingeladen und erscheint auch jedes Jahr. Daddy scheint sich zu freuen, sie zu sehen. Mami weniger, auch wenn sie immer höflich bleibt. Sie begegnet Diana immer noch mit großem Argwohn, auch wenn sie ihr Daddy ausgespannt hat. Schwer ruht das Haupt, das ein Brautkranz drückt ... Mami hat sich hier noch nie sicher gefühlt. Sehen Sie, sie hat in Reichtum und Stand eingeheiratet. Vorher hatte sie so etwas nicht. Deshalb wollte sie mich unbedingt aufs Internat und dann auf dieses Mädchenpensionat schicken. Damit ich all die Vorteile genieße, die sie nie hatte. Aber niemand hat mich je gefragt, was ich eigentlich will. Ich glaube, ich hätte lieber Eltern gehabt.« Sie hielt inne, als erwarte sie einen Kommentar von mir. Aber ich gab keinen ab.

»Was ist mit den Gästen?«, fragte ich schließlich.

»Roger ist langweilig«, sagte Penny ausdruckslos. »Ich weiß nicht, was ich je an ihm gefunden habe. Ich glaube, er war vielleicht ... einfach so was wie mein Schuhlöffel aus der Familie heraus. Ich wollte meine Verbindungen zu ihr ein für alle Mal kappen, indem ich jemanden heirate, von dem ich wusste, dass Daddy und Mami ihn nicht ausstehen konnten. Wenn ich so was wie ein Gewissen hätte, würde ich dem armen Jungen etwas absolut Grauenhaftes antun, damit er abhaut und mich nicht mehr will. Aber es ist so schwer, fies zu ihm zu sein. Als würde man einen Welpen treten. Alexander Khan ... nervt mich total. Immer schon. Bei allen Anlässen, bei denen er sich hierher eingeladen hat, um mit Daddy übers Geschäft zu reden. Diese Gespräche scheinen im Übrigen normalerweise aus gegenseitigem Anbrüllen unter vier Augen zu bestehen. Alex war die Firma immer schon wichtiger als Daddy. Er taucht hier immer nur auf, wenn er für sein neuestes großartiges Projekt mehr

Geld braucht. Mir gefällt es nicht, wie er mich und Mami ansieht. Ich halte mich von ihm fern. Er klebt schon das ganze Wochenende an Roger. Fragen Sie mich nicht, warum. Dann ist da auch noch die liebe kleine Sylvia. Sie kommt mir ganz nett vor. Diana sammelt gut aussehende Begleiterinnen, die sie daran erinnern, wie sie ausgesehen hat, bevor ihr Gesicht faltig wurde wie eine Straßenkarte. Sie sagt, es hilft ihr, sich wieder jung zu fühlen, wenn sie sich mit hübschen jungen Dingern umgibt. Ich behaupte ja, sie saugt ihnen Jugend und Energie ab … Sylvia ist die Letzte in einer langen Reihe, und nach ihr wird es weitere geben, auch wenn ihr das noch nicht klar ist. Sie ist unterhaltsamer als viele ihrer Vorgängerinnen bei früheren Weihnachtsfeiern, und um diese Jahreszeit kommt ein wenig Unterhaltung immer gelegen.«

»Sie mögen Weihnachten nicht?«

»Ich habe nichts gegen Weihnachten. Die Familienfeiern nerven mich furchtbar. Ich sitze tagelang zusammen mit Leuten, die ich kaum kenne und die mir ziemlich egal sind, hier fest. Für mich ist Weihnachten nur etwas, das ich überstehen muss. Nicht, dass ich lieber woanders wäre. Oder bei jemand anderem …«

»Warum kommen Sie immer wieder her?«, fragte ich.

»Es handelt sich um meine Familie«, antwortete Penny müde. »Familiäre Verpflichtungen und so. Blut ist dicker als Wasser. Sie wissen ja, wie das ist …«

»Nein«, erwiderte ich. »Nicht wirklich. Ich habe keine Familie. Ich war immer allein.«

Penny sah mich rasch an. »Oh Ishmael, es tut mir so leid. Ich rede und rede und rede … sind Sie Waise?«

»So was in der Art«, antwortete ich. »Der Colonel … James … ist für mich wie …«

»Eine Familie?«

»Ein Vater«, sagte ich.

Mir war nicht klar gewesen, dass ich das sagen würde, und die Worte überraschten mich genauso sehr wie sie. Nachdenklich verstummte ich. Ich versuchte, meine eigenen Gefühle zu verstehen.

Penny lächelte, hakte sich bei mir unter und schmiegte sich an mich. Ich hätte sie wegstoßen sollen. Wie gesagt, ich wusste, es war weder ihr noch mir gegenüber fair, ihr Hoffnungen zu machen. Sobald ich den Colonel gefunden und erledigt hatte, weswegen er mich hergerufen hatte, würde ich mich wieder auf den Weg machen. Ich war immer unterwegs. Das war einfacher für alle Beteiligten. Weil sie im Gegensatz zu mir alterten. Weil ich nie jemandem die Wahrheit über mich sagen konnte. Weil sie mich nicht geliebt hätten, wenn sie gewusst hätten, dass ich kein Mensch war. Vor allem aber, weil … ich Angst hatte. Angst, ich könnte möglicherweise nicht das sein, was ich vermutete. Dass meine Erinnerungen oder Flashbacks nur eine Fassade für etwas viel Schlimmeres sein könnten. Ich hatte schon vor langer Zeit ein für alle Mal beschlossen, meinen Weg allein zu gehen, allein zu leben, weil das für alle Beteiligten sicherer war. Ich wollte niemandem wehtun.

Ich wandelte auf der dunklen Seite der Straße.

Behutsam löste ich mich von ihr, stapfte durch die hoch aufgetürmte Schneeverwehung und trat aus der Zehntscheuer in die unnatürlich stille Winterluft hinaus. Ich ging am Herrenhaus vorbei auf die Reihe der viktorianischen Cottages auf der anderen Seite zu. Penny eilte mir nach und murmelte kindische kleine Flüche vor sich hin, während sie so schnell sie konnte durch den Tiefschnee stapfte. Sie stolperte neben mir her und sah mich von Zeit zu Zeit verwundert von der Seite an, sagte aber nichts. Vielleicht spürte sie, in welcher Stimmung ich war, auch wenn sie es nicht nachvollziehen konnte. Sie übernahm die Führung, und ich ließ es zu. Schließlich war sie hier zu Hause. Das Geräusch unserer Schritte, als wir durch den Schnee stapften, wirkte sehr leise in der weiten, scheinbar endlosen Schneelandschaft. Vor uns erstreckte sich eine schimmernd weiße Fläche bis weit hinter die Cottages, wo sie langsam im eisengrauen Nebel verschwand.

»Hm«, sagte Penny nach einer Weile. »Das ist ein bisschen seltsam und ganz schön schräg …«

»Was denn?«, fragte ich und sah mich rasch um.

»Sehen Sie sich mal den Schnee hinter uns an. Was sehen Sie? Unsere Spuren. Eine lange Linie von der Eingangstür des Herrenhauses bis zur Zehntscheuer und dann wieder zurück bis hierher. Aber was sehen Sie vor uns? Nichts! Der Schnee vor uns ist vollkommen glatt, es gibt keinerlei Spuren, so weit das Auge reicht. Aber irgendwas müsste es doch geben … Spuren von Vögeln oder anderen Tieren … Füchse, Wiesel, Dachse. Aber da ist gar nichts. Da stimmt etwas nicht, Ishmael. Es sei denn, es ist vielleicht zu kalt für Tiere, um sich ins Freie zu wagen …«

»Könnte sein«, sagte ich. »Ich war schon an Orten, an denen die Luft so kalt war, dass Vögel einfach in der Luft erfroren und tot vom Himmel gefallen sind.«

Penny sah mich an. »Sie haben ganz schön was erlebt, oder?«

Ich lächelte. »Sie haben ja keine Ahnung.«

Schließlich erreichten wir die lange, terrassenförmig angelegte Reihe viktorianischer Cottages. Es waren gedrungene, quadratische Gebäude aus einem cremeweißen Stein mit Erkerfenstern und anmutig geneigten Dächern. Wahrscheinlich waren sie unter dem Schnee ziegelgedeckt. Alle Cottages waren dunkel, still und schweigend, als drängten sie sich gegen die Kälte zusammen, um einander Wärme und Halt zu spenden. Penny musterte sie und schniefte laut.

»Ziemlich hübsch. Geradezu anheimelnd, wenn man auf so etwas steht. Für mich sehen Sie immer aus wie die Illustration eines richtig niedlichen Puzzles – das nicht zu anspruchsvoll ist. Das große da, das etwas abseits steht, ist Gravelstone Cottage. Dort wohnte ursprünglich der oberste Gärtner des Herrenhauses mit seiner Familie. Die anderen bewohnten die zahlreichen Gärtner. In den Tagen vor dem Aufsitzrasenmäher waren viele Leute erforderlich, um dieses Anwesen in Schuss zu halten. Die anderen Diener wohnten im Herrenhaus, damit sie ständig auf Abruf bereit waren … Aber heutzutage haben wir die Gartenpflege outgesourct, und die wenigen Hausangestellten wohnen lieber daheim. Also vermietet Daddy die Cottages.«

Sie hielt inne und beugte sich verschwörerisch zu mir herüber. »Daddy braucht das Geld. Das Familienvermögen ist nicht mehr, was es einmal war. Früher leitete Daddy das Familienunternehmen, und zwar gar nicht schlecht, wie man hört ... aber mit zunehmendem Alter wurde ihm das alles zu viel. Er hat sich zurückgezogen und überlässt jetzt alle Entscheidungen dem Vorstand. Der hat sich weniger mit Ruhm bekleckert. Besonders, seit er auf Alexander Khan hört. Er hat jetzt den Vorstand unter Kontrolle. Ich bin ziemlich sicher, dass er nur hier ist, weil er versucht, Daddy zu einem Teilverkauf unseres Grundbesitzes zu überreden, um Mittel für die Firma flüssig zu machen. Ich meine, mir ist das egal! Wir machen ja nichts mit dem Land. Aber Daddy wird das nicht passen. Wie das Haus gehört der Grund seit Generationen den Belcourts. Alex versucht, über Mami an Daddy heranzukommen. Sie glauben, ich hätte es nicht bemerkt. Ha!«

Das letzte Wort klang hart, zornerfüllt. Ich schwieg. Aber ich fragte mich, warum Roger nicht mit Penny darüber gesprochen hatte, dass Khan ihn zu überreden versuchte, in die Firma zu investieren. Eigentlich hätte es Roger gefallen müssen, ihr das unter die Nase zu reiben. Sie unter Druck zu setzen ... aber vielleicht hatte der junge Mann ja doch Prinzipien. Die Menschen überraschten einen immer wieder.

Penny führte mich an den Cottages vorbei und um das letzte herum, sodass wir die weite, weiße Wildnis des Freigeländes betraten. Hier sah ich ein paar dunkle, kahle Bäumchen, zu dürr, als dass Schnee darauf hätte liegen bleiben können ... und hier und da große Hügel und Erhebungen. Eingeschneite Blumenbeete, alte, bis zu den Hüften im Schnee stehende, moosbewachsene Statuen, Pagoden, Gartenlauben und überall Schnee, Schnee und noch mal Schnee.

Plötzlich blieb Penny stehen und sah sich um. »Wir müssen vorsichtig sein, Ishmael. Irgendwo ist hier ein großer Teich. Er ist sicher dick zugefroren und eingeschneit. Aber ich finde, wir sollten trotzdem nicht darüber laufen. Kommen Sie hier entlang, das sollte sicher sein.«

»Sie haben einen eigenen Teich?«, fragte ich, während wir ihn umrundeten.

»Im Sommer ist er voller Forellen«, erzählte Penny. »Natürlich gibt es direkt hinter dem Orangenhain auch noch einen Swimmingpool.«

»Na klar«, sagte ich. »Wenn ich einen Orangenhain hätte, würde ich dort auch einen Swimmingpool bauen.«

Penny lachte. »Es ist eine andere Welt, nicht wahr?«

Schließlich gingen wir zwischen zwei langen Reihen finsterer, verschneiter Formschnitthecken durch. Ich empfand sie als beunruhigend. Die nicht klar erkennbaren Formen suggerierten allerlei unerfreuliche Möglichkeiten. Manchmal fielen, ausgelöst durch die Erschütterungen unserer schweren Schritte, große Schneeklumpen von ihnen herunter auf den Boden. Penny zuckte jedes Mal zusammen. Ich nicht.

»Als Kind habe ich diese aus Büschen herausgeschnittenen Tiere geliebt«, sagte Penny und sah sich rasch um. »Heute liebe ich sie nicht mehr so sehr. Es ist, als könnte unter dem Schnee eine ganz neue Form verborgen sein. Monster, die sich vor aller Augen verstecken.«

»Ja«, sagte ich. »Ich weiß, was Sie meinen.«

Penny blieb stehen und sah sich in dem dichter werdenden Nebel finster um. »Irgendwo hier müsste der große Ziergarten sein, aber ich will verdammt sein, wenn ich es Ihnen zeigen könnte. Er ist einfach … verschwunden. Im Schnee versunken. Das gefällt mir ganz und gar nicht, Ishmael … ich fühle mich in einer vertrauten Umgebung verloren. Als könne man sich auf gar nichts mehr verlassen.«

»Ja«, sagte ich erneut. »Ich weiß, was Sie meinen.«

Plötzlich erschauerte Penny trotz des dicken Pelzmantels.

»Mein Gott, ich erfriere! Sie nicht? Vielleicht war das doch keine so gute Idee.«

»Dann lassen Sie uns zurückgehen«, sagte ich.

»Oh, Gott segne Sie! Ich will das schon seit Ewigkeiten sagen, aber ich habe nicht gewusst, wie ich es ausdrücken soll, ohne wie ein komplettes Weichei zu klingen.«

»Der Colonel ist definitiv in keinem der Nebengebäude«, stellte ich fest. »Sonst kann er hier draußen aber nirgends sein. Wir können also genauso gut umkehren.«

»Gehen wir«, sagte Penny. »Irgendwo drüben im Herrenhaus ruft ein schönes Heißgetränk meinen Namen, und zwar laut und sehr überzeugend.«

Sie stapfte durch den Schnee zurück in Richtung Haus, und ich schritt neben ihr her.

Ich spürte, dass sich wieder ein Sturm zusammenbraute. Er wuchs und wurde immer stärker. Ich hätte mich lieber beeilt, um die Sicherheit des Hauses zu erreichen, ehe der Sturm losbrach, aber ich konnte Penny nicht zurücklassen. Also ließ ich sie das Tempo vorgeben und sah mich in der Zwischenzeit um. Nur durch Zufall sah ich den Schneemann, der hinter einer der großen Formschnitthecken verborgen war. Ich blieb stehen und wies Penny darauf hin. Sie quietschte vor Freude wie ein Kind und klatschte in die behandschuhten Hände. Natürlich mussten wir hinübergehen und ihn uns näher ansehen. Er war nicht besonders kunstvoll geformt – nicht ganz menschengroß, ohne Kohlestücke oder eine Karotte, die ein Gesicht darstellten, und ohne Schal um den dicken Hals.

»Ich frage mich, wer den gebaut hat«, überlegte Penny. »Ich meine, warum sollte jemand bei dieser schrecklichen Kälte den weiten Weg hier heraus auf sich nehmen und dann nur halbherzig einen Schneemann bauen?«

Ich stand ganz still da und musterte ruhig den roh geformten Schneemann.

»Penny, ich rieche Blut.«

Sie sah mich an, wusste nicht recht, was sie mit dieser Bemerkung anfangen sollte. »Wirklich?«

»Ja«, sagte ich. »Blut. Hier ist etwas Schlimmes passiert.«

Ich riss große Stücke aus der Flanke des Schneemanns und warf sie beiseite. Ein menschlicher Arm fiel heraus und hing steif an der Seite des Schneemanns. Die Hand war steif gefroren und vollkommen farblos. Penny schrie nicht, riss die Augen aber sehr weit auf. In rasender Geschwindigkeit zerlegte ich den Schneemann, riss ganze Hände voll Schnee heraus. Das erforderte übermenschliche Kräfte, doch Penny bemerkte es nicht.

Im Schneemann befand sich die Leiche James Belcourts. Meines Colonels. Er war schon eine Weile tot. Man hatte ihn im Schneidersitz auf den Boden gesetzt und dann den Schneemann um ihn herum gebaut. Damit niemand etwas merkte. Nicht einmal schwer atmend trat ich zurück und klopfte den Schnee von meinen Handschuhen. Ich sah mir an, was jemand meinem Colonel angetan hatte. In diesem Augenblick war mein Herz der kälteste Punkt in diesem winterlichen Garten.

»Keine schlechte Idee«, sagte ich. »Die Leiche wäre erst entdeckt worden, wenn die Schneeschmelze eingesetzt hätte, und bis dahin wäre der Mörder längst weg gewesen. Aber dann kam der Sturm und hat das Herrenhaus vom Rest der Welt abgeschnitten, und jetzt sitzt der Killer fest.«

»Sie meinen … Sie meinen, einer der Gäste drüben im Gutshaus ist der Mörder?«, fragte Penny. Ihre Stimme war recht ruhig, ihre Augen aber waren noch immer sehr weit aufgerissen.

»Ja«, sagte ich. »Das glaube ich. Sie nicht?«

Sie wusste nicht, was sie darauf antworten sollte. Ich kniete vor der Leiche nieder, um dem Colonel in die weit aufgerissenen Augen zu schauen.

»Die ganze Zeit habe ich Sie gesucht, dabei haben Sie hier darauf gewartet, dass ich Sie finde. Ich hätte Sie beinahe nicht gesehen, Colonel. Tut mir leid. Vermutlich hätte der Trick geklappt, wenn ich das Blut nicht gerochen hätte.« Dann hielt ich inne und musterte die Leiche eingehend. »Keine erkennbaren Wunden. Keine Verletzungen am Körper, abgesehen von etwas, das aussieht wie ein Ring geronnenen Blutes um den Hals. Erwürgt? Garrottiert? Unter Ihnen befindet sich kein Blut … man hat Sie also nicht hier getötet, Colonel. Sondern irgendwo anders getötet und dann hier abgelegt.«

»Das tut mir sehr leid, Ishmael«, sagte Penny zögerlich. »Sie sind den ganzen Weg hier rausgefahren, nur um ihn tot aufzufinden. Was werden Sie jetzt tun?«

»Ihn rächen«, antwortete ich.

Ich nahm die Leiche des Colonels in die Arme und drückte sie fest an mich. Hart und steif lag sie in meinen Armen. Zu Lebzeiten hatte ich ihn nie in den Armen gehalten. Aber auf seine Weise war er mir näher gewesen, als jeder andere Mensch.

Nach einer Weile kniete Penny neben mir nieder und legte mir die Hand auf die Schulter, sagte etwas, versuchte, mich zu trösten, aber ich hörte gar nicht hin. Man hatte mir den Colonel genommen, und ich war wieder allein. Mir war noch nie so kalt gewesen.

Dafür würde jemand bezahlen. In Blut und Schrecken.

Ich umschloss die Leiche mit beiden Händen und zog. Mit einem Ruck löste sie sich vom gefrorenen Boden und der Kopf des Colonels fiel ihm von den Schultern. Penny stieß einen erstickten Laut aus und wich ein paar Schritte zurück. Ich legte den Leichnam ab und sah mir den Kopf an. Jemand hatte ihn ihm abgeschlagen, sodass am Halsstumpf eine Wunde mit gezackten Rändern übrig geblieben war. Dann hatte der Täter den Kopf fein säuberlich wieder aufgesetzt. Ich sah mir die blassrosa und graue Halswunde gründlich an. Es war ein hässlicher, ausgefranster Schnitt. Viel schlimmer, als man ihn von einem Schwert oder einer Axt erwartet hätte. Es sah eher aus, als habe man ihm den Kopf abgesägt. Ich bückte mich und hob den Kopf des Colonels auf. Sein Gesicht schien mich vorwurfsvoll anzustarren.

Du bist zu spät gekommen, Ishmael.

Fünf

Der anklagende Finger des Argwohns

Es schneite wieder. Große, fette, weiße Flocken, so dicht, dass selbst ich kaum die Hand vor Augen sah. Der Sturm nahte, und er würde monströs sein. Die Temperatur fiel bereits in lebensbedrohliche Tiefen. Ich konnte das eine Weile aushalten, Penny hingegen nicht. Ich musste sie so schnell wie möglich zurück ins Herrenhaus schaffen.

Also schnappte ich mir die Leiche des Colonels und legte sie mir über die Schulter. Er war noch immer im Schneidersitz steif gefroren, aber es gelang mir. Seinen Kopf steckte ich unter meinen anderen Arm. Ein wenig würdelos, aber das wäre dem Colonel egal gewesen. Er hatte immer sehr praktisch gedacht.

Ich machte mich auf in Richtung Herrenhaus, und Penny stapfte neben mir her. Sie sah stur geradeaus, um die Leiche nicht anschauen zu müssen. Ich machte Tempo, trieb die Füße tief in den Schnee, um ausreichend Stand zu gewinnen, um mich fortbewegen zu können. Schon nach kurzer Zeit bemerkte ich, dass Penny zurückfiel und nicht mit mir Schritt halten konnte. Sie war nicht so stark wie ich und die bittere Kälte entzog ihr jegliche Energie. Also ging ich fortan direkt vor ihr, damit sie sich in meinem Windschatten bewegen konnte. So kam sie besser voran.

Es war recht leicht, zum Haus zurückzufinden. Ich musste nur unserer Spur folgen. Als so viel Schnee gefallen war, dass ich sie nicht mehr erkennen konnte, ragte das große Haus bereits direkt vor uns aus dem Nebel auf. Penny stieß einen heiseren Laut der Erleichterung aus, stürmte an mir vorbei und kämpfte sich mit aller Kraft, die Adrenalin und Verzweiflung ihr verliehen, durch den Schnee. Sie erreichte die Haustür, drückte die Klinke, doch die Tür öffnete sich nicht.

Penny drehte sich zu mir um. »Abgeschlossen! Jemand hat die Tür abgeschlossen!«

Sie versuchte es mit dem schweren, eisernen Türklopfer, aber er war an der Tür festgefroren und ließ sich nicht bewegen. Also trommelte sie mit der Faust gegen die Tür, aber der dicke Handschuh verschluckte einen Großteil des Geräuschs. Penny riss sich die Handschuhe herunter und schrie unwillkürlich auf, als die bittere Kälte ihre ungeschützte Haut attackierte. Sie hämmerte mit beiden Fäusten gegen die Tür und schrie, so laut sie konnte. Keine Antwort.

»Aus dem Weg, Penny«, sagte ich. »Ich trete die Tür ein.«

»Reden Sie keinen Unsinn!«, blaffte sie, ohne sich umzusehen. »Schauen Sie sich doch mal an, wie groß und schwer die Tür ist! Sie könnten sie nicht eintreten! Das könnte kein Mensch.«

Ich war ziemlich sicher, dass ich die Tür einfach aus den Angeln hätte treten können, wenn ich sauer genug gewesen wäre, aber noch während Penny sprach, schwang die Tür plötzlich auf, und Jeeves schaute heraus. Er sah die Leiche in meinen Armen und wich zurück. Penny stürmte an ihm vorbei, dicht gefolgt von mir.

Jeeves schlug die Tür zu, sobald Penny und ich drinnen waren. Die plötzliche Wärme der Eingangshalle war ein Segen, und die schwere Holztür hielt auch das Geheul des immer schlimmer werdenden Sturms draußen. Das Herrenhaus war darauf ausgelegt, die Welt und all ihre Probleme vor der Tür zu halten. Penny lehnte sich mit geschlossenen Augen an die Wand. Ihr Gesicht war gefährlich blass und sie zitterte heftig. Ich nicht. Ich legte den Colonel ab, platzierte seinen Kopf in seinem Schoß und streckte mich dann langsam.

Penny riss die Augen auf und funkelte Jeeves an. »Wer hat die verdammte Tür abgeschlossen?«

»Ich habe nicht die geringste Ahnung, Miss«, antwortete Jeeves. »Aber Sie hätten wirklich nicht hinausgehen sollen, ohne jemandem Bescheid zu sagen. Wenn ich nicht zufällig in der Halle gewesen wäre ...«

»Wären wir erfroren«, sagte ich. »Niemand hätte etwas gemerkt, bis es längst zu spät gewesen wäre. Wer auch immer die Tür abgeschlossen hat, wusste genau, was er tat.«

Jeeves sah die kopflose Leiche an, die im Schneidersitz auf dem dicken Teppich saß und leise vor sich hin taute. Er schien weder besonders entsetzt noch aufgeregt. »Mister James ... Er war die ganze Zeit über schon tot, und niemand wusste es.«

»Doch, es gab jemanden, der es wusste«, widersprach ich.

Dann kamen Menschen den Korridor entlang auf uns zugerannt, angelockt von unseren lauten Stimmen, um zu sehen, was hier vor sich ging. Walter und Melanie kamen aus einer Seitentür, Roger und Khan aus dem Salon. Diana und Sylvia kamen die Treppe herunter geeilt. Am Ende standen alle gemeinsam in der Eingangshalle, eine dicht zusammengedrängte Gruppe ängstlicher Gesichter, und starrten den Colonel an. Die meiste Aufmerksamkeit erregte der abgeschlagene Kopf in seinem Schoß. Ich sah der Reihe nach in ihre Gesichter, aber alle wirkten gleichermaßen schockiert und entsetzt. Bis auf Jeeves, der mit alledem spielend fertigzuwerden schien und alle anderen ebenso aufmerksam musterte wie ich.

Walter trat vor, schwer auf seinen Gehstock gestützt, und riss sich aus Melanies Griff los. Mit zitternder Hand berührte er James' Gesicht, dann ließ er die Hand fallen. Walter schien zu implodieren, wirkte plötzlich viel älter und gebrechlicher. Rasch stützte Melanie ihn und gab ihm Halt. All ihre Aufmerksamkeit galt Walter, sie würdigte den Colonel keines Blickes.

Walter sah mich mit Tränen in den Augen an. »Es darf nicht James sein«, sagte er. »Ich darf meinen Sohn nicht verloren haben. Nicht so. Ich hatte ihn doch gerade erst wiedergefunden ...«

»Tut mir leid«, sagte ich.

Diana trat langsam vor, den Blick starr auf das gefrorene Gesicht des Colonels gerichtet. »Was haben sie dir angetan, James? Ich wollte dich so gerne wiedersehen, aber nicht so. Oh Walter, unser Baby ist tot …« Sie wandte sich ihrem Exmann zu, um ihn zu trösten, aber Melanie war bereits da und versperrte ihr den Weg. Diana registrierte den kalten, unerbittlichen Blick im Gesicht ihrer Nachfolgerin und wandte sich ab. Sofort war Sylvia an ihrer Seite, um ihre Freundin in den Arm zu nehmen und zu trösten.

Ich wandte mich an Jeeves, weil er der Einzige war, der seine sieben Sinne noch beisammen zu haben schien. »Jeeves! Wo kann ich die Leiche hinlegen? Sie muss irgendwo sicher und ungestört liegen können, wo sie nicht im Weg ist. Hinter einer abschließbaren Tür.«

»Natürlich, Sir. Hier links gibt es einen Nebenraum, der momentan nur zu Aufbewahrungszwecken dient.«

»Zeigen Sie ihn mir«, verlangte ich.

Jeeves ging den Korridor entlang, und ich hob den Colonel an. Alle wichen zurück, um mir ausreichend Platz zu machen. Ich folgte Jeeves. Er blieb vor einer bestimmten Tür stehen, zückte einen Schlüsselbund mit vielen übergroßen Schlüsseln und schloss sie auf. Er stieß sie ganz auf, und ich trug den Colonel hindurch. Der Raum dahinter war dunkel und nach der Wärme der Eingangshalle eindeutig kühl. Er war vollgestopft mit alten Möbeln und anderem Zeug. An einer Wand stand ein Tisch, auf den ich den Colonel legte. Der Leichnam war noch immer im Schneidersitz eingefroren. Ich legte ihn vorsichtig ab, nahm den Kopf aus dem Schoß und platzierte ihn da, wo er eigentlich hingehörte. Das Eis im Gesicht taute, Wasser rann wie zahllose langsame Tränen über die ausdruckslosen Züge.

»Tut mir leid, Colonel«, sagte ich leise. »Ich komme wieder, wenn Ihr Körper getaut ist, und lege Sie würdevoller hin. Ich weiß, Sie können es eigentlich gar nicht leiden, wenn man sich an Spuren oder Tatorten zu schaffen macht. Aber ich konnte Sie einfach nicht draußen lassen. Allein. In der Kälte und der Dunkelheit. Warum bin ich hier, Colonel? Warum haben Sie mich herbeordert? Galt die

Bedrohung die ganze Zeit über schon Ihnen oder haben Sie beim Versuch, ein Mitglied Ihrer Familie zu beschützen, den Tod gefunden? Ich verspreche Ihnen, ich werde die Wahrheit herausfinden, Colonel … James.«

Ohne einen Blick zurückzuwerfen verließ ich den Raum.

Nachdenklich stand ich auf dem Gang, während Jeeves die Tür abschloss. Alles war sehr still, sehr ruhig. Mit Mühe hörte ich draußen den Sturm murmeln.

»Wer hat sonst noch Schlüssel für diesen Raum, Jeeves?«

»Niemand, Sir. Ich habe den einzigen Schlüssel. Ich habe die Verfügungsgewalt über alle Schlüssel in diesem Haus.«

»Dann halten Sie sie gut fest und lassen Sie sie nicht aus den Augen. Vertrauen Sie sie niemandem an. Niemand darf diesen Raum betreten, bis die Polizei hier ist. Keine Ausnahmen.«

»Ich habe das Gefühl, Sie darauf hinweisen zu müssen, Sir, dass ich für Mister Belcourt arbeite«, sagte Jeeves vorsichtig. »Aber da dies sehr sinnvolle Anweisungen sind, habe ich kein Problem damit, sie zu befolgen. Mister Belcourt … scheint im Augenblick zu aufgelöst zu sein, um die Sache in die Hand zu nehmen.«

Ich kehrte zu den anderen zurück, die noch immer dicht zusammengedrängt im Korridor standen und die Stelle anstarrten, wo die Leiche des Colonels gesessen hatte. Der Teppich saugte eine große Pfütze geschmolzenen Schnees auf.

Diana kam mit zwei Bechern einer dampfend heißen Flüssigkeit aus dem Salon. Einen gab sie Penny, die leise und zufrieden vor sich hin murmelte, als sie sich die Hände an dem Becher wärmte, den anderen mir. Sie lächelte schwach. »Es ist leider nur der heiße Toddy. Etwas anderes habe ich gerade nicht in die Hände bekommen. Sie brauchen etwas, das Sie aufwärmt.«

»Ja«, sagte ich. »Danke, Diana.«

Ich schnupperte an der dunklen, dampfenden Flüssigkeit, zuckte innerlich zusammen und stürzte dann mehrere rasche Schlucke hinunter. Wohltuende Wärme strömte durch meine Kehle und entzündete ein Feuer in meinem Magen. Auf seine ganz eigene Weise war das Zeug gut. Penny versuchte, es mir gleichzutun, und jaulte auf, als sie sich fast den Mund verbrannte. Mir war gar nicht klar gewesen, dass der Toddy so heiß war. Ich trank langsamer weiter, bis ich den Becher geleert hatte, und reichte ihn dann an Diana zurück. Penny nippte vorsichtig an ihrem Toddy und funkelte mich über den Rand ihres Bechers hinweg unheilvoll an. Langsam bekam sie wieder etwas Farbe, und die Hände, mit denen sie ihren Becher hielt, zitterten nicht mehr ganz so schlimm.

»Wie konnten Sie das Zeug so schnell trinken?«, fragte Penny. »Es ist praktisch kochend heiß!«

»Es war heiß«, sagte ich. »Wir haben etwas Heißes gebraucht. So schlecht schmeckt er im Übrigen gar nicht.«

»Doch«, widersprach Penny entschieden.

»Na ja«, meinte ich. »Ich habe schon Schlimmeres getrunken.«

»Das möchte ich mir gar nicht vorstellen«, sagte Penny.

»Trinken Sie Ihren leckeren Toddy«, riet ich. »Sie brauchen die Wärme.«

Walter trat vor. Er hatte sich in der Zwischenzeit zusammengerissen und wollte jetzt als Hausherr ein paar Antworten. Mit brennendem Blick fixierte er mich. »Was ist da draußen passiert? Wer hat meinem Sohn das angetan?«

Während ich mir noch überlegte, wie ich am besten ausdrücken sollte, was ich wusste und was ich vermutete, sprang mir Penny bei. Sie erklärte die Umstände unserer Entdeckung des Schneemanns und seines Inhalts. Das machte sie ziemlich gut, denn sie hielt sich an die Fakten, auch wenn sie ihr selbst und ihren Zuhörerinnen und Zuhörern eindeutig nahegingen. Sie erwähnte nicht, dass ich das Blut gewittert hatte, also tat ich es auch nicht.

Walter nickte langsam, er hatte offenbar Mühe, das alles zu verarbeiten. So etwas passierte in seiner Welt einfach nicht. »Wir müssen die Polizei rufen«, erklärte er entschlossen. »Der Mörder könnte noch hier irgendwo sein.«

Er hatte den Schluss noch nicht gezogen, dass der Mörder sich fast sicher irgendwo im Haus aufhielt. In Anbetracht des Wetters konnte er nirgendwo anders sein. Als ich mich umsah, wurde mir klar, dass alle anderen es nach und nach begriffen. Man sah an ihren Gesichtern, dass es ihnen allen langsam dämmerte. Bis auf Jeeves, der intensiv nachzudenken schien.

»Entschuldigen Sie, Mister Belcourt«, sagte er. »Ich muss Ihnen leider mitteilen, dass das Festnetz gestört ist. Das ist mir schon vor einer Weile aufgefallen. Vermutlich der Sturm.«

Alle griffen sofort in ihre Taschen, zückten ihre Handys. Melanie fand ihres als Erste, aber Walter riss ihr das Telefon aus der Hand, sobald sie den Notruf gewählt hatte. Er war der Hausherr, also musste er das Kommando übernehmen.

»Hallo? Die Polizei, bitte! Es handelt sich um einen Notfall … na los, machen Sie schon … Ah! Ja! Ich möchte einen Mord melden! Was? Oh, ja. Ich bin Walter Belcourt aus Belcourt Manor. Jemand hat meinen Sohn ermordet!«

Ich hörte die Stimme am anderen Ende recht deutlich, auch wenn dies den anderen nicht gelang. Während sie ihn also alle ungeduldig ansahen, lehnte ich mich einfach an die Wand und hörte entspannt zu, wie der Leitstellendisponent Walter zur örtlichen Polizeidienststelle durchstellte. Deren Antwort war zwar verständlich, aber nicht das, was Walter hatte hören wollen.

»Tut mir leid, Sir«, sagte eine höfliche, überarbeitete Stimme, »aber wir können im Augenblick nichts für Sie tun. Wir können Sie nicht erreichen. Der Sturm, verstehen Sie? So was gab es noch nie. Alle Straßen sind blockiert. Die großen und die kleinen. Mein gesamtes Team ist unterwegs, und obwohl wir personell sehr schwach besetzt sind, tun meine Leute, was sie können. Ich kann Ihnen erst jemanden schicken, wenn sich das Wetter wieder etwas beruhigt hat.«

»Aber jemand hat meinen Sohn ermordet!«, widersprach Walter.

»Ja, Sir, das habe ich verstanden. Mein Beileid zu Ihrem Verlust. Aber meine Männer würden wahrscheinlich schon beim Versuch, Sie zu erreichen, sterben! Die Wetterbedingungen sind unzumutbar.«

»Dann setzen Sie Schneepflüge ein!«, forderte Walter.

»Die sind alle im Einsatz und bemühen sich, die Hauptstraßen passierbar zu halten, Sir«, erklärte die Stimme. »Wir müssen unsere Ressourcen da einsetzen, wo sie am meisten nützen. Wo sie die meisten Leben retten können.«

»Wissen Sie nicht, mit wem Sie reden, Mann? Wissen Sie nicht, wer ich bin? Hier spricht Walter Belcourt!«

»Ja, das ist mir klar, Sir. Mir ist klar, dass das eine schreckliche Erfahrung für Sie sein muss. Fassen Sie nichts an und versuchen Sie, den Tatort nicht zu kontaminieren. Wir kommen so schnell wie möglich zu Ihnen.«

Dann unterbrach er die Verbindung. Walter starrte das Handy ungläubig an und drückte es dann Melanie wieder in die Hand.

»Na?«, fragte Diana. »Was hat die Polizei gesagt? Wann kommen sie?«

»Es kommt niemand!«, blaffte Walter. »Wir sind auf uns allein gestellt ... Er hat einfach aufgelegt! Einfach so! Dafür reiße ich ihm den Arsch auf ...«

»Aber was hat er gesagt?«, fragte Khan. »Warum kommt niemand?«

»Wegen des Wetters, du verdammter Idiot!«, schimpfte Walter. Sein Gesicht war gefährlich rot.

»Wie lange wird es dauern, bis sie uns erreichen können?«, fragte Melanie.

»Sie wissen es nicht«, antwortete Walter. Er klang plötzlich sehr müde. »Mein Sohn ist tot, und niemand unternimmt etwas.«

»Entschuldigen Sie, Sir«, sagte Jeeves. »Ich habe unten in der Küche mit der Köchin Radio gehört. Dem aktuellen Wetterbericht zufolge wird sich der Sturm zunächst noch verschlimmern, ehe er wieder abflaut. Man geht davon aus, dass er die ganze Nacht und möglicherweise noch bis zum morgigen Vormittag tobt.«

»Wir sind von der Außenwelt abgeschnitten!«, sagte Melanie, deren Stimme plötzlich schrill klang. »Wir sind auf uns allein gestellt!«

»Zum Teufel damit«, erwiderte Khan. »Ich bleibe nicht hier! Ich reise ab! Auf der Stelle ...«

»Ganz recht«, stimmte Roger zu. »Ich versuche mein Glück auch auf der Straße.«

Diana sah Sylvia an, die rasch nickte. »Wir sind auf der Straße sicherer als hier in diesem Haus mit einem Mörder eingesperrt.« Sie alle bewegten sich Richtung Haustür, da versperrte ihnen Jeeves den Weg. Seine ruhige Ausstrahlung reichte aus, um sie alle abrupt stehen bleiben zu lassen.

»Aus dem Weg, Mann!«, sagte Khan. »Wir gehen, und niemand wird uns daran hindern können!«

»Ich fürchte, Sie können nicht gehen«, entgegnete Jeeves. Etwas in der Art, wie er es sagte, ließ sie alle innehalten. Ich musterte Jeeves nachdenklich. Er wurde von Minute zu Minute interessanter. Überraschenderweise war Roger der Erste, der dem Butler widersprach.

»Für wen zum Teufel halten Sie sich eigentlich?«, fragte er wütend. »Wer sind Sie, dass Sie uns vorschreiben wollen, was wir tun können und was nicht?«

»Oh, sei nicht so eine Nulpe, Roger«, warf Penny ein.

»Halt dich da raus, Penny«, sagte Roger und errötete unwillkürlich.

»Es liegt mir fern, Ihnen Befehle zu geben, Sir«, sagte Jeeves in seinem ruhigsten und vernünftigsten Tonfall. »Es ist vielmehr eine Frage der unglücklichen Umstände. Ihre Autos stehen alle schon seit einer Weile bei Temperaturen unter dem Gefrierpunkt vor dem Haus. Dass sie unter einer dicken Schneeschicht begraben waren, hat vielleicht dazu beigetragen, sie zu isolieren … aber selbst wenn Sie sie starten können, ist die Einfahrt völlig zugeschneit. Die Straßen außerhalb des Anwesens werden zweifellos in einem noch schlechteren Zustand sein. Der Lokalsender hat sich da sehr deutlich ausgedrückt. Niemand sollte sich in den Sturm hinauswagen oder gar versuchen, eine Reise zu unternehmen, bis das Wetter sich wieder gebessert hat.«

Ich sah die Entschlossenheit aus Khans und Rogers Gesicht weichen, als sie über seine Worte nachdachten. Sylvia wirkte immer noch, als sei sie bereit, es darauf ankommen zu lassen, aber Diana klammerte sich mit beiden Händen an den Arm ihrer Begleiterin und schüttelte den Kopf.

»Jeeves hat recht«, sagte ich. »Ich hatte Mühe, die Einfahrt heraufzukommen, und das ist Stunden her.«

»Dann gehen wir zu Fuß«, entgegnete Khan und richtete sich zu seiner vollen Größe auf. Er gab sich alle Mühe, sich selbst Mut zuzusprechen. »Solange wir uns warm einpacken und ein gutes Tempo vorlegen …«

»Sei kein gottverdammter Idiot, Alex«, sagte Walter. Seine Stimme war nur ein verächtliches Knurren. »Es sind fast sieben Kilometer bis zum nächsten Dorf. Über Felder ohne jegliche Markierungspunkte. An den Straßen kannst du dich nicht orientieren, denn die sind zugeschneit. Du würdest erfrieren.«

»Siehst du?«, fragte Melanie händeringend. »Ich hatte recht! Wir sitzen hier fest – und unter uns verbirgt sich ein Mörder!« Sie wandte sich an Walter, erwartete Trost von ihm, doch er starrte einfach nur gedankenverloren ins Leere. Er hatte in einem kurzen Zeitraum zu viele Schockerlebnisse gehabt, und ich sah, wie die Konzentration immer wieder aus seinem Gesicht wich.

»Warum sollte jemand meinen Sohn töten wollen?«, fragte er gereizt.

Einer nach dem anderen sah mich an. Ich konnte nur kopfschüttelnd die Achseln zucken. Nichts, was ich hätte sagen können, hätte ihnen weitergeholfen.

»Hatte James … Feinde?«, fragte Khan.

»Die hat jeder«, antwortete ich. »Die Frage ist: Hatte er hier Feinde?«

»Was wollen Sie damit sagen?«, fragte Khan.

»Sie glauben doch nicht wirklich, dass jemand von uns seinen Tod wollte!«, sagte Roger.

»Warum nicht?«, fragte ich.

Ich sah mich um. Die Umstehenden klammerten sich aneinander und spendeten einander Trost, so gut sie konnten. Melanie klammerte sich entschlossen an Walter, der sich mit schierer Willenskraft zusammenriss, weil er seinen Sohn verdammt noch mal nicht enttäuschen würde. Diana und Sylvia drängten sich aneinander wie verängstigte Kinder und gaben einander Kraft. Roger hatte schützend den Arm um Pennys Schultern gelegt und sie an sich gezogen. Er sah sich mit funkelnden Augen um, als sei er bereit, sich auf jeden zu stürzen, der es wagte, sie zu bedrohen. Sie ließ es zu, weil er es brauchte. Khan stand allein und schaute mit finsterem Gesicht nachdenklich drein. Der plötzliche Tod des Colonels schien ihm nicht allzu viel auszumachen. Aber das war zu erwarten gewesen. Er hatte schließlich für Black Heir gearbeitet. Dann war da noch Jeeves, der ebenfalls allein dastand, ruhig und selbstsicher wie immer, und die anderen genauso musterte wie ich. Er suchte nach den Augen eines Mörders in einem vertrauten Gesicht. Als unsere Blicke sich trafen, nickte er kurz. In einem Korridor, in dem Hysterie bedrohlich in der Luft lag und nur darauf wartete, um sich zu greifen, umgab den Mann eine Aura der Nüchternheit und Professionalität.

»Was machen wir denn jetzt?«, fragte Melanie mit einer Stimme, die um einiges höher war als sonst.

»Wir haben einen Mörder unter uns«, sagte Penny ruhig. »Uns bleibt nichts anderes übrig, als ihn selbst ausfindig zu machen. Nur so können wir unsere Sicherheit gewährleisten. Wir müssen ihn finden, bevor er wieder zuschlägt und uns vielleicht alle tötet, um seine Spuren zu verwischen. Wir können das schaffen! Er kann ja schließlich nirgends hin. Er sitzt genauso wie wir anderen in diesem Haus fest!«

Ich lächelte sie bewundernd an. Schön zu sehen, dass jemand einen kühlen Kopf bewahrte. Alle anderen warteten nur darauf, dass jemand die Führung übernahm. Es war klar, dass keinem von ihnen die Vorstellung gefiel, dass jemand, den sie kannten, ein Mörder war.

Ich sah Walter an. »Jegliche Hilfe ist weit weg. Wie sicher sind wir hier?«

Walter nickte lebhaft und fing sich jetzt, da er die Chance hatte, das Kommando zu übernehmen, wieder. »Ja! Natürlich … nun, vor dem Sturm sind wir hier drin einigermaßen sicher. Die Außenwände bestehen aus gutem, dickem Stein. Sie sind dafür gebaut, die

Kälte draußen zu halten. Solange wir die Feuer am Brennen halten, sollten wir so sicher sein wie in Abrahams Schoß. Alle Rohre sind isoliert … und was den Strom angeht, haben wir unseren eigenen Generator! Natürlich haben wir auch jede Menge Essens-und Getränkevorräte für Weihnachten eingekauft. Genug, um damit tagelang auszukommen. Waffen haben wir auch!«

Er sah Jeeves bedeutungsvoll an, der nickte und sich noch etwas gerader hinstellte. Plötzlich sah er gar nicht mehr aus wie ein Butler. Seine Haltung hatte sich verändert, erinnerte jetzt eher an einen erfahrenen Soldaten. Seine ohnehin immer nur aufgesetzte Dienstbeflissenheit war verschwunden, war kühler Professionalität gewichen.

»Meine Damen und Herren, ich bin kein Butler. Mister Belcourt hat mich für dieses Wochenende als solchen eingestellt, doch gleichzeitig fungiere ich als sein persönlicher Leibwächter. Meine Aufgabe ist es, Menschen am Leben zu halten, und darin bin ich sehr gut. Wie alle Leibwächter bin ich bewaffnet.«

Er zog seine verborgene Waffe und zeigte sie uns allen. Dabei hielt er die .45er Smith & Wesson mit lockerer, geübter Vertrautheit. Alle starrten die Waffe an und betrachteten dann Jeeves. Sie schienen unsicher, ob der Mann mit der Waffe ihnen ein Gefühl von mehr oder weniger Sicherheit verlieh. Dann sahen sie einander an, wie um herauszufinden, wer sonst wohl noch vorgab, jemand zu sein, der er oder sie nicht war. Die meisten von ihnen betrachteten mich mit unverhohlenem Argwohn.

»Warum hast du einen Leibwächter engagiert, Walter?«, fragte Melanie. Sie klang wirklich erstaunt. »Du hast mir nie gesagt, dass du das Gefühl hast, einen zu brauchen!«

»Ich wollte dich nicht beunruhigen, meine Liebe«, sagte Walter und tätschelte geistesabwesend ihre Hand. »Es war ja auch nur für die Feiertage. Alle Geschäftsleute haben Feinde, das weißt du.«

»Aber warum jetzt, Daddy?«, fragte Penny.

Walter antwortete nicht direkt, doch sein Blick schien für einen Augenblick auf Khan zu ruhen. »Wenn sich jemand bedienen möchte, wir haben noch weitere Waffen im Haus«, sagte Walter laut. »Alte Familienwaffen. Schaut euch um! Schwerter, Äxte und Piken. Lassen sich leicht abhängen und sind immer noch scharf genug, um jeden Schurken auf Abstand zu halten! Was?«

Wir alle betrachteten die alten, an der Wand montierten Waffen, doch niemand machte Anstalten, sich eine zu nehmen. Niemand schien die Notwendigkeit dafür zu empfinden ... noch nicht.

»Also!«, sagte Walter. »Wir sind hier drin absolut sicher vor dem Sturm, und wir sind nicht hilflos! Wir können durchaus auf uns aufpassen.«

»Das bedeutet aber auch, dass unser Mörder Zugriff auf einen endlosen Nachschub an Mordwerkzeugen hat«, stellte ich fest.

Khan sah mich scharf an. »Glauben Sie wirklich, jemand von uns hätte James getötet?«

»Wer denn sonst?«, fragte ich.

Sylvia deutete plötzlich anklagend mit dem Finger auf mich. Ihre erhobene Stimme war scharf, ja sogar gehässig. »Hier war alles in Ordnung, bis Sie eingetroffen sind! Kommt schon, Leute. Er ist der Einzige hier, den keiner von uns kennt! Oder kennt ihn jemand von früher?«

»Er hat James' Leiche gefunden!«, sagte Penny.

»Und das entlastet ihn?«, fragte Roger.

»Wenn er der Mörder wäre, hätte er sein Opfer einfach nur lassen müssen, wo es war«, erklärte Penny kalt und schüttelte den Arm ab, den Roger schützend um sie gelegt hatte.

»In Anbetracht des Zustands der Leiche muss James schon eine ganze Weile tot sein«, sagte Jeeves. »Der Todeszeitpunkt liegt lange vor dem Eintreffen Ishmaels.«

»Er hätte ... draußen lauern können«, wandte Khan ein. »Vielleicht hat er James getötet und sich dann draußen versteckt, ehe er offiziell hier auftauchte.«

»Nicht bei diesem Wetter, das wäre ihm nicht möglich gewesen«, sagte Jeeves. »Nein. Ich muss sagen, meiner professionellen Meinung nach ist Ishmael von allen Anwesenden am wenigsten verdächtig.«

»Aber gilt das nicht für jeden Mörder in Krimis?«, fragte Diana mit einem abgehackten, bitteren Lachen. »Ich komme mir vor wie ein Charakter in einem Agatha-Christie-Roman! Da hat man als Nebencharakter immer ziemlich schlechte Karten …«

»Ich bin kein Nebencharakter!«, entgegnete Melanie sofort. »Walter, sag dieser Frau, dass ich kein Nebencharakter bin!«

»Ich habe keinen ihrer Romane gelesen«, sagte Penny. »Aber ich kenne die meisten Geschichten aus dem Fernsehen …«

»Ich auch«, sagte ich. »Wen fanden Sie als Miss Marple am besten? Ich persönlich hatte immer eine Schwäche für Geraldine McEwan.«

»Die war viel zu nett«, meinte Penny.

»Ja«, erwiderte ich. »Genau das mochte ich an ihr.«

Jeeves räusperte sich bedeutungsvoll und wir alle wandten uns ihm zu. »Wenn wir mal kurz beim Thema bleiben könnten … Ishmael, Sie hatten doch Zeit, sich James' Leiche anzusehen. Was glauben Sie, wie er ums Leben kam?«

»Sie alle haben den abgetrennten Kopf gesehen«, sagte ich. »Es sah für mich aus, als hätte man ihn abgesägt.«

Walter zuckte zusammen. Alle reagierten ähnlich, sogar Jeeves.

»So etwas können Sie doch nicht einfach so sagen!«, protestierte Melanie. Sie presste sich die Hand vor den Mund, wie um zu verhindern, dass sie sich übergeben musste.

»Warum nicht?«, fragte ich. »Genau das ist passiert. Es gab keine anderen erkennbaren Wunden. Wahrscheinlich wurde er betäubt oder anderweitig außer Gefecht gesetzt, und dann hat ihm jemand den Kopf abgeschnitten. Das ist viel wahrscheinlicher als ein Kampf. Der Colonel war durchaus in der Lage, auf sich aufzupassen. Ich verstehe nicht, warum der Mörder das Bedürfnis hatte, ihm den Kopf abzutrennen … das geschieht normalerweise, um einer Identifikation vorzubeugen … aber in diesem Fall hat der Täter den Kopf bei der Leiche belassen. Seltsam …«

»Ich will immer noch wissen, wer die Haustür abgeschlossen hat«, verlangte Penny laut.

»Was?«, fragte Walter. »Wovon redest du, Mädchen?«

»Als Ishmael und ich mit James' Leiche von unserem Spaziergang zurückkamen, war die Haustür abgeschlossen!«, erklärte Penny. »Hätte Jeeves uns nicht schreien gehört und uns hereingelassen …«

»Wären wir vielleicht erfroren«, sagte ich.

Niemand gab zu, die Tür abgeschlossen zu haben.

»Moment mal!«, begann Walter. »Mir kommt gerade ein Gedanke! Der Mörder könnte sich in einem der Nebengebäude verstecken! In einem der Gäste-Cottages!«

»Die haben wir uns schon angesehen, Daddy«, sagte Penny. »Da war niemand.«

»Aber wir haben nur in die Zehntscheuer geschaut«, wandte ich ein. »Wir waren in keinem der Cottages. Es war nirgends Licht, und es gab keine Anzeichen von Benutzung und keine Einbruchsspuren … aber irgendwann sollten wir die Cottages auf jeden Fall durchsuchen. Wenn es das Wetter zulässt.«

»Wenn es nötig ist, erledige ich das«, bot Jeeves sofort an. »Ich bin Leibwächter von Beruf und habe eine Waffe.«

»Aber Sie arbeiten für Walter«, hielt ich dagegen. »Der, sosehr ich es bedaure, das sagen zu müssen, ein Verdächtiger sein könnte. Wer weiß, wie Ihre Befehle lauten? Ich habe für den Colonel gearbeitet, was bedeutet, dass ich der Einzige hier bin, der keinen Grund hatte, ihn tot sehen zu wollen.«

»Woher wissen wir das?«, fragte Khan mit erhobener Stimme. »Wir haben keine Ahnung, in welcher Beziehung Sie wirklich zu James standen! Viele Leute haben gute Gründe, ihren Chef tot sehen zu wollen. Was haben Sie für den Colonel getan? Was genau ist Ihr Beruf, Ishmael?«

»Ich beschütze die Unschuldigen und bestrafe die Schuldigen«, antwortete ich.

»Oh, das ist ja überhaupt nicht ausweichend«, meinte Roger. »Wer sind Sie wirklich, Ishmael?«

»Wenn Sie es herausfinden«, sagte ich, »lassen Sie es mich wissen.«

Melanie wandte sich abrupt zu Jeeves um. »Verschließen Sie alle Türen und sorgen Sie dafür, dass alle Fenster und Fensterläden geschlossen sind! Ich will nicht, dass jemand von außen ins Haus gelangen kann!«

»Das habe ich bereits getan«, sagte Jeeves.

»Nun … dann tun sie's noch einmal!«, befahl Melanie.

Walter nickte Jeeves zu. »Wahrscheinlich ist es das Beste, wenn Sie noch einmal nachsehen. Und sei es nur, um die Leute zu beruhigen … gehen Sie besser auch runter in die Küche und informieren Sie die Köchin, was vorgefallen ist.«

»Natürlich, Sir«, sagte Jeeves. Er entfernte sich den Korridor entlang und verschwand in den dunklen Tiefen des Hauses. Alle sahen einander an und versuchten zu entscheiden, ob sie sich jetzt, wo der Mann mit der Waffe weg war, sicherer fühlten oder nicht.

Walter hat gerade seinen Leibwächter weggeschickt, dachte ich. Jetzt war er schutzlos. Jeeves hatte mit keinem Wort dagegen protestiert. Mir war gerade etwas entgangen … nur, was?

»Ich finde, wir sollten alle auf unsere Zimmer gehen, uns einschließen, die Tür verrammeln und warten, bis die Polizei kommt!«, sagte Melanie.

»Nein«, widersprach ich sofort. »Keine gute Idee. Wer allein ist, ist leichte Beute. Der Mörder könnte dann in aller Ruhe von Zimmer zu Zimmer gehen, alle töten und dann einfach abreisen.«

»Was für ein schrecklicher Gedanke!«, sagte Sylvia.

»Was schlagen Sie vor, Ishmael?«, fragte Penny.

»Wir sollten alle zusammenbleiben«, erklärte ich. »In einem Raum mit einer leicht zu verteidigenden Tür. Wo wir alle aufeinander aufpassen und einander beschützen können.«

Das schien allen zu gefallen. Die Vorstellung, man sei zu mehreren sicherer, war immer tröstlich.

»Moment! Mir ist gerade ein Gedanke gekommen!«, sagte Sylvia. »Der Mörder könnte schon weg sein! Ich meine, wenn er James draußen im Garten getötet hat, hat er das Haus vielleicht nie betreten. Vielleicht hat er James getötet, die Leiche versteckt und die Gärten dann auf … auf demselben Weg wieder verlassen, auf dem er auch hereingekommen war! Warum hätte er bleiben sollen? Der Schnee hat sicher seine Spuren verwischt ...«

»Da hat sie nicht unrecht«, stimmte Walter zu. »Guter Gedanke, Mädchen!« Zum ersten Mal lächelten alle und entspannten sich.

Diese neue Idee gefiel allen. Sie wollten daran glauben. Denn es bedeutete, dass der Mörder weg war und sie sich keine Sorgen mehr machen mussten ... und dass doch nicht unbedingt einer von ihnen ein Mörder war.

Khan sah mich mit finsterer Miene nachdenklich an. »James hatte Feinde. Jemand könnte ihm hierher gefolgt sein.«

»Ja«, sagte ich. Ich wollte gerade darauf hinweisen, dass der Colonel unmöglich dort getötet worden sein konnte, wo wir ihn gefunden hatten, weil es keine Blutlache gegeben hatte, beschloss dann aber, das für mich zu behalten. Sollte der Mörder sich doch in Sicherheit wiegen.

»Ich finde, wir sollten wie geplant zu Abend essen«, sagte Walter laut. »Dann können wir über alles reden. Findet ihr nicht auch? Ihr alle? Ich denke, wir werden uns alle viel besser fühlen, wenn wir erst einmal eine gute warme Mahlzeit verspeist und etwas getrunken haben.«

Alle nickten und lächelten. Im Stillen wunderte ich mich, wie sie auch nur auf den Gedanken kommen konnten, sich so kurz nach einem plötzlichen, gewaltsamen Tod einfach zum Abendessen hinzusetzen. Aber ich sagte nichts. Sollte der Mörder doch denken, aller Argwohn sei verflogen. Ich würde weiter die Augen offen halten.

Sechs

Raubtiere und Beute trinken aus demselben Wasserloch

Walter und Melanie gingen als Erste den Korridor entlang, und wir anderen folgten ihnen einfach. Als sei es ein Abendessen wie jedes andere an einem Tag wie jeder andere, an dem niemand Besonderes gestorben war. Roger hielt sich immer noch dicht bei Penny, die es nicht übers Herz brachte, ihn wegzuscheuchen. Khan war direkt hinter ihnen und versuchte, Rogers Aufmerksamkeit zu erregen, damit sie ihr Gespräch fortsetzen konnten. Man musste Roger zugutehalten, dass ihn das kein Stück interessierte. Nicht, solange er glaubte, Penny würde ihn brauchen. Alle redeten ganz laut und fröhlich, als könnten sie die Dunkelheit in Schach halten, wenn sie nur genug Lärm machten. Diana und Sylvia gingen Seite an Seite, scheinbar unzertrennlich, bis Diana plötzlich stehen blieb und einen Blick zu mir nach hinten warf. Ich bildete das Schlusslicht. Sie bedeutete mir, stehen zu bleiben und lächelte Sylvia entschuldigend an.

»Geh ruhig schon mal weiter, Liebes«, sagte Diana. »Ich muss mich unter vier Augen mit diesem jungen Mann unterhalten.«

Sylvia funkelte mich mit offenem Argwohn an. »Bist du sicher, Diana? Ich könnte in gebotener Entfernung abwarten, damit du nicht mit ihm allein sein musst …«

»Nein, geh ruhig, Sylvia«, beharrte Diana, und in ihrer Stimme lag so viel Autorität, dass Sylvia nur kurz die Achseln zuckte, sich abwandte und davonging.

Diana trat vor mich hin. Sie musste den Kopf in den Nacken legen und zu mir aufschauen. In ihrem alten Gesicht sah ich ein junges, das ich einst gekannt hatte. Sie starrte mich voller Staunen an. »Sie sehen genau aus wie der junge Mann, den ich damals in Paris kannte.«

»Aber das war 1969«, sagte ich sanft. »Vor so vielen Jahren. Ich kann es also nicht gewesen sein, oder? Das muss mein Großvater Adam gewesen sein.«

»Ja«, sagte Diana. »So hieß er. Sie sehen aus wie er, klingen wie er und bewegen sich wie er. Immer, wenn ich Sie ansehe, weckt etwas, das Sie sagen oder tun, eine alte Erinnerung. Wie der Geist der vergangenen Weihnacht, als die Welt und ich beide noch so viel jünger waren.« Sie hob eine zitternde, alte Hand und berührte mein Gesicht. Ich hielt still und ließ es zu, bemüht, mein Lächeln lediglich höflich und respektvoll zu halten. Ihre Fingerspitzen strichen über mein Gesicht wie die Hand einer Blinden auf der Suche nach der Wahrheit.

»Mein lieber Adam«, sagte sie. »In Paris, im Frühling. Was für eine wundervolle Zeit. Aber in erster Linie erinnere ich mich jetzt daran, wie schlecht ich ihn behandelt habe. Ich war jung, töricht und glaubte, die Welt läge mir zu Füßen. Ich sagte ihm ins Gesicht, dass meine Karriere vorgeht. Dass ich eine der größten Tänzerinnen meiner Generation sei und die Pflicht hätte, meiner Kunst zu frönen. Als er mich dann verließ, war ich überrascht. Ich habe ihn nie wiedergesehen. Deshalb konnte ich ihm nie sagen, wie sehr ich mich geirrt hatte und wie leid es mir tat. Könnte ich es stattdessen Ihnen sagen?«

»Ich bin sicher, er hat es damals gewusst«, antwortete ich sanft. »Ich bin sicher, er weiß es auch jetzt. Aber ja, Sie können es mir sagen. Wenn Sie wollen.«

»Es tut mir so leid, Adam«, sagte sie mit brechender Stimme, und alte, ungeweinte Tränen schimmerten in ihren Augen.

»Schon gut, Diana«, tröstete ich. Ich nahm sie in die Arme und hielt sie umschlungen. Sie klammerte sich an mich wie eine Ertrinkende.

Nach einer Weile schob ich sie sanft weg. »Haken Sie sich bei mir unter«, sagte ich. »Ich führe Sie zum Abendessen.«

»Danke, Ishmael«, sagte sie. »Manchmal, wenn man älter wird, muss man jeden Trost nehmen, den man kriegen kann. Mein Sohn ist tot, meine erste Liebe ist tot, und übrig ist nur eine alte Frau, deren Gesicht im Spiegel ich nicht einmal erkenne. Beim Älterwerden ... geht es nur darum, Dinge hinter sich zu lassen.«

»Das hat nichts mit Älterwerden zu tun, Mädchen«, widersprach ich. »Das ist einfach das Leben.«

Sie lachte kurz. »Sie klingen genau wie er.«

Sie hakte sich bei mir unter, und ich führte sie den Korridor entlang. Sie lächelte.

Natürlich erinnerte ich mich an sie, an unseren Frühling in Paris, als wir beide so furchtbar jung gewesen waren. Ich war damals erst sechs Jahre ein Mensch gewesen und lernte noch, wie das funktionierte. Diana hatte mich alles gelehrt, was ich über Liebe wissen musste. Über Freude, Glück und gemeinsame schöne Zeiten. Darüber, was es bedeutete, wenn einem jemand anders wichtiger war als man selbst. Ich hatte Diana nicht wegen ihrer Karriere verlassen. Ich hatte sie verlassen, weil ich nicht hatte sein können, was sie brauchte. Weil ich nicht mit ihr hatte alt werden können.

Ich erinnerte mich daran, wie Diana getanzt hatte. Als sei die Göttin des Tanzes herabgestiegen, um unter Normalsterblichen zu erstrahlen. *Sie braucht mich nicht,* hatte ich gedacht. *Sie braucht einen guten Mann.* Ich hatte gehofft, sie würde einen finden, wenn ich weg war. Stattdessen hatte sie Walter Belcourt gefunden, ihre Ehe hatte nicht gehalten, und dann war offenbar eine Reihe fröhlicher junger Frauen wie Sylvia gekommen. Beziehungen, die nie von Dauer hatten sein sollen. Ich fragte mich, wie lange es her war, dass Diana das letzte Mal getanzt, ihren Körper über eine erleuchtete Bühne bewegt hatte, als sei die Musik selbst zum Leben erwacht. Dann pflegte sie einen tiefen Knicks vor dem Publikum zu machen, das vor Begeisterung aufgesprungen war.

Die Leute hatten Blumen geworfen, sich vor Enthusiasmus heiser geschrien und applaudiert, bis ihnen die Hände wehgetan hatten.

Natürlich erinnerte ich mich an Diana in jenem wunderbaren Jahr mit den besten Filmen und den besten Liedern aller Zeiten. Natürlich erinnerte ich mich daran, jung und verliebt gewesen zu sein. Aber was hätte es gebracht, etwas davon zu erwähnen? Was hätte ich sagen können, das nicht grausam geklungen hätte?

Schließlich erreichten wir die Tür des Speisesaals, und dort wartete Walter auf uns, Sylvia an seiner Seite. Er warf mir einen strengen Blick zu.

»Auf ein Wort, Ishmael«, sagte er munter. »Geh schon mal rein, Diana, meine Liebe. Ich habe Sylvia gebeten, hier auf dich zu warten und dich hineinzubegleiten, damit du keinen Augenblick allein sein musst.«

»Wie überaus nett von dir, Walter«, erwiderte Diana und löste sich von meinem Arm. »Wenn du während unserer Ehe so aufmerksam gewesen wärst, wären wir vielleicht noch zusammen. Ich habe Ishmael gerade von meinen jungen Jahren als Tänzerin erzählt. Du hast mich nie tanzen sehen, oder, Walter?«

»Nein«, antwortete er. »Aber ich hörte, du warst wunderbar anzuschauen.«

Das war sie. Oh ja.

Walter stieß die Tür des Speisesaals auf, und Diana trat zusammen mit Sylvia ein. Walter schloss sehr heftig die Tür und ließ ein kurzes, heftiges Stimmengewirr von drinnen verstummen. Dann zögerte er, wusste nicht, wie er anfangen sollte.

»Was ist, Walter?«, fragte ich so freundlich wie möglich.

»Wir müssen reden«, begann Walter noch immer zögerlich.

»Ich höre«, sagte ich. »Warum haben Sie Jeeves ausgerechnet für dieses Wochenende als Leibwächter angeheuert? Haben Sie mit Ärger gerechnet?«

Walter nickte langsam. »Ihnen entgeht nicht viel, was, Junge? Ich hatte früher schon Leibwächter, von denen weder Diana noch Melanie etwas wissen sollten. Aber dies ist das erste Mal, dass ich einen bewaffneten Wächter in so unmittelbarer Nähe haben wollte. Ich habe Jeeves angeheuert, nachdem mir Alex gesagt hatte, dass es eine Reihe von Drohungen gegen die Firma gegeben habe. Ernst zu nehmendere Drohungen als sonst. Die Firma hatte in letzter Zeit Liquiditätsprobleme, und wir hatten keine andere Wahl, als einen ganzen Haufen Leute zu entlassen. Natürlich traf der Vorstand die Entscheidung, aber ich spielte mit. Derlei Dinge passieren … Man tut, was man tun muss, um die Firma am Laufen zu halten. Wir hätten sie alle wieder angestellt, sobald sich die Lage gebessert hätte … zumindest rede ich mir das gerne ein.

»Jedenfalls hat mich Alex über diese jüngsten Drohungen in Kenntnis gesetzt, weil es sich um Morddrohungen handelte. *Ihr habt mein Leben zerstört, jetzt werde ich eures zerstören* … das ging nicht nur gegen mich, sondern auch gegen meine Familie. Üble Sache … Alex händigte die Briefe natürlich der Polizei aus, aber die konnte uns keinen Schutz bieten und machte uns wenig Hoffnung. Also beschloss ich, auf Nummer sicher zu gehen. Jeeves ist nicht nur hier, um auf mich aufzupassen. Er ist hier, um Melanie, Diana und Penny zu beschützen. Ich wusste nicht, dass James auch hier sein würde … Ich habe Melanie nichts davon gesagt, weil ich wusste, dass sie sich nur aufregen würde. Diana habe ich es nicht gesagt, weil ich wusste, sie würde es nicht ernst nehmen, und Penny habe ich nichts gesagt … weil sie nur darauf beharrt hätte, auf sich selbst aufpassen zu können. Ich wollte, dass jemand sie beschützt. Es ist nicht das erste Mal, dass ich sie belogen habe, um für ihre Sicherheit zu garantieren. Aber letztlich zeigte sich, dass die Drohung überhaupt nicht ihnen galt. Der Dreckskerl hat meinen Sohn James getötet.«

»Glauben Sie immer noch, dass es hier in erster Linie um Sie geht und nicht um den Colonel?«, fragte ich.

Walter griff mit zitternder Hand in seine Innentasche und brachte einen Umschlag zum Vorschein, der außen in einer mir vertrauten Handschrift beschrieben war. Er hob den Umschlag wie einen kostbaren Besitz, den er nicht herzugeben gedachte.

»James hat mir gleich nach seinem Eintreffen einen Brief an Sie anvertraut. Es war das Erste, was er gestern Abend tat. Noch bevor er mich begrüßte. Ich sagte, er könne ihn Ihnen doch selbst geben, doch da war etwas in seinem Blick ... er wirkte nicht ängstlich. Eher resigniert. Ich hätte in ihn dringen, Details erfragen sollen ... aber ich wollte ihm so vieles sagen, musste über so vieles mit ihm reden. Also saßen wir zusammen in meinem Arbeitszimmer und unterhielten uns stundenlang. Nur wir beide. Er konnte mir natürlich nichts über seine Arbeit erzählen, und sie interessierte mich eigentlich auch nicht. Es ging um ... Dinge zwischen Vater und Sohn. Ich wollte sichergehen, dass er glücklich war, mit seinem Leben zufrieden. Dass er das Leben führte, das er sich immer gewünscht hatte. Er sagte, das sei der Fall. Ich bilde mir ein, wir hätten unseren Frieden miteinander gemacht ... ich bin froh, dass wir wenigstens dazu Gelegenheit hatten.«

»Er konnte Ihnen nichts über seine Arbeit erzählen«, sagte ich. »Wer er war, was er tat. Aber wenn er es gekonnt hätte, Sie wären stolz auf ihn gewesen.«

»Natürlich war ich stolz auf ihn!«, bekräftigte Walter. »Ich war sein Vater ...« Beim letzten Wort brach seine Stimme, und er hielt mir brüsk den versiegelten Umschlag hin.

Ich nahm ihn und sah mir die Beschriftung an. Nur mein Name in der sauberen Handschrift des Colonels. Ich hatte ihn schon auf so vielen versiegelten Befehlen gesehen. Als ich den Blick hob, sah ich, dass Walter mich erwartungsvoll anschaute.

Ich erwiderte seinen Blick, bis ihm klar wurde, dass ich den Umschlag erst öffnen würde, wenn ich allein war.

»Sicherheitsmaßnahme«, erklärte ich.

»Natürlich«, sagte Walter. »Ich verstehe.«

»Ich werde Ihnen später erzählen, was darin steht«, sagte ich. »Sofern Sie es wissen müssen. Es sind wahrscheinlich nur Anweisungen für mich. Eine Erklärung, warum er mich hierher bestellt hat und was ich hier tun soll.«

Walter nickte zögernd. Er wandte sich der geschlossenen Tür des Speisesaals zu, zögerte und sah dann wieder mich an. »Werden Sie hier allein klarkommen?«

»Ich bin immer allein«, sagte ich, »und ich komme immer klar.« Walter nickte erneut und versuchte, den Eindruck zu erwecken, als habe er verstanden. Er stieß die Tür auf, und wieder erklang von drinnen kurz lautes Stimmengewirr, ehe die Tür sich wieder schloss und es ausblendete. Ich lehnte mich an die Tür, um den leeren Korridor im Auge behalten zu können, und öffnete den Umschlag.

Der Brief war nicht lang. Nur ein rasch hingeworfener Text, der himmelweit von der üblichen, gestochenen Handschrift des Colonels entfernt war. Ich wäre nicht überrascht gewesen, wenn er ihn im Auto geschrieben hätte, ehe er ausgestiegen war und Belcourt Manor betreten hatte. Eine letzte Absicherung.

Als ich den Brief las, hörte ich die Stimme des Colonels in meinem Kopf. Ruhig und sicher, selbst im Angesicht der Gefahr. Weil er der Colonel war.

Ishmael!
Hüte Dich! Ich bin nach Belcourt Manor zurückgekehrt, um mich einer sehr realen Gefahr zu stellen, weil meine Familie in Gefahr ist. All die Jahre habe ich mich von meiner Familie ferngehalten, damit meine Arbeit sie nicht gefährdet. Doch jetzt hat sich alles geändert. Ein Schrecken hat in Belcourt Manor Einzug gehalten. Ich weiß nicht, ob ich ihn aufhalten, ob ich meine Familie beschützen kann. Ich muss Dich bitten, es an meiner statt zu tun, wenn sich erweist, dass es mir nicht möglich ist. Ich kann Dir nicht einmal sagen, worum es sich bei der Gefahr meiner Meinung nach handelt, denn ich habe keinen Beweis, und ich will nicht riskieren, Dich in die falsche Richtung zu lenken. Möglicherweise irre ich mich. Wenn ja, dann feiern wir einfach schön Weihnachten zusammen. Aber darauf würde ich nicht wetten. Was auch immer geschieht, Ishmael, beschütze meine Familie.

Das war alles. Nicht einmal eine Unterschrift. Nur eine letzte Notiz eines Mannes, der damit rechnete, in den Tod zu gehen und es bereitwillig tat. Weil er immer schon an Pflicht geglaubt hatte. Ein letzter Akt der Liebe seiner Familie gegenüber. Ich las den Brief erneut, suchte nach einem Hinweis auf die Art der Gefahr, die zu bekämpfen ich herbestellt worden war. Ein Schrecken, der in Belcourt Manor Einzug gehalten hatte …

Das ließ auf eine Gefahr aus meiner Welt schließen, nicht aus Walters Geschäftswelt. Aus der verborgenen Welt, von der dunklen Seite der Straße. Ich konnte nicht umhin, mich zu fragen, wie groß diese Gefahr war, wenn ein Mann, der so viel Erfahrung im Umgang mit schlimmen Dingen hatte wie der Colonel, ihr so leicht zum Opfer gefallen war. Ein Mann, der zu Lebzeiten manch eine furchterregende Bedrohung in ihre Schranken verwiesen hatte. Ich war mehrfach mit ihm zusammen im Einsatz gewesen, hatte ihn in Aktion erlebt. Der Colonel war stets vorausgegangen, weil er der Beste von uns gewesen war.

Ich erinnerte mich an die Killergeneräle, die finstere Dame unter dem Hügel, die zukünftige Königin, die flammende Kathedrale und die Orbitalgeister. Sie alle hatten irgendwann die Welt bedroht, bis der Colonel und ich sie zur Strecke gebracht hatten.

Aber ich hatte in Belcourt Manor nichts gesehen, was auf das Wirken außerirdischer Kräfte schließen ließ. Konnte wirklich schlicht ein erzürnter ehemaliger Angestellter schuld am Tod des Colonels sein? Das Absägen des Kopfes des Colonels wies auf menschliche Grausamkeit hin, auf jemanden, der ein grausames Statement abgeben wollte … ausschließen konnte ich es nicht. Aber ich konnte mir nicht vorstellen, dass der Colonel mich wegen etwas so Simplem herbestellt hatte. Nein, es musste mit seiner Vergangenheit zu tun haben. Mit all den Feinden, die er sich im Dienste der Organisation überall auf der Welt gemacht hatte.

Allerdings hätte ich geschworen, dass sie alle tot waren. Der Colonel glaubte nicht an unerledigte Probleme.

Sorgsam schob ich den Brief wieder in den Umschlag und diesen dann in meine Innentasche. Dann stieß ich die Tür auf und ging zum Abendessen.

Sie saßen alle um ein Ende eines wirklich langen Tisches im großen, alten Speisesaal von Belcourt Manor herum. Der Raum war riesig, gewaltig, überwältigend. Groß genug, um Kricket darin zu spielen, mit einer hohen Kuppeldecke, die man nicht einmal mit einer Leiter hätte erreichen können. Ein riesiges Feuer loderte in einem gewaltigen Steinkamin. Zwei Lüster warfen grelles elektrisches Licht bis in den letzten Winkel des Speisesaals. Die Klappläden vor den beiden großen Fenstern am anderen Ende des Raums waren so dick, dass nicht einmal ein Flüstern des Sturms draußen hereindrang. Der Raum verschloss die Augen vor den Tatsachen, genau wie seine Insassen.

Demonstrativ blickte niemand am Tisch auf, als ich eintrat. Sie wirkten alle sehr beschäftigt, auch wenn die Teller vor ihnen verdächtig leer waren. Ich schlug schon allein aus Prinzip die Tür hinter mir zu und schlenderte zum Tisch.

Walter saß am Kopfende, Melanie zu seiner Rechten und Diana zu seiner Linken. Der Gutsherr und seine Damen. Sylvia saß neben Diana, Khan neben Melanie. Roger saß neben Khan und ihm gegenüber Penny neben Sylvia. Ich zog einen Stuhl heran und setzte mich neben Penny. Sie schenkte mir ein rasches, dankbares Lächeln, ehe sie weiter den auf sie einredenden Roger ignorierte.

Ich machte es mir bequem, zog die strahlend weiße Serviette aus ihrem gravierten Silberring, faltete sie auseinander und legte sie mir in den Schoß. Ich brauchte keine Servietten. Mir fiel nie etwas herunter. Aber ich durfte ja nicht auffallen.

Das Geschirr, das vor mir stand, war ziemlich beeindruckend, und ich ließ mich nicht so leicht beeindrucken. Alte, viel benutzte Stücke, die wahrscheinlich seit mehreren Generationen im Familienbesitz waren. Das viele Besteck links und rechts von meinem Teller schüchterte mich nicht im Geringsten ein. Ich hatte alle Länder der Erde bereist, um so etwas wie Gutes zu tun, und war mit all ihren Bräuchen vertraut. Man musste sich nur Gang für Gang von außen nach innen vorarbeiten. Wenigstens würde sich in Belcourt Manor niemand daran stoßen, dass ich Linkshänder war.

Der lange Esstisch war offensichtlich für eine viel größere Gesellschaft gedacht und stammte aus den Tagen, in denen die Belcourts eine viel weiter verzweigte Familie gewesen waren. Vielleicht waren sie damals aber auch nur größer gewesen. Walters Weihnachtsgesellschaft nahm nicht einmal den halben Tisch ein. Das Tischtuch bestand aus strahlend weißem Samt. Auf dem Tisch standen in regelmäßigen Abständen Kandelaber mit brennenden Kerzen. Die Flammen brannten ganz senkrecht, da nicht der leiseste Windhauch den Raum erfüllte. Alles war sehr ruhig und würdevoll, nirgends war auch nur ein einziges Knallbonbon zu sehen. Aber auf die stand ich ohnehin nicht. Ich verabscheute dumme Witze, spielte nicht mit albernem Spielzeug und weigerte mich kategorisch, Partyhüte zu tragen. Dabei ging es mir nicht um Würde, sondern um Selbstachtung.

Es war noch immer kein Essen in Sicht, also sah ich mich im Raum um. An den Wänden hingen noch weitere Familienporträts und Waffen sowie hier und da ein Souvenir oder ein Überbleibsel aus der militärischen Karriere der männlichen Angehörigen der Familie Belcourt. Flaggen und Banner, handgeschriebene Erklärungen unter Glas, silberne Schnupftabaksdosen und juwelenbesetzter Nippes. Die Ausbeute vieler Jahrhunderte. Ich nahm mir vor, rein aus Prinzip etwas Kleines, Wertvolles zu stehlen, ehe ich das Haus verließ. Unauffällig musterte ich die anderen Gäste und studierte ihre Gesichter, während ich ihre Gespräche belauschte.

Penny saß zurückgelehnt auf ihrem Stuhl und starrte ins Leere, spielte geistesabwesend mit ihrem Serviettenring und reagierte auf Rogers zwei Versuche, Konversation zu machen, mit vagen Geräuschen, die ihr Interesse bekunden sollten.

»Alles wird gut werden, Penny«, sagte der junge Mann ernst. »Keine Sorge. Ich kümmere mich um dich. Ich weiß, es muss ein furchtbarer Schock gewesen sein … James so zu finden.« Er hielt inne und sah mich skeptisch an. Ich sorgte dafür, dass ich just in diesem Augenblick zufällig woanders hinschaute.

Roger zog lautstark die Nase hoch, womöglich sogar, ohne es zu merken, und wandte sich wieder an Penny. »Ich würde nie zulassen, dass dir etwas zustößt, Penny. Das weißt du, oder?«

Penny lächelte Roger an und schenkte ihm zum ersten Mal ihre ungeteilte Aufmerksamkeit. »Ja, das weiß ich, Roger. Daran hatte ich nie Zweifel. Ab und zu fällt mir wieder ein, was ich einmal in dir gesehen habe. In Krisenzeiten läufst du zu Hochform auf. Schade, dass es solcher Extreme bedarf, um dich interessant zu machen. Sag mal, Roger …«

»Ja, Liebling? Frag mich, was du willst.«

»Was läuft zwischen dir und Alexander? Komm schon! Er klebt schon das ganze Wochenende an dir und bedrängt dich wie ein liebeskranker Stalker. Was will er von dir?«

Überraschenderweise grinste Roger lässig. »Was er immer will. Geld natürlich. Er glaubt, er könne es von mir kriegen. Er glaubt, er könne Druck auf mich ausüben. Er glaubt, er könne mir etwas beschaffen, das ich haben will.«

»Was denn?«, fragte Penny.

»Dich natürlich! Aber zum Glück weiß ich es besser. Deshalb kann der gute alte Alex sich das abschminken.«

Ich wandte meine Aufmerksamkeit von den beiden einander anlächelnden jungen Leuten ab und Alexander Khan zu, der sich in ernsthaftem Tonfall mit Melanie unterhielt. Auch sie lächelten einander an, sahen einander tief in die Augen und ignorierten alle anderen.

»Da hast du sicher recht, meine Liebe«, sagte Khan. »Was auch immer für eine Gefahr bestanden haben mag, sie ist zweifellos vorbei. Der Mörder ist fort, und wir sind alle vollkommen sicher hier. Es ist durchaus möglich, dass James die Gefahr mit hierher gebracht hat, eine Folge dessen, was er tagtäglich tat. Aber jetzt, wo der Mörder sein Ziel erreicht hat, ist er zweifellos schon längst wieder weg.«

»Kanntest du James überhaupt?«, fragte Melanie. »Manchmal, wenn du seinen Namen sagst, kann ich mich des Eindrucks nicht erwehren …«

»Ich hatte von ihm gehört«, sagte Khan rasch. »Er hatte einen gewissen Ruf … in einem Bereich, in dem ich früher auch tätig war. Aber ich war ihm nie begegnet.«

»Und Ishmael?«, fragte Melanie.

»Nein. Aber seinem Vater. Daniel. Ich schätze, es ist wohl nur einer dieser seltsamen Zufälle, dass der Sohn meines alten Kollegen für Walters Sohn arbeitet. Andererseits ist das Leben voller seltsamer Verbindungen. Wie unserer.«

»Leise«, warnte Melanie noch immer lächelnd. »Nicht vor Walter.«

»Er hört nicht zu.«

»Das weiß man bei Walter nie.«

»Aber wir sehen uns später?«

»Oh, natürlich. Später«, sagte Melanie. Dann sahen sie einander wieder lächelnd in die Augen.

Ich konzentrierte mich auf Diana und Sylvia. Es überraschte mich nicht, dass Sylvia den Löwenanteil der Konversation bestritt. Sie plauderte fröhlich über Weihnachtsfeiern in anderen vornehmen Häusern, an denen sie in früheren Jahren teilgenommen hatte. Schamlos flocht sie die Namen von B-Promis, früheren Affären und wichtigen Geschäftskontakten ein. Diana nickte nur dann und wann und nicht immer zum richtigen Zeitpunkt, denn sie war ganz in ihren eigenen Erinnerungen versunken.

Schließlich gab Sylvia auf. »Jetzt aber mal ehrlich, Liebling! Ich versorge dich mit dem heißesten Klatsch, und du bist in Gedanken ganz woanders! Was ist denn los, Liebes?«

»Mein Sohn ist tot«, sagte Diana. »Mein einziges Kind. Ich wollte nie ein zweites, bis es viel zu spät war.« Traurig lächelte sie Sylvia an. »Also bescheide ich mich mit meinen lieben, jungen Gefährtinnen. Meinen Ersatzkindern. Fang bloß nicht an, mich zu sehr zu mögen, meine Liebe. Ich bin eine schreckliche Mutter.«

Die ganze Zeit über saß Walter allein am Kopfende des Tisches, Herr über alles, worauf sein Blick fiel. Er schwieg und sah niemanden an. Außer vielleicht das große Speisezimmer seiner Familie. So ein großer Raum und doch so wenige Anwesende, um sich daran zu erfreuen. Mit Walter ging die Geschichte seiner Familie zu Ende, und er war sich dessen vollkommen bewusst. Er war in einem alten Haus alt geworden. Bald würde ihm nicht mal mehr dieses Haus gehören. Weil er sich gut geschlagen hatte, aber nicht gut genug. Es schmerzte ihn zu wissen, dass er bald keine andere Wahl mehr haben würde, als den Besitz seiner Familie zu veräußern, um sich für die paar Jahre, die ihm noch blieben, ein angenehmes Leben zu sichern.

Dann endeten plötzlich alle Gespräche, und alle wandten den Kopf, als die Tür aufflog und die Köchin einen schwer beladenen Servierwagen hereinschob. Auf einmal roch es wunderbar nach warmem Essen, und alle schenkten ihr ihre ungeteilte Aufmerksamkeit. Jeeves betrat den Raum im Schlepptau der Köchin.

»Ah, Mrs Bridges!«, sagte Walter laut. »Endlich Abendessen!«

»Da können Sie von Glück sagen!«, blaffte die Köchin. Die kleine, grimmige Blondine Ende zwanzig im stilisierten Aufzug einer viktorianischen Köchin warf allen am Tisch Sitzenden einen finsteren Blick zu. Ihr Haar war raspelkurz, ihr Gesicht vor Anstrengung gerötet und verschwitzt, und ihr Blick war voller unverhohlener Wut. Sie kam abrupt zum Stehen und stützte sich auf den Servierwagen, um wieder zu Atem zu kommen, wobei sie aussah, als hätte sie gute Lust, uns ins Essen zu spucken. Vor unser aller Augen.

»Hier ist das Abendessen!«, verkündete sie laut. »Pünktlich! Im Übrigen: Miss Bridges, bitte. Leilah Bridges, merken Sie sich das! Ich habe das gesamte Abendessen allein gekocht, ohne Personal, ohne Unterstützung, und zwar unter Bedingungen, die ich meinem ärgsten Feind nicht wünschen würde! Dieses miese alte Dreckloch da unten ist die altmodischste und ineffizienteste Küche, in der ich je gezwungen war zu arbeiten, und ich habe schon so einiges gesehen!«

»Das stimmt«, murmelte Jeeves. »Das hat sie.«

»Also, hier ist das Abendessen!«, wiederholte die Köchin. »Essen Sie, solange es noch heiß ist! Ich serviere die Suppe, und dann bin ich wieder weg. Die anderen Gänge können Sie sich vom Servierwagen holen, denn ich komme nicht noch mal herauf. Ja, es gibt Nachtisch. Pflaumenpudding nach Hausfrauenart. Ich hoffe, Sie mögen Ihre Vanillesauce dick und mit Klümpchen, denn ich mag sie so und deshalb mache ich sie so. Klar?« Niemand wagte zu antworten. Die Köchin umrundete den Tisch, wobei sie den Servierwagen ruckartig vor sich her schob, um ihrer schlechten Laune Ausdruck zu verleihen, schöpfte großzügig Suppe in Schalen und knallte sie den Leuten vor die Nase, die zumeist klug genug waren, sich weit in ihren Stühlen zurückzulehnen und sie machen zu lassen. Khan machte den Fehler zu fragen, um welche Art von Suppe es sich handle, und sie knallte seine Schale so hart vor ihm auf den Tisch, dass es spritzte.

Die Köchin fixierte Khan mit einem unverhohlen rebellischen Blick. »Riechen Sie das nicht? Das ist Mulligatawny! Rindercurrysuppe! Essen Sie. Die wird Ihnen guttun. Stochern Sie nicht so darin herum! Die Stücke gehören da rein!«

Sie beendete ihren Rundgang, ließ den Servierwagen stehen und strebte auf die offene Tür zu. Dort blieb sie stehen und funkelte uns ein letztes Mal an. »Ich hätte daheim bei meiner Familie sein können, wohlbehalten und rundgefuttert, aber nein! Ich sitze hier in diesem heruntergekommenen alten Dreckloch fest, wo ein Mörder in den Schatten lauert, und draußen ist die Hölle los. Ich bin nur des Geldes wegen hier. Ich sollte einen Zuschlag bekommen! Gefahrenzuschlag! So. Das war's. Ich gehe direkt wieder in die Küche, und Sie sollten alle wissen, dass ich da unten ein echt großes Fleischerbeil habe, das einzusetzen ich nicht zögern werde!«

»Das stimmt«, bekräftigte Jeeves. »Beides.«

»Halt«, sagte ich.

Alle sahen mich an. Zu meiner Überraschung beruhigte sich die Köchin sofort und musterte mich mit kühlem, nachdenklichem Blick.

Ich nickte in Richtung der Suppe, die vor mir stand. »Sie sieht lecker aus«, sagte ich. »Sie riecht auch köstlich. Aber angesichts der Tatsache, dass bereits einer von uns den Tod gefunden hat und fast sicher vorher betäubt wurde ... komme ich nicht umhin, mir die Frage zu stellen, wie viel Vertrauen wir zu dem haben können, was man uns vorsetzt.«

Alle sahen ihre Suppe an.

Ich lächelte die Köchin an. »Nichts gegen Sie, Miss Bridges, aber jeder hätte sich hinunter in Ihre Küche schleichen und ... sich am Essen zu schaffen machen können. Ich muss mich also fragen, ob wir einen Vorkoster brauchen.«

Jeeves trat neben mich, nahm meinen Suppenlöffel, rührte die Suppe gründlich um und führte den Löffel an seinen Mund. Ohne eine Miene zu verziehen aß er die Suppe, leckte sich die Lippen und ließ dann meinen Löffel wieder in meine Schale fallen.

»Köstlich«, befand er.

Ich nahm den Löffel, wischte ihn sorgfältig mit meiner Serviette ab und lächelte in die Runde. »Nun«, sagte ich. »Mir reicht das! Bon appétit allerseits.«

Die Köchin rief mit lauter, weit tragender Stimme »Ha!« und stapfte von dannen. Jeeves ging ihr nach und schloss leise, aber fest die Tür hinter ihnen.

»Das also«, sagte Penny, »ist die Köchin ... wo zur Hölle hast du sie gefunden, Daddy?«

»Am selben Ort wie Jeeves«, antwortete Walter. »Offenbar gibt es sie nur im Doppelpack ... Soll ich ein Dankgebet sprechen?«

Hoffnungsvoll sah er den Tisch entlang, aber er hatte zu lange gewartet. Wir hatten alle einen langen, harten Tag gehabt und waren alle extrem hungrig. Tatsächlich hatten die meisten von uns zu essen begonnen, ehe er seinen ersten Satz beendet hatte. Nichts regt den Appetit so an wie die unerwartete Nähe des Todes. Also schlugen wir alle zu. Das Essen war großartig und alle konzentrierten sich ganz darauf. Doch selbst das beste Essen konnte diese Leute nicht lange vom Reden abhalten. Nicht, wenn sie alle so viel loswerden wollten. Nach einer kleinen, heimlichen Ermunterung Khans eröffnete Melanie das Gespräch.

»Walter!«

»Ja, Liebste?«, fragte er sofort. »Habe ich etwas vergessen?«

»Ich will wissen, warum du es für nötig gehalten hast, einen bewaffneten Leibwächter ins Haus zu holen, der sich als Butler ausgibt!«

Walter sah Khan an, der nur die Achseln zuckte. Beschwichtigend tätschelte Walter Melanies Hand. »Eine reine Vorsichtsmaßnahme, meine Liebe. Alex hat meine Aufmerksamkeit auf ein paar ziemlich besorgniserregende Drohbriefe gelenkt, die mir und der Firma galten, also beschloss ich, dass wir alle viel sicherer wären, wenn ein professioneller Sicherheitsexperte zugegen ist. Ich denke, da werdet ihr mir alle zustimmen. Jeeves erwies sich als erstklassiger Butler ...«

»Der Colonel ist trotzdem tot«, warf ich ein, und Walter hatte darauf keine Antwort. Ich sah Khan an. »Also, Alex. Als aktuelles Firmenoberhaupt müssen Sie doch die ganze Zeit über Jeeves Bescheid gewusst haben.«

»Nein«, sagte Khan. »Ich habe von nichts gewusst. Walter hielt es nicht für geboten, mich zu informieren.«

Er funkelte Walter an, der seinen Blick unbeirrt erwiderte. »Ich muss dich nicht in alles einweihen, Alex. Ich bin nach wie vor in der Lage, meine eigenen Entscheidungen zu treffen.«

»Ist mein James deswegen tot?«, fragte Diana laut. »Hat man ihn wegen dieser Drohungen gegen dich und deine verdammte Firma ermordet? Bist du für den Tod unseres Sohnes verantwortlich?«

Walter sah hilflos zuerst sie und dann mich an. Ich nickte, nahm den Umschlag aus der Tasche, entnahm ihm den Brief und las ihn der versammelten Gesellschaft vor. Dann gab ich ihn herum, damit ihn jeder in Augenschein nehmen konnte. Damit sie sahen, dass ich nicht übertrieb. Damit ich beobachten konnte, wie sie die letzten Worte des Colonels lasen. Weil ich das Bedürfnis hatte, den Druck ein wenig zu erhöhen. Der Inhalt des Briefes faszinierte sie alle eindeutig, aber sie schienen auch alle gleichermaßen überrascht und bestürzt. Der Brief wanderte einmal um den Tisch und landete zuletzt bei Roger, der ihn erst wieder hergeben wollte, nachdem er etwas dazu gesagt hatte. Penny schnitt ihm mit einem strengen

Blick das Wort ab und funkelte ihn an, bis er mir den Brief zögernd zurückgab. Ich verstaute ihn wieder.

»Ich glaube, die Zeit der Geheimnisse ist vorbei«, sagte Khan, ohne jemand bestimmten anzusehen. »Wir müssen wissen, ja wir haben ein Recht zu wissen, was zum Teufel hier vor sich geht. Was genau tun Sie und der Colonel, Mister Jones, das dafür gesorgt hat, dass dieser … Schrecken hier Einzug hält?«

»Gute Frage!«, rief Roger.

»Tut mir leid«, sagte ich und versuchte, auch danach zu klingen. »Ich könnte es Ihnen sagen, aber dann müsste ich dieses Haus sicherheitshalber durch ein Orbitalbombardement vernichten. Man könnte sagen, ich bin des Colonels Jeeves gewesen. Ich habe Probleme für ihn gelöst. Die beschützt, die Schutz vor schlimmen Dingen brauchten, und denen die Meinung gegeigt, die es verdient hatten. Nur dass ich im Gegensatz zu Jeeves keine Waffe trage. Das tue ich nie. Ich glaube nicht an Waffen. Ich will Ihnen allen wirklich nicht die Petersilie verhageln, aber ich kann nicht länger zulassen, dass Sie sich fälschlicherweise in Sicherheit wiegen.«

Ich erklärte ihnen, warum der Colonel einfach nicht da den Tod gefunden haben konnte, wo Penny und ich auf seine Leiche gestoßen waren. Dass das fehlende Blut ein klarer Beweis dafür war, dass man die Leiche dort deponiert hatte. Dass der Mörder mit ziemlicher Sicherheit hier am Tisch saß, sich vor aller Augen verbarg und hoffte, unentdeckt zu bleiben, bis der Sturm nachließ und er fliehen konnte.

»Nur wird es dazu nicht kommen«, schloss ich. »Denn ich werde den Mörder zuerst finden.«

»Ach, und ihm dann mal ordentlich die Meinung geigen?«, fragte Penny.

»Er hat meinen Colonel getötet«, sagte ich. Etwas in meiner Stimme ließ alle am Tisch für einen kurzen Augenblick erschauern.

»Warum sagen Sie uns das alles erst jetzt?«, fragte Khan.

»Weil Sie vorher noch nicht bereit waren, es zu hören«, antwortete ich.

Die anderen Gäste sahen sich am Tisch um, starrten auf der Suche nach etwas Unvertrautem in vertraute Gesichter. Sie schienen alle meine Logik nachvollziehen zu können, auch wenn sie ihnen allen nicht gefiel. Hier und da schoben sich Hände ein wenig näher an die Messer neben den Tellern, als hätten die Betreffenden das Gefühl, eine Waffe zu brauchen. Alle musterten einander und fragten sich, ob sie es wohl mit dem jeweils anderen aufnehmen könnten. Oder vor ihm fliehen.

»Also«, begann ich, und alle drehten ruckartig den Kopf in meine Richtung. Ich schenkte ihnen mein bestes beruhigendes Lächeln. »Es ist Zeit zu überprüfen, wer ein Alibi hat. Vielleicht können wir ja jemanden ausschließen. Wo waren Sie alle, als der Colonel ermordet wurde?«

»Aber … wir kennen James' Todeszeitpunkt nicht, oder?«, fragte Melanie.

Ich sah Walter an. »Sie sagten, der Colonel sei gestern Nacht sehr spät hier eingetroffen. Wissen Sie noch, wann er sich schließlich auf sein Zimmer zurückgezogen hat?«

»2:30 Uhr«, antwortete Walter sehr entschieden. »Ich weiß das, weil James noch erwähnte, wie lange wir uns unterhalten hatten und wir beide darüber lachten. Wir hätten noch weiter gemacht, aber wir waren beide hundemüde. Wenn ich gewusst hätte, dass es das letzte Mal sein sollte, dass ich je mit ihm reden würde … jedenfalls habe ich ihn nach oben begleitet. Ich hatte ihn in seinem alten Zimmer, dem Tigerlilienzimmer, untergebracht.«

»Für diese Zeitangabe haben wir nur dein Wort«, bemerkte Roger dickköpfig.

»Also wirklich, Roger!«, tadelte Penny. »Du kannst Daddy doch nicht ins Gesicht sagen, er sei ein Lügner! Das lasse ich nicht zu!«

»Gehen wir mal für einen Augenblick davon aus, dass Walters Erinnerung stimmt«, sagte ich. »Das bedeutet, der Colonel muss irgendwann zwischen 2:30 Uhr und 16:30 Uhr, als Penny und ich die Leiche fanden, ermordet worden sein. Das ist eine riesige Zeitspanne, deren Eingrenzung durch den gefrorenen Zustand der

Leiche noch erschwert wird. Er muss sich schon eine Weile dort befunden haben, ehe wir ihn fanden, um so steif gefroren zu sein. Denken Sie alle gut nach. Erinnert sich jemand von Ihnen daran, dass jemand in dieser Zeit verschwunden war? Ich meine, ohne dass jemand wusste, wo er oder sie sich aufhielt? Oder dass jemand nicht da war, wo man die betreffende Person erwartet hätte?«

Ich sah mich am Tisch um, wo alle vollauf damit beschäftigt waren, einander anzuschauen. Sie hätten alle gern jemanden beschuldigt, entweder, um eine alte Rechnung zu begleichen oder einfach, um sich besser zu fühlen … aber noch fühlte sich keiner bemüßigt, anklagend auf einen anderen zu zeigen.

»Ich war mit Walter zusammen«, sagte Melanie schließlich.

»Ich mit Sylvia«, sagte Diana.

»Ich habe mich fast den ganzen Tag mit Walter oder Roger über Geschäftliches unterhalten«, erklärte Khan.

»Roger hat praktisch ununterbrochen an mir geklebt«, sagte Penny. Sie klang darüber nicht besonders froh. Roger wäre beinahe in die Luft gegangen, doch dann erinnerte er sich, wo er war, und riss sich zusammen.

»Wir müssen realistisch bleiben«, sagte Walter bedeutungsschwer. »Jeder von uns hätte sich mit einer völlig unauffälligen Begründung davonstehlen können … hätte eine Weile verschwinden können, ohne dass es jemandem auffiel oder sich jemand etwas dabei dachte. Woher hätten wir wissen sollen, was von Bedeutung war und was nicht? Das Haus ist groß, es herrschte ein ständiges Kommen und Gehen. Niemand von uns hat ein belastbares Alibi.«

»Wir haben den Mörder mit uns im Haus eingeschlossen«, stellte Khan fest. Danach sagte niemand mehr etwas.

Wäre doch nur der Colonel dagewesen! Er war in solchen Dingen so viel besser gewesen als ich.

Weil wir nichts Besseres zu tun hatten, aßen wir alle weiter. Gang für Gang. Zum Teil war es reine Beschäftigungstherapie. In erster Linie wollte aber niemand irgendwo anders hin. Es mochte ein Mörder im Raum sein, aber zu mehreren war man einfach sicherer.

Wir aßen alles auf dem Servierwagen, einschließlich des Pflaumenpuddings und der Vanillesauce, die tatsächlich sehr wohlschmeckend war, und tranken viel Tee und Kaffee. Wir redeten in einem spröden, künstlichen Tonfall über alles Mögliche, suchten in den Worten der anderen nach verborgener Bedeutung. Wir kreisten um das Thema, das niemand ansprechen wollte, das uns aber allen nicht aus dem Kopf ging. Ich dachte noch immer angestrengt, aber mit wenig Erfolg nach, als Melanie sich plötzlich erhob.

»Walter braucht Ruhe«, verkündete sie entschieden. »Schaut ihn euch doch an. Er nickt im Sitzen ein. Er muss sich richtig hinlegen, sonst wird er morgen gar nicht aufstehen können.«

»Ich bin zu müde, um dir zu widersprechen«, gab Walter zu. Er ließ sich von Melanie hochhelfen und stützte sich schwer auf sie. Dann hielt er inne und sah mich an. »Sie sagten … Ihrer Meinung nach sollten wir alle zusammen bleiben.«

»Ja«, sagte ich. »Es mag in manchen Fällen nicht die angenehmste Gesellschaft sein, aber es ist auf jeden Fall die sicherste Methode. Wenn Sie sich wirklich hinlegen müssen, können wir ja eine Couch holen …«

»Unsinn!«, widersprach Melanie. »Walter und ich schlafen seit einer Weile hier unten im Erdgeschoss. Nur ein Stück den Korridor entlang. Sie werden uns zweifellos schreien hören, wenn wir Sie brauchen.«

»Wann bist du denn nach unten umgezogen, Daddy?«, fragte Penny stirnrunzelnd. »Du lebst doch im selben Zimmer im ersten Stock, seit du ein kleiner Junge warst.«

»Hier unten ist die Aussicht besser«, knurrte Walter und wich ihrem Blick aus.

»Er kommt die Treppe nicht mehr hoch«, sagte Melanie. »Ein weiterer guter Grund, warum du dich hinlegen und dich ausruhen musst, Liebster.«

»Sie hat recht«, meinte Walter. Er lächelte sie an. »Du weißt immer, was für mich am besten ist. Dafür habe ich dich ja schließlich auch, nicht wahr, Liebste?«

»Natürlich, Walter. Weil ich immer recht habe. Komm jetzt.«

Sie begaben sich zur Tür des Speisesaals, wobei sich Walter schwer auf seinen Stock und auf Melanie stützte. Er war inzwischen zu müde, um auch nur zu versuchen, es zu verbergen. Alle anderen erhoben sich auch.

Ich stand auf und trat ihnen entgegen. »Das ist wirklich keine gute Idee«, gab ich zu bedenken.

»Nach James hat es keine weiteren Toten gegeben«, wandte Sylvia ein klein bisschen gereizt ein. »Ich sehe keinen Grund, warum wir uns als Zielscheiben empfinden sollten. Mörder töten nicht grundlos. Du brauchst auch Ruhe, Diana. Schlaf dich aus, und ich werde bei dir Wache stehen. Na ja, genauer gesagt werde ich bei dir Wache sitzen. Ich habe ein paar Zeitschriften.«

»Sie hat recht«, sagte Diana zu mir. »Wir haben alle einen langen, harten Tag gehabt und dürfen nicht hoffen, uns selbst oder einander zu beschützen, wenn wir vor Müdigkeit die Augen nicht offen halten können. Wir sind schließlich nur im ersten Stock. Ich kann wahrscheinlich sogar noch lauter schreien als Melanie, wenn es sein muss.«

»Die gute Diana«, murmelte Melanie, die noch immer Walter Richtung Tür geleitete. »Immer muss sie besser sein als andere …«

»Ich glaube, ich werde mich in meinem Zimmer sicherer fühlen, hinter verschlossener Tür und mit einem Stuhl unter der Türklinke«, sagte Khan. »Ich schlage vor, wir legen uns alle ein bisschen aufs Ohr, laden unsere Akkus auf und treffen uns morgen früh wieder im Salon.«

»Jemand sollte Jeeves unten in der Küche Bescheid sagen«, schlug Penny vor. »Er kann mit seiner Knarre im Korridor Wache stehen.«

»Du vertraust dem einzigen Mann, von dem wir sicher wissen, dass er nicht der ist, der zu sein er vorgegeben hat?«, fragte ich. »Dem einzigen Mann im Haus, der eine Waffe hat?«

»Der Colonel wurde nicht erschossen«, erwiderte Penny. »Außerdem traue ich im Augenblick niemandem.«

Zufällig schaute sie bei diesen Worten in meine Richtung.

»Ich bringe dich zu deinem Zimmer, Liebling«, sagte Roger.

»Ich kann auf mich selbst aufpassen!«, entgegnete sie etwas schärfer als nötig.

Plötzlich waren alle auf dem Weg zur Tür. Ich konnte nichts sagen oder tun, um sie daran zu hindern, sich zu trennen, also zuckte ich nur im Geiste die Achseln und folgte ihnen. Wenn sie sich aufteilten, würde vielleicht jemand die Gelegenheit nutzen, um etwas Dummes zu tun oder sich zu belasten. Oder gar zu verraten.

Im letzten Augenblick ließ sich Penny an der Tür ein Stück zurückfallen und winkte mich heran, sodass wir uns leise unterhalten konnten.

»Du kannst sie nicht zur Vernunft zwingen, Ishmael«, wisperte sie und wechselte dabei zum vertrauten Du. »Sie brauchen alle Zeit, um miteinander zu reden und ungestört nachzudenken. Eine Gelegenheit für Schuldzuweisungen und um sich zu entscheiden, wem sie trauen wollen. Es macht mir Angst, allein zu sein, aber noch mehr Angst habe ich davor, im selben Raum festzusitzen wie ein Mörder, dessen Identität wir noch nicht kennen. Was glaubst du, was hier wirklich läuft, Ishmael? War James das eigentliche Ziel oder nur ein Mittel, um Daddy zu treffen?«

»Der Mörder muss den Colonel als Gefahr eingeschätzt haben, deshalb hat er ihn zuerst getötet«, sagte ich. »Ansonsten habe ich keine Ahnung. Es könnte jeder sein.«

»Ich auch?«, fragte Penny.

»Natürlich nicht«, log ich.

Sieben

Ein Kommen und Gehen

Gemächlich stieg ich die lange Wendeltreppe ins nächste Stockwerk empor, teils, weil ich viel nachdenken musste, aber vor allem, weil ich die anderen vorgehen lassen wollte. Ich wollte niemanden im Rücken haben. Tatsächlich war ich, als ich oben an der Treppe ankam, allein auf dem Absatz. Alle anderen hatten sich rasch in ihre Zimmer zurückgezogen, und alle Türen waren fest geschlossen. Es war sehr still.

Ich schlenderte den Korridor entlang bis zu meinem Zimmer am anderen Ende und blieb vor der Tür stehen. Ich betrachtete das stilisierte Bild der roten Rose, dann beugte ich mich vor und lauschte aufmerksam. Im Zimmer war nichts zu hören. Ich roch auch nichts. Dennoch hatte ich das Gefühl, beobachtet zu werden. Deshalb zog ich in aller Ruhe meinen Schlüssel aus der Tasche und schaute dann rasch den Korridor entlang. Nicht weniger als vier Türen, die geschlossen gewesen waren, waren jetzt einen kleinen Spalt offen, damit die Bewohner der Zimmer herausspähen konnten. Alle schlugen schnell die Tür zu, als ich in ihre Richtung sah, was klang wie vier Schweizer Kracher. Ich lächelte, schloss meine Tür auf und stieß sie dann mit einem Finger auf. Sie knallte mit erfreulich lautem Geräusch gegen die innere Wand. Der Raum dahinter war sehr dunkel, sehr still, sehr ruhig.

Ich tastete nach dem Lichtschalter. Ein angenehmes, gelbes Licht erfüllte den Raum, der sich als vollkommen leer erwies. Ich blieb unter der Tür stehen und sah hinein. Es war mir überhaupt nicht peinlich und machte mich in keiner Weise verlegen, diese erforderlichen Vorsichtsmaßnahmen zu ergreifen. Diese ständige Vorsicht hatte mich über all die Jahre am Leben gehalten. Ich lauschte aufmerksam, hörte, wie sich andere Gäste in ihren Zimmern weiter den Gang hinunter bewegten. Ich hörte sie sogar leise und weit entfernt sprechen. Es klang gedämpft, fast wie unter Wasser. All das wirkte sehr friedlich, nichts Besorgniserregendes oder Außergewöhnliches, also betrat ich mein Zimmer.

Ich schloss die Tür fest hinter mir, verriegelte sie aber nicht. Ich war ziemlich sicher, dass ich im Laufe der Nacht noch Besuch bekommen würde. Von Menschen, die mir Dinge sagen wollten, die sie Personen, die sie wirklich kannten, nicht anvertrauen konnten oder wollten. Die mir privat Dinge mitteilen wollten, die sie in der Öffentlichkeit nie zu sagen gewagt hätten. Es fiel Menschen immer schon leicht, mit mir zu sprechen. Vielleicht spürten sie, dass ich nicht vorschnell urteilte.

Ich sah mich in meinem Zimmer um. Das gelbe Licht war warm, angenehm und augenfreundlich. Die Tapete mit dem Rosenmuster weniger. Im Kamin knisterte noch das Feuer. Ich ging hinüber und sah nachdenklich in die Flammen. Jeeves hatte ausdrücklich darauf hingewiesen, dass ich es am Brennen halten musste, damit es nicht verlosch. Ich wusste, man musste regelmäßig Kohle nachlegen, aber nicht zu viel, sonst erstickte man das Feuer und es ging aus. Aber darüber hinaus … ich nahm ein Stück Kohle aus der Schütte, ließ es ins Feuer fallen, sah mir die Auswirkung dieser Aktion an und legte ein weiteres Stück nach. Das würde wohl eine Weile reichen.

Ich sah mich weiter um. Alles war unverändert. Niemand hatte mein Zimmer betreten. Sonst hätte ich Fußabdrücke im dicken Teppich gesehen. Das Parfüm, das Rasierwasser oder einfach nur den Körpergeruch des Eindringlings wahrgenommen. Mein ramponierter alter Koffer lag noch auf dem Bett. Ich nahm ihn, trug ihn zu dem massiven Eichenschrank, öffnete ruckartig dessen Tür, schob, als ich sicher war, dass sich niemand darin versteckte, den

Koffer hinein und schloss die Tür wieder. Dann setzte ich mich auf die Bettkante, um nachzudenken. Ich zog nicht meinen Pyjama an, weil ich keinen trug, und legte mich nicht hin, weil ich nicht vorhatte zu schlafen. Auch setzte ich mich nicht auf einen der wuchtigen Sessel, denn dort würde man mich vermuten.

Ich war nicht wirklich ein Detektiv. Üblicherweise war der Ermittlungskram schon erledigt, wenn ich am Tatort auftauchte. Die Leute des Colonels wussten dann schon, was wann wo passiert war und hatten üblicherweise auch eine ziemlich genaue Vorstellung von Täter und Motiv. Der Colonel nannte mir einen Namen und eine Identität, und dann oblag es mir, den Betreffenden aufzuspüren und die erforderlichen Maßnahmen zu ergreifen. Wenn ich zu einem Fall hinzugezogen wurde, dann weil die Agenten vor Ort nicht weiterwussten und der Colonel wollte, dass ich einsprang, weil ich einen Hang zum Außergewöhnlichen hatte. Aber auch in solchen Fällen hatte der Colonel grundsätzlich eine echt dicke Akte für mich vorbereitet, um mich einzulesen und mich auf den neusten Stand zu bringen.

In Belcourt Manor spielte sich ein klassischer Krimi ab, aber nicht nur das. *Ein Schrecken hat in Belcourt Manor Einzug gehalten …* sonst hatte sich der Colonel nicht so dramatisch ausgedrückt. Warum hatte er nicht einfach niedergeschrieben, was er meinte? Hatte er befürchtet, sein Brief könne in feindliche Hände fallen? Hatte er erwartet, dass sein Vater ihn öffnen würde und hatte ihn nicht beunruhigen wollen? Was konnte so schrecklich sein, dass der Colonel nicht einmal darauf hatte anspielen wollen?

Fragen über Fragen. Wahrscheinlich war es das Beste, wenn ich mich auf die vorliegende Situation konzentrierte. Sie durchdeklinierte. Wer hatte warum den Colonel getötet? Warum hatte die betreffende Person eine so extrem brutale Mordmethode gewählt? Bisher sah es so aus, als bestünden im Grunde zwei Möglichkeiten. Entweder hatte dieser Schrecken den Colonel getötet. Wer oder was auch immer das war. Oder der Verfasser der Todesdrohungen an Walter hatte ihn umgebracht. Ich setzte mich etwas aufrechter hin, als mir eine dritte Möglichkeit einfiel. All dies konnte auch ein Resultat von Ereignissen in der Vergangenheit sein. Der Vergangenheit des Colonels. Das offene Ende irgendeiner Ermittlung. Etwas, das er damals übersehen hatte oder das ihm entgangen war.

Davor hatte der Colonel am meisten Angst gehabt: dass jemand aus seiner Familie zum Leidtragenden für seinen Lebenswandel werden könnte.

Der Colonel und ich hatten zahlreiche Fälle gemeinsam bearbeitet. Üblicherweise aber arbeitete ich allein. Es war mir lieber so, und sei es, weil es bedeutete, dass ich hinterher weniger Fragen beantworten musste. Aber manchmal tauchte der Colonel einfach auf. Nicht, um die Führung zu übernehmen oder weil er mir nicht vertraute, sondern aus Interesse. Wie zum Beispiel im Fall der Transsibirischen Untergrundbahn. Daran erinnerte ich mich noch sehr gut.

Es hatte damit begonnen, dass Menschen verschwanden und hunderte Kilometer entfernt wieder auftauchten. Ich war den Hinweisen nachgegangen, und der Colonel war mir gefolgt, und am Ende waren wir unter die Erde gegangen, an die finsteren, dunklen Orte dieses Planeten. Ich wusste noch, wie wir endlos durch Höhlen gerannt waren, zahllose Kilometer unter der Oberfläche eines Landes, das es nicht einmal mehr gab. Wir waren den langen Silbergleisen gefolgt, die ewig weit in die Finsternis führten, nur erleuchtet vom phosphoreszierenden Licht eines blauen Mooses, das in dicken Betten an den gekrümmten Wänden wucherte. Manche sagten, wenn man das blaue Moos aß oder rauchte, würde das die Pforten der Wahrnehmung im Geist des Betroffenen mit einem Ruck aus den Angeln heben. Ich war zu keinem Zeitpunkt in Versuchung gewesen, es auszuprobieren.

Ich war einfach nur gerannt, war den Fußabdrücken und der Blutspur gefolgt, die das schreckliche, lachende Etwas vor mir hinterließ. Der Colonel war dicht an meiner Seite geblieben und hatte mit Mühe mit mir Schritt halten können. Ich hatte ihn keuchen gehört. Doch ich hatte es mir nicht leisten können, langsamer zu werden, denn ich fürchtete, das verdammte Ding könnte entkommen. Außerdem waren wir verfolgt worden ... dann und wann hatte sich der Colonel umgedreht und mit seiner Maschinenpistole nach hinten gefeuert, um unsere Verfolger auf Distanz zu halten. Ich hatte den Namen des örtlichen Agenten, den sie bereits getötet hatten, nie erfahren. Ihr schrilles Lachen hatte seine Todesschreie übertönt.

Der Colonel hatte seine Maschinenpistole leer geschossen und war hinter mir hergerannt, wobei er in seinen Taschen nach einem neuen Magazin kramte. Dann hatte er ein bedauerndes Geräusch von sich gegeben und lässig die Achseln gezuckt, als er erkannte, dass er keine Munition mehr hatte. Er hatte kein Wort gesagt, sondern war nur neben mir hergerannt und hatte darauf vertraut, dass ich den Schurken erwischen und für uns einen Weg nach draußen finden würde.

Dann war da die widerliche Affäre um Roger Styles gewesen. Nur ein Fischerdörfchen in einem abgelegenen Winkel der Küste Cornwalls, wo die Leute immer noch täglich bei jedem Wetter mit ihren Booten hinausfuhren. Der Colonel hatte mich angewiesen, mich im einzigen Hotel des Dorfes einzumieten und mich nach der Fischerei zu erkundigen. Ich hatte irgendwie gehofft, es wäre mein lange aufgeschobener Urlaub. Ich hätte es besser wissen müssen.

Sobald ich mit meinen unschuldigen Erkundigungen begann, hatte mir der Hotelbesitzer das Ohr mit all den Problemen abgekaut, die das Dorf in letzter Zeit gehabt hatte. Fischerboote, die in See stachen und nie zurückkamen. Die Rettungsteams hatten keine Spur von ihnen gefunden, nicht einmal Wrackteile oder im Wasser treibende Leichen. Fischer berichteten, tief im Meer leuchtend weiße Formen gesehen zu haben, groß wie Kirchen, Kathedralen oder noch größer. Einige Fischer fürchteten sich, hinauszufahren, und Fischer aus Cornwall bekamen nicht so leicht Angst. Dann war da auch noch Roger Styles gewesen. Der Mann, der kein Mensch war und auch nie einer hatte sein wollen.

Der Colonel hatte den Köder gespielt. Hatte stundenlang nur in Begleitung eines Selbsthilfe-Ratgebers da auf der Klippe auf der alten Holzbank gesessen und aufs Meer hinausgeschaut. Bis zum Sonnenuntergang. Hatte gewartet, dass Styles ihn holen kam. Um ihm das Maul zu stopfen, weil der Colonel im örtlichen Pub gewisse Dinge sehr laut gesagt hatte. Ich war auch dort gewesen, hatte auf der Lauer gelegen und gewartet. Der Colonel hatte entspannt dagesessen, der Köder in seiner eigenen Falle, und darauf vertraut, dass ich schon das Notwendige tun würde: Styles ausschalten und dem Colonel das Leben retten.

Natürlich war da auch noch unser letzter gemeinsamer Fall im tiefsten, finstersten Peru. In jener schrecklichen, verborgenen Stadt auf dem Plateau von Leng. Ein grausamer Ort mit grausamen Einwohnern, wenn man sie denn so nennen wollte. Ihr Stammbaum wurzelte nicht auf der Erde, sondern zwischen den Sternen. Die Gebäude jener Stadt waren älter als die menschliche Zivilisation: groß, klotzig, und man hatte sie nicht allzu lange betrachten können. Ihre Ästhetik richtete sich nicht an menschliche Augen. Alle Winkel hatten irgendwie unnatürlich gewirkt, und ihre Proportionen hatten in ihrer Gesamtheit meine Vorstellungskraft gesprengt.

Durch die Fenster hatte man einen sich verändernden Ausblick auf andere Orte gehabt, von denen manche jenseits des menschlichen Fassungsvermögens lagen. Der Colonel hatte sich jedes Mal übergeben, wenn er aus dem Fenster schaute, also hatte er es aufgegeben. Ich hatte das nicht über mich gebracht, weil ich immer wieder mal etwas … Vertrautes gesehen hatte.

Ich erinnerte mich, wie der Colonel auf einem freien Platz gekniet und sich auf dieses schreckliche Ding konzentriert hatte, das er mitgebracht hatte. Ich hatte Wache gestanden, während er den atomaren Sprengsatz programmierte und den Zeitzünder einstellte. Bei den schrecklichen Bewohnern Lengs waren wir kein Risiko eingegangen.

Ich erinnerte mich an alles. Alte Fälle, alte Gesichter. Augenblicke aus einer Vergangenheit voller spannender Vorfälle. Ich hätte schwören können, dass wir keine offenen Enden übrig gelassen hatten.

Plötzlich fühlte ich mich müde und alt. Der Tod des Colonels riss eine schreckliche Lücke in mein Leben. Jedes Mal, wenn ich daran dachte, dass ich nie wieder mit ihm sprechen würde, war es, als hätte mir jemand in den Bauch getreten. Mir war nicht klar gewesen, wie lieb ich den Mann im Laufe der Jahre gewonnen hatte. All die Dinge, die wir gesehen und erlebt hatten, über die wir nie mit jemand anderem sprechen konnten … Ich hatte ihm mein Geheimnis nie anvertraut, aber manchmal das Gefühl gehabt, er wisse Bescheid. Er hatte es nie erwähnt, also hatte auch ich geschwiegen. Wahrscheinlich hatten wir beide geglaubt, den anderen auf diese Weise zu schützen. Der Colonel hatte meinem Leben als Mensch einen Sinn, ein Ziel gegeben. Er hatte mich mit dem Glauben erfüllt, dass unsere Arbeit wichtig war. Dass ich wichtig war.

Was sollte ich jetzt tun?

Ich zwang mich, mich auf die aktuelle Situation zu konzentrieren. Wenn der Mörder wirklich einer der Gäste auf Belcourt Manor war, welches Motiv hatte er dann für den Mord am Colonel? Manche Dinge waren mir schon in der kurzen Zeit meines Aufenthalts hier klar geworden. Khan und Melanie hatten entweder bereits eine Affäre oder würden bald eine anfangen. Angenommen, Khan wollte Walters Tod, um Melanie heiraten und die Firma an sich reißen zu können, die ihm offenbar so viel bedeutete … ja. Das traute ich Khan zu. Er hatte für Black Heir gearbeitet. Wenn man bei Black Heir vorankommen wollte, musste man lernen, die unschönen, schweren, unabänderlichen Dinge zu tun. Männer mit Gewissen hatten dort keinen Platz.

Dann war da auch noch Melanie selbst. Hatte sie Gründe, Walters Tod zu wollen? Spielte sie für Khan die Lady Macbeth, die ihn drängte, den Einzigen aus dem Weg zu räumen, der ihnen im Weg stand? Wenn der Colonel etwas gehört oder gesehen hatte, was nicht für seine Augen und Ohren bestimmt gewesen war, und daraufhin versucht hatte, seinen Vater zu beschützen … ja. Auch das konnte ich mir vorstellen.

Dann Diana. Die mir bereits anvertraut hatte, wie sehr sie das Leben im Herrenhaus und alles, was dazugehörte, vermisste. Wie weit würde sie gehen, um ihr altes Leben wiederzubekommen? Plante sie vielleicht, Melanie zu töten, um Walter ein zweites Mal heiraten zu können? Das Mädchen, das ich aus Paris kannte, hätte etwas so Kaltherziges niemals über sich gebracht und wäre schon gar nicht in der Lage gewesen, seinen eigenen Sohn zu töten, aber Paris war lange her. Menschen änderten sich.

Roger wollte Penny. Wer Augen zum Sehen oder Ohren zum Hören hatte, dem war das vollkommen klar. Wie weit würde er gehen, um sie zu bekommen? Dann war da noch Sylvia. Hatte sie vielleicht auf ihren Reisen mit Diana Geschmack am guten Leben gefunden? Plante sie, sich langfristig eines Teils davon zu versichern?

Schließlich blieb noch der unwahrscheinlichste Verdächtige, den ich gerade deswegen nicht ausschließen wollte: Walter selbst. Von so vielen Seiten bedrängt. Wenn er zu dem Schluss kam, dass der Tod eines anderen seine Welt ein wenig sicherer und ungefährlicher machen konnte … war er zweifellos durchaus in der Lage, alles Mögliche anzuordnen. Vor allem, wenn er glaubte, Khan habe es auf seine Frau abgesehen. Oder hatte Walter vielleicht gar nicht gewollt, dass sein Sohn heimkam? Hatte es eine schreckliche, unausgesprochene Kränkung gegeben, die beiderseits unverziehen geblieben war? War es möglich, dass Walter seinen eigenen Sohn getötet hatte, weil der es gewagt hatte, wieder nach Hause zu kommen?

War Jeeves deshalb hier? Ein ehemaliger Militär, vielleicht sogar ein Berufskiller, der sich als Butler ausgab und sich damit vor aller Augen verbarg? Niemand kannte ihn … Hatte Walter die Todesdrohungen vielleicht selbst abgeschickt, um Jeeves' Anwesenheit zu rechtfertigen?

Jeder in Belcourt Manor hatte ein Mordmotiv, aber keiner hatte eines für die Ermordung des Colonels. Es sei denn, er war einfach … im Weg gewesen. Im Planungsstadium hatte niemand mit ihm gerechnet. Vielleicht hatte ihn jemand einfach nur als Hindernis gesehen, das es aus dem Weg zu räumen galt. Aber die Art, wie der Colonel gestorben war, beunruhigte mich nach wie vor. Warum hatte man dem Mann den Kopf abgesägt? Allem Anschein nach war das post mortem geschehen. Dafür musste es einen Grund geben. Es war harte Arbeit, einem Mann den Kopf abzusägen. Es dauerte auch ziemlich lange. Der Mörder musste den Colonel zunächst betäubt haben, damit er sich nicht wehrte. Es gab keine andere Möglichkeit, einen so erfahrenen Mann wie den Colonel auszuschalten … Möglichkeiten, etwas in die allgegenwärtigen Getränke und Speisen zu schmuggeln, gab es ja mehr als genug. Der Colonel hätte aus Angst, Verdacht zu erregen, sicher keine der jahreszeitlichen Spezialitäten abgelehnt.

Es klopfte an der Tür. Laut, autoritär, ja sogar gebieterisch. Also saß ich einfach am Fußende meines Bettes, ließ meinen Gast eine Weile warten und sagte dann: »Herein.« Sofort schwang die Tür auf, und Alexander Khan trat ein, als gehöre ihm das Zimmer und er denke darüber nach, mich hinauszuwerfen. Ich hatte damit gerechnet, dass er mein erster Gast sein würde, weil er am ehesten allein war, denn Melanie würde Walter jetzt auf keinen Fall allein lassen. Khan schloss sorgfältig die Tür hinter sich und sah sich dann rasch in meinem Zimmer um, als wolle er sichergehen, dass ich kein besseres hatte als er. Er ließ sich Zeit, ehe er mich ansah, und als er es tat, war sein Blick fast schon herausfordernd.

»Wir müssen reden«, sagte er.

»Was ist los?«, fragte ich. »Genervt, weil Sie nicht mit Melanie zusammen sein können?«

»Darüber wollte ich nicht mit Ihnen sprechen!«, erwiderte Khan.

»Sie wussten aus Ihrer Zeit bei Black Heir, wer und was der Colonel war«, stellte ich fest.

»Ich hatte natürlich von ihm gehört, begriff aber erst, dass der Colonel Walters Sohn war, als er hier auftauchte«, sagte Khan. »Ich hatte ihn noch nie zuvor getroffen. Aber er kannte mich. Er suchte sofort eine Gelegenheit, mich unter vier Augen zu sprechen. Sagte mir, dass er wusste, warum ich bei Black Heir aufhören musste.«

»Weil Sie außerirdische Technologie aus deren Schatzkammern gestohlen hatten«, warf ich ein. »Um sich in Walters Firma einzukaufen.«

»Ich war kein Dieb!«, rief Khan. »Ich war Prometheus, der den außerirdischen Göttern das Feuer raubte, um es der Menschheit zu bringen! Es war nicht in Ordnung von Black Heir, all diese Wunder unter Verschluss zu halten, wo sie niemandem nutzten!« Er hielt inne und sah mich einen Augenblick lang an. »Woher wissen Sie das … Hat Ihnen das Ihr Vater erzählt?«

»Nein«, antwortete ich. »Ich habe ihn nie kennengelernt. Aber ich habe die Akten des Colonels über alle Gäste hier gelesen, ehe ich aufgebrochen bin.«

Ich hatte immer schon glaubhaft Lügen improvisieren können. Das gehörte zum Job. Es war Teil meiner Überlebensstrategie.

»Natürlich wussten Sie Bescheid«, meinte Khan, der jetzt die Schulter ein wenig hängen ließ. »Jeder weiß es. Selbst Black Heir.«

»Die wissen, dass Sie sie bestohlen haben?«

»Natürlich! Sie wussten schon vorher, dass ich das vorhatte. Sie ermutigten mich dazu … dafür gab ich ihnen einige meiner Anteile an Walters Firma. Drittmittel, mit denen sie Dinge finanzieren konnten, die sie offiziell nicht tun durften. Glauben Sie wirklich, ich wäre so lange am Leben geblieben, wenn Black Heir nach wie vor meinen Kopf wollte?« Wieder hielt er inne und sah mich offen an. »Haben Sie bei einer Ihrer Missionen für den Colonel je mit Black Heir zusammengearbeitet?«

»Sie wissen, dass ich darüber nicht sprechen darf«, sagte ich. »Warum machen Sie sich immer noch so viele Sorgen über Black Heir? Sie arbeiten doch nicht mehr für die.«

»Von denen kommt man nie wirklich los«, entgegnete Khan. »Aber darüber wollte ich eigentlich gar nicht mit Ihnen sprechen!«

»Dann sprechen wir über etwas anderes«, schlug ich vor. »Was glauben Sie, wer den Colonel getötet hat?«

»James war nicht das Ziel«, sagte Khan. »Das eigentliche Ziel war immer schon Walter. Ich glaube, James hat nur etwas mit angehört, was er nicht wissen sollte, oder stand jemandem im Weg.«

»Spucken sie's aus«, sagte ich. »Was glauben Sie, wer Walters Tod wollte?«

»Ist das nicht offensichtlich?«, fragte Khan. »Roger natürlich! Er muss es sein. Denn er will Penny und glaubt, sie weise ihn nur zurück, weil er ihrem Daddy nicht passt. Hinter seiner jungenhaften Fassade ist Roger ein sehr gefährlicher, zielgerichteter junger Mann.«

Ich ließ diese Anschuldigung eine Weile im Raum stehen und musterte Khan eingehend. »Sind Sie sicher, dass Sie das nicht nur sagen, weil Roger Ihnen das Geld nicht geben will, dass Sie von ihm wollen?«, fragte ich schließlich.

»Sie haben die Augen und Ohren offen gehalten«, stellte Khan fest. »Behalten Sie Roger im Auge. Mehr habe ich nicht zu sagen.«

»Was ist mit Ihnen und Melanie?«, fragte ich. »Nur gute Freunde?«

»Ich kann die Frau nicht ausstehen«, versicherte Khan rasch. »Aber sie ist die beste Möglichkeit der Einflussnahme auf Walter, und deshalb … Ich werde tun, was auch immer nötig ist, um den Untergang der Firma zu verhindern.«

Er wandte sich schnell ab, riss die Tür auf und verließ mein Zimmer, wobei er die Tür fast schon hinter sich zuschlug. Er hatte vermutlich mehr gesagt, als er hatte sagen wollen, und dafür sehr wenig von mir bekommen. Ein ziemlich nützliches erstes Gespräch. Keine wirklichen Überraschungen, aber ein paar Bestätigungen.

Ich setzte mich auf die Bettkante und beugte mich ein wenig vor, um besser hören zu können, wie Khan rasch den Gang entlang zurück zu seinem Zimmer ging. Er blieb unterwegs nicht stehen, um noch mit jemand anderem zu sprechen. Ich hörte, wie sich seine Tür schloss. Kurz darauf hörte ich weitere Schritte, die langsam und gemessenen Tempos im Gang auf und ab ging. Das war seltsam, denn ich hatte nicht gehört, wie sich eine Tür öffnete. Die Schritte gingen hin und her, blieben vor einem Zimmer nach dem anderen stehen, aber niemand klopfte oder öffnete eine Tür. Dann hörten die Schritte einfach auf. Ich hörte nichts mehr. Also erhob ich mich vom Bett und huschte zur Tür hinüber. Ich öffnete sie langsam und vollkommen lautlos und schaute auf den Gang hinaus. Niemand. Der gesamte Korridor war vollkommen leer. Jemand war auf und ab gegangen und dann einfach … verschwunden. Ich witterte, roch aber nichts. Das war seltsam. Ich schloss die Tür und setzte mich wieder aufs Bett.

Ich hatte kaum Zeit gehabt, mich hinzusetzen und mich wieder in meine Gedanken zu vertiefen, als ich erneut hörte, wie sich Schritte meiner Tür näherten. Es klopfte rasch und ungeduldig, dann flog die Tür auf, ehe ich auch nur eine Chance gehabt hatte, »Herein« zu sagen. Penny kam glücklich strahlend in mein Zimmer gestolpert und hätte beinahe vergessen, die Tür hinter sich zu schließen. Ich machte Anstalten aufzustehen, doch sie bedeutete mir sofort, sitzen zu bleiben, also tat ich genau das.

Penny ging ruhelos vor mir auf und ab und sprach so hektisch, dass die Worte übereinander zu stolpern schienen. Sie hatte viel auf dem Herzen. »Ich habe gewartet, solange ich konnte!«, sagte sie. »Aber ich musste jetzt einfach mit dir reden! Ist das nicht aufregend? Ich meine – ein echter Mord! Ist natürlich auch schrecklich traurig, denn schließlich ist dein Freund tot. Glaub nicht, ich könnte das nicht nachfühlen, denn das tue ich, aber … so etwas Aufregendes ist mir einfach noch nie passiert! Deshalb platze ich regelrecht vor Theorien und Verdächtigungen und musste einfach mit jemandem darüber reden, und du bist der Einzige hier, der als Täter nicht infrage kommt.«

»Könntest du nicht mit Roger reden?«, fragte ich, nur um etwas zu sagen.

»Sei nicht albern, Darling. Roger hat viele gute Eigenschaften, auch wenn ich ihm das niemals ins Gesicht sagen würde, aber ein komplett funktionsfähiges Gehirn gehört nicht dazu. Wenn er ein schwieriges oder geschmackloses Anliegen hat, lässt er das andere für ihn erledigen. Roger würde außerdem einen Mörder nicht einmal erkennen, wenn er schwarz-weiß gestreifte Sträflingsklamotten, eine schwarze Maske und eine Kappe mit der Aufschrift ‚Killer!' trüge.«

»Na schön, wer hat deiner Meinung nach den Colonel getötet?«, fragte ich.

Penny blieb stehen und warf sich in den nächstbesten Polstersessel. Sie sank keinen Zentimeter ein. Penny schlug die Beine übereinander und wackelte heftig mit dem oberen. »Dieses Haus, diese Familie – sie bergen so viele Geheimnisse. Ich weiß gar nicht, wo ich anfangen soll, Darling.«

»Versuch's«, sagte ich.

»James war definitiv Dianas Sohn«, begann Penny. »Aber ich bin keineswegs sicher, dass Daddy sein Vater war. Ich habe sehr viele Gerüchte aus üblicherweise gut informierten Kreisen gehört, denen zufolge Diana bei ihrer Hochzeit mit Daddy bereits das Kind eines anderen unter dem Herzen trug.«

»Das wusste ich nicht«, gab ich zu. »Obgleich der Colonel ein richtiges Schandmaul sein konnte, wenn es nötig war …«

»Ishmael!«, tadelte Penny und schlug schockiert die Hand vor den Mund. »Wie kannst du so etwas sagen! Da versuche ich, deine Gefühle nicht zu verletzen und diskret zu sein …«

»Tut mir leid«, sagte ich. »Jeder trauert auf seine Weise.«

»Na ja …«, meinte Penny. Aber sie hatte zu viel auf dem Herzen, um lange zu schweigen. »Dann ist da noch James' Brief an dich. Ich meine: Ein Schrecken hat in Belcourt Einzug gehalten! Was hat er wohl damit sagen wollen?«

»Zu viele Möglichkeiten«, antwortete ich.

»Dann ist da natürlich noch Alex Khan. Der Mami hinterher scharwenzelt wie ein brünstiger Hund.« Penny erschauerte grazil. »Sie glauben, sie wären so diskret … aber wenn Alex wirklich glaubt, er könne über Mami an Daddy herankommen, steht ihm ein böses Erwachen bevor. Mami war immer schon viel schlauer, als die meisten glauben. Sie würde nie etwas tun, was ihre Essensmarken in Gefahr bringen würde. Du glaubst doch nicht ernsthaft, dass sie Daddy auf dieser miesen kleinen Verkaufskonferenz ‚aus Versehen' angerempelt hat, oder? Sie hat minutiös geplant, wie sie an diesen Job herankommen konnte und was sie tragen musste, um die Aufmerksamkeit irgendeines reichen alten Narren zu erregen. Sobald sie Daddy im Visier hatte, hatte er keine Chance.«

»Woher weißt du all das?«, fragte ich.

Penny grinste. »Manche Menschen sollten wirklich nicht Tagebuch führen. Schon gar nicht solche mit so fragilen Schlössern. Über meine liebe Mami weiß ich alles, was es zu wissen gibt.«

Zum ersten Mal hielt sie inne und sah sich im Zimmer um. »Ich glaube, hier war ich schon seit Jahren nicht mehr. Normalerweise bleiben bei diesen kleinen Versammlungen immer ein paar Gästezimmer leer. Du darfst nie vergessen, Ishmael: Mami will all das hier mehr als alles andere. Das Haus und alles, was dazugehört. Ich glaube, sie würde töten, um es behalten zu können. Wenn sie glaubte, Daddy wolle es jetzt doch verkaufen ... wenn sie dachte, Alex wolle Daddy entmachten ... und wenn der arme James in die Schusslinie geriet ... halte ich Mami eines Mordes durchaus für fähig. Um ihre Interessen zu wahren.«

»Du gehst sehr hart mit deinen Eltern ins Gericht«, stellte ich fest.

»Sie hätten bessere Eltern sein sollen«, entgegnete Penny. »Wie dir vielleicht aufgefallen ist, ist meine Familie eigentlich gar keine. Also, im Grunde.«

»Ich kann das nicht beurteilen«, erklärte ich.

Penny rückte in ihrem Sessel nach vorn und war sofort zerknirscht. »Oh, natürlich! Du hast ja gesagt, du bist Waise.«

»So was in der Art«, sagte ich.

Penny runzelte die Stirn. »Manchmal glaube ich ... Daddy hat immer Distanz zu mir gewahrt, weil er Angst hatte, ich könnte ihn genauso im Stich lassen wie James. Du hast keine Vorstellung davon, wie sehr das Daddy wehgetan hat. Er hätte es kein zweites Mal ertragen.«

»Der Colonel hatte seine Gründe«, sagte ich. »Du hast ja seinen Brief gelesen.«

Penny wartete, bis klar war, dass ich mehr nicht sagen würde, dann schniefte sie einfach laut. »Du bist ohne Familie viel besser dran, Darling. Familien machen alles nur kompliziert. Mami beispielsweise wollte eigentlich gar keine Kinder. Sie hat mich nur bekommen, um Daddy an sich zu binden. Ich glaube, ich möchte nicht mehr über meine Eltern sprechen.«

»Na schön«, sagte ich. »Worüber möchtest du reden?«

»Na ja, zum einen natürlich über Alex. Den Mann, der seine Seele für eine Firma verkauft hat, die ihm nie gehört hat und ihm vermutlich auch niemals gehören wird. Wer weiß, wie weit ein solcher Mann in seiner Verzweiflung gehen würde? Aber für die wahrscheinlichste Verdächtige halte ich Sylvia.«

»Wirklich?«, fragte ich. »Warum?«

»Ach komm, Darling. Denk doch mal mit. Sie ist die Einzige hier, über die wir absolut gar nichts wissen! Sie ist kein Familienmitglied und hat nichts mit Daddys Firma zu tun. Wer ist Sylvia denn eigentlich? Nur eine weitere Glücksritterin mit einem süßen Lächeln, die parasitär an Diana hängt? Oder … hat sie sich bewusst bei Diana eingeschleimt, um eine Einladung hierher zu bekommen? Könnte nicht in Wirklichkeit sie für die Todesdrohungen verantwortlich sein? Vielleicht war sie mit jemandem verheiratet, den Daddy gefeuert und der sich daraufhin umgebracht hat, weswegen Sylvia sich geschworen hat, Daddy dafür bezahlen zu lassen und …«

»Jetzt befindest du dich aber im Reich der Spekulation«, warf ich ein.

»Ich weiß!«, sagte Penny. »Macht das nicht einen Riesenspaß?«

Als es plötzlich an der Tür klopfte, fuhren wir beide herum.

Penny sprang sofort auf. »Niemand darf wissen, dass ich hier bin!«, zischte sie.

»Versteck dich im Schrank«, sagte ich.

»Was?« Penny sah zu dem gewaltigen Eichenschrank an der gegenüberliegenden Zimmerwand hinüber. »Da drin? Ist das dein Ernst?«

»In Boulevardkomödien klappt das immer«, antwortete ich nüchtern. »Würdest du damit rechnen, dass sich jemand in einem Schrank versteckt?«

»Na ja, nein, aber …«

»Ich war schon immer ein großer Fan der Komödien mit Brian Rix«, sagte ich. »Er verstand die Bedeutung von Schränken. Na los, rein da!« Penny eilte zum Schrank hinüber und öffnete eine der Türen. Er bot mehr als genug Platz, um Penny als Versteck zu dienen. Vorsichtig kletterte sie hinein, warf mir einen raschen Blick zu und schloss dann die Tür bis auf einen Spalt.

»Herein!«, sagte ich munter.

Die Tür öffnete sich, und Roger kam hereingeschlurft. Er schloss die Tür hinter sich, sah sich um und funkelte mich dann an.

»Sie haben mich ja ganz schön lange vor der Tür stehen lassen. Die anderen sollen doch nicht den Eindruck gewinnen, ich würde hinter ihrem Rücken irgendwelche heimlichen Aktivitäten unternehmen.«

»Aber genau das tun Sie«, erklärte ich.

Er schnitt eine jämmerliche Grimasse, betrachtete seine Schuhe und richtete sich dann auf, um mir offen ins Gesicht zu sehen. »Haben Sie auf dem Korridor jemanden gehört? Jemanden, der einfach ... auf und ab ging?«

»Ja«, antwortete ich. »Aber als ich nachgesehen habe, war da niemand.«

»Wusste ich's doch!«, sagte Roger. »In diesem Haus wird viel zu viel herumgeschlichen. Hören Sie, ich muss mit Ihnen reden. Von Mann zu Mann. Mit den anderen kann ich nicht reden. Pennys Familie hat mehr Geheimnisse als ein Hund Flöhe. Man kann sich nicht unterhalten, ohne über ein Tabuthema zu stolpern. Die glauben alle, sie wären so gut darin, Dinge zu verbergen ... Die hätten mal in meiner Familie aufwachsen sollen.«

»Wie war das?«, fragte ich.

»Evolution in Aktion«, erwiderte Roger. »Überleben des Stärkeren, und die Schwächsten werden zertrampelt. Jeder für sich, auch auf Kosten der anderen. Ich habe schon früh begriffen, dass ich da nicht mithalten konnte. Ich war nicht hart und nicht egoistisch genug. Also zog ich mich einfach in den Hintergrund zurück und bemühte mich, nicht aufzufallen. Jetzt hassen mich alle, jeder Bruder, jede Schwester, jede Tante, jeder Onkel, jeder Cousin und jede Cousine, wie die Pest. Denn ich habe alles geerbt!«

Er grinste breit. »Oh, das hat ganz schön Wirbel gemacht! Mum und Dad sind bei einem Autounfall gestorben und haben mir alles hinterlassen. Keine Zuwendung für all die Leute, die jahrelang versucht hatten, Mum und Dad in den Arsch zu kriechen. Ich glaube, das Testament war ein letzter Racheakt meiner Eltern an einer Familie, die sie nicht ausstehen konnten …« Er hielt inne und sah mich an. »Wissen Sie, mit Ihnen kann man sich sehr leicht unterhalten.«

»Das höre ich häufig«, sagte ich.

»Aber darüber wollte ich gar nicht mit Ihnen reden. Sondern über den Mord!«

»Na schön«, sagte ich. »Was glauben Sie, wer den Colonel getötet hat?«

»Da hat man wirklich die Qual der Wahl, Alter!«, antwortete Roger. »James war der Einzige in dieser Familie, der Walter wirklich etwas bedeutet hat. So hart das auch sein mag. James war auch der Einzige hier, den man nicht kaufen, unter Druck setzen oder benutzen konnte, um gegen Walter vorzugehen. Also musste er natürlich weg. Er hätte niemals wieder zurückkommen sollen. Er hat sich nur in die Schusslinie gebracht.« Roger grinste breit. »Sehen Sie? Ich bin viel klüger, als die meisten Leute denken. Mir fallen Dinge auf. Ich habe gelernt, mich im Hintergrund zu halten, damit mich der Rest meiner Familie nicht bemerkt, aber aus dem Hintergrund sieht man am besten, was wirklich läuft. Walter ist der Schlüssel zu all dem. Alex will Walters Firma und seine Frau. Diana will Walter, um ihr altes Leben zurückzukriegen. Aber fragen Sie mich nicht nach Sylvia … ich habe keine Ahnung, was sie wirklich will. Für meinen Geschmack viel zu fröhlich und charmant und mit allen gut Freund. Das ist unnatürlich. Solche Leute sind immer hinter irgendetwas her. Wenn ich sie ansehe, sehe ich einen Profi bei der Arbeit. Nur, was für einen Profi …«

»Was ist mit Penny?«, fragte ich.

»Der einzige Mensch hier, der wirklich etwas wert ist«, antwortete Roger ruhig.

»Darüber wollte ich mit Ihnen reden. Ich will sie beschützen, doch ich bin nicht sicher, ob ich es kann. Ob ich weiß, wie. Ich denke immer … Wenn wir einen Mörder hier im Haus festgesetzt haben, wird er wieder zuschlagen. Das tun Mörder doch, oder? Ich fürchte … Penny könnte das nächste Opfer sein. Fragen Sie mich nicht, warum ich das denke, es ist einfach so ein Gefühl, verstehen Sie? Ich kann nicht ständig an ihrer Seite sein. Das lässt sie nicht zu. Deshalb bitte ich Sie um Hilfe. Helfen Sie mir, auf sie aufzupassen und sie zu beschützen. Wenn Sie sich vorstellen können, wie viel ich für sie empfinde, wissen Sie, wie schwer das für mich ist. Ich kenne Sie nicht, ich mag Sie nicht einmal besonders, aber ich bin gezwungen, mich an Sie zu wenden. Weil ich hier sonst niemandem trauen kann. Aber halten Sie trotzdem Abstand von Penny, während Sie sie im Auge behalten und beschützen. Denn sie gehört mir. Vergessen Sie das niemals.«

Er eilte aus dem Raum und erinnerte sich erst im letzten Augenblick daran, dass man Türen nicht zuknallte.

Penny kam sofort aus dem Schrank, wobei sie gleichzeitig lächelte und den Kopf schüttelte. »Ist das nicht wieder mal typisch für den Mann? Er kann so süß sein, aber auch so … schrecklich nervig! Ich brauche weder von ihm noch von dir Schutz! Ich kann auf mich selbst aufpassen!«

»Daran hatte ich keinerlei Zweifel«, sagte ich.

»Den ganzen Kram über seine Familie wusste ich gar nicht … der arme Kerl. Die klingen ja echt schrecklich. Aber es erklärt viel von seinem Betragen, nicht wahr?«

»Das erklärt vieles«, erwiderte ich, »aber nicht unbedingt alles. Was tut ein Mann, wenn er endlich genug Geld hat, um sich alles leisten zu können, was er sich je erträumt hat … und dann feststellt, dass er das Einzige, was er wirklich will, nicht haben kann?«

»Du verdächtigst doch nicht wirklich Roger?«, fragte Penny. »Der könnte keiner Fliege etwas zuleide tun!«

»Genau auf die Leute muss man ein Auge haben«, gab ich zu bedenken. »Wie war's im Schrank?«

Penny rümpfte die Nase. »Er ist voller Mottenkugeln.«

Es klopfte erneut. Ich sah Penny an, die resigniert nickte.

»Schon klar. Zurück in den Schrank.«

Ich wartete, bis Penny wieder sicher in ihrem Versteck war, dann bat ich meinen nächsten Gast herein. Es erwies sich, dass es sich um Sylvia handelte, die glamourös wie immer aussah. Sehr elegant schwebte sie in mein Zimmer, als betrete sie einen schicken Salon. Sie wartete darauf, dass ich aufstand, und tat dann höflicherweise so, als hätte sie nicht bemerkt, dass ich es nicht tat. Sie nahm nicht Platz. Sie stellte sich vor mir in Pose und fixierte mich mit einem kühlen, nachdenklichen Blick.

»Ishmael, ich habe Ihnen etwas vorzuschlagen.«

»Ach ja?«, fragte ich. »Ich bin geschmeichelt.«

»Ganz ruhig, mein Junge. Ich meine es völlig ernst. Ich finde, wir sollten hier weggehen. Einfach unsere Sachen packen, das Haus verlassen und abmarschieren.«

»Wirklich?«, fragte ich. »Einfach so?«

»Warum nicht?«, fragte Sylvia zurück. »Was haben wir schon zu verlieren? Belcourt Manor ist fürchterlich. Ich wünschte, ich wäre nie hergekommen. Es ist ja nicht so, als würden wir etwas Wichtiges zurücklassen. Ich bin mit niemandem hier verwandt oder befreundet und habe hier auch keine Geschäftspartner. Ich bin nur hergekommen, um eine Party zu feiern! Eine schöne Weihnachtsfeier. Man hat mir Spaß und Geselligkeit versprochen! Nicht so einen Albtraum, bei dem niemand dem anderen vertraut. Mit einem Mörder, der jederzeit jeden von uns anfallen könnte. Nein, ich will hier raus. Ich fühle mich in diesem Haus nicht sicher. Wenn die Autos wirklich nicht infrage kommen, werden wir eben einfach laufen müssen. Ich bin nicht blöd. Ich höre natürlich den Blizzard draußen, genau wie Sie. Aber wenn wir uns entsprechend vorbereiten und querfeldein gehen … schauen Sie, ich will das nicht allein machen. Aber ich glaube, mit Ihnen an meiner Seite könnte ich es ins nächste Dorf und in Sicherheit schaffen. Was sagen Sie?«

»Ich gehe nirgends hin«, antwortete ich. »Nicht, ehe ich weiß, wer meinen Colonel getötet hat.«

Sylvia seufzte und warf einen dramatischen Blick gen Himmel.

»Warum sind die guten Männer immer so stur? Sind Sie sicher, dass ich Sie nicht in Versuchung führen kann?«

»Ja«, beharrte ich.

»Dann werde ich wohl doch bleiben«, sagte Sylvia. »Sie sind der Einzige, dem ich zugetraut hätte, es zu riskieren. Na schön.« Sie wandte sich ab.

»Moment mal«, sagte ich rasch. »Wen halten Sie denn für den Mörder?«

»Keine Ahnung«, antwortete sie. »Ich kenne die ganzen Leute nicht. Ich kenne ja Diana kaum. Ich sollte jetzt besser zu ihr zurückgehen. Ich habe mich nur kurz weggestohlen, solange sie schläft. Ich will nicht, dass sie allein ist, wenn sie aufwacht.«

»Aber Sie hätten sie hier zurückgelassen, wenn ich mitgekommen wäre«, erwiderte ich.

»Es geht letztlich nur ums Überleben, Süßer«, sagte Sylvia. »Ich war schon immer imstande, über Leichen zu gehen.«

»Sagen Sie«, bat ich. »Haben Sie jemanden auf dem Korridor auf und ab gehen hören?«

Sie sah mich scharf an. »Ich war nicht sicher … ich habe gedacht, ich bilde mir das vielleicht ein. Haben Sie jemanden gesehen?«

»Nein«, sagte ich.

Sylvia zuckte die Achseln, schenkte mir ein letztes Lächeln und ging, wobei sie die Tür sehr leise hinter sich schloss.

Sofort kam Penny wieder aus dem Schrank. »Was für eine blöde Kuh! Bereit, einfach so abzuhauen und Diana im Stich zu lassen, ohne einen Gedanken daran zu verschwenden, dass alle anderen dann mit einem Mörder hier im Haus festsitzen! Nach allem, was Diana für sie getan hat und nachdem alle sich größte Mühe gegeben haben, damit sie sich hier zu Hause fühlt! Überleben … ja, ich kenne Frauen wie sie! Ich darf auf keinen Fall vergessen, morgen beim Frühstück etwas besonders Gehässiges und Schneidendes zu ihr zu sagen. Hör zu, Ishmael, ich muss weg. Ehe noch jemand auftaucht.«

»Schließ deine Tür ab«, riet ich.

»Machst du Witze? Natürlich schließe ich ab! Ich werde heute Nacht kein Auge zu tun. Ich werde einen Stuhl unter die Türklinke klemmen und dann die ganze Nacht mit einem wirklich spannenden Buch verbringen. Außerdem werde ich ständig einen Schürhaken von meinem Kamin griffbereit halten!«

Mit einem letzten, raschen Lächeln verschwand sie. Ohne sie wirkte mein Zimmer so viel stiller und leerer.

Ich saß da und dachte über alles nach, was ich bisher erfahren hatte. Ich war vielleicht kein Detektiv, aber alle anderen schienen sich größte Mühe zu geben, mir zu helfen. Sie alle hatten ihre Theorien und Verdachte, ihre Geheimnisse und Überraschungen und das Bedürfnis, jemand anderem die Schuld in die Schuhe zu schieben. Ich verfügte jetzt über einige interessante Hintergrundinformationen, die mir zuvor unbekannt gewesen waren und mir halfen, diese Leute besser zu verstehen. Aber ich hatte nichts besonders Nützliches erfahren. Ich hatte noch immer keine Ahnung, wer den Colonel getötet hatte und warum.

Es klopfte erneut. Ich sah zur Tür. Langsam hatte ich von Besuchern die Nase voll. Ich kam erst gar nicht darauf, wer noch fehlte.

»Herein«, sagte ich.

Die Tür öffnete sich, und Melanie trat ein. Rasch schloss sie die Tür wieder und schenkte mir ein knappes, geistesabwesendes Lächeln.

»Ich kann nicht lange bleiben«, sagte sie. »Sonst vermisst mich Walter. Ich habe ihn gerade erst ins Bett gesteckt. Ich will nicht, dass ich weg bin, wenn er aufwacht. Jeeves steht mit schussbereiter Waffe vor seiner Tür Wache … ich hatte wirklich gedacht, er sei nur ein Aushilfsbutler! Er sieht echt besser aus als so mancher, den wir vor ihm hatten … Wissen Sie, Sie könnten schon aufstehen, wenn eine Dame den Raum betritt …«

»Ich bin müde«, erwiderte ich. »Was wollen Sie, Melanie?«

»Ich habe James nicht gekannt. Ihren Colonel. Er war Walters Sohn aus einer Zeit, als wir einander noch lange nicht kannten. James gehörte zu Walters Leben mit Diana, und ich habe nie zugehört, wenn er darüber sprach. Bis er es sein ließ. Sie sollten Diana gut im Auge behalten. Ich glaube, sie will meinen Walter zurück. Das Haus natürlich auch. Genau wie alles, was dazugehört. Sie hält es noch immer für ihren Besitz. Ich glaube, sie würde alles, absolut alles, tun, um es zu bekommen.«

»Erinnert Sie das an jemanden?«, fragte ich.

»Nein«, antwortete Melanie. »Sollte es?«

Sie schien die Anspielung nicht zu verstehen, also sprach ich weiter. »Glauben Sie wirklich, Diana würde ihren eigenen Sohn ermorden?«

»Ich weiß nicht, was ich glauben soll«, sagte Melanie. »In diesem Haus ergibt nichts mehr irgendeinen Sinn …«

»Was halten Sie von Alexander Khan?«, fragte ich direkt. Melanie reagierte sofort defensiv. »Wie meinen Sie das?«

»Sehen Sie ihn als Verdächtigen?«, fragte ich.

»Oh, ich verstehe«, sagte Melanie. »Na ja, ich weiß nicht … ich wünschte, Walter hätte all diese Leute nicht eingeladen. Wir hätten Weihnachten allein feiern sollen, nur zu zweit, so wie ich es wollte. Alles war gut, bis all diese Leute aufgetaucht sind! So viel Aufregung ist sehr schlecht für Walter … ich werde nicht zulassen, dass er sich aufregt! Er braucht seine Ruhe und seinen Frieden.«

»Warum sind Sie hier?«, erkundigte ich mich.

»Um Sie vor Diana zu warnen«, antwortete Melanie nachdrücklich.

»Das ist alles?«, fragte ich.

»Reicht das nicht?«, fragte Melanie zurück.

Sie kehrte mir den Rücken zu und schritt hinaus, wobei sie die Tür sehr fest hinter sich schloss, als wolle sie jeden potenziellen Kommentar von mir abschneiden. Ich war nicht sicher, was ich von Melanie halten sollte. Konnte eine Frau wirklich so egomanisch sein, wie sie schien? Vielleicht konnte nur eine so egomanische Frau einen Mord mitten auf einem Familientreffen begehen. Sie schien Walter unbedingt beschützen zu wollen. Wenn Sie James' Rückkehr als Bedrohung für ihn empfunden hatte … oder James und Diana als Bedrohung ihrer Beziehung zu Walter … Ich grübelte noch immer darüber nach, als es erneut an der Tür klopfte.

Ehe ich etwas sagen konnte, flog die Tür auf, und Jeeves und die Köchin betraten gemeinsam den Raum. Die Köchin behielt mich genau im Auge, während Jeeves in den Korridor hinausspähte, um sicherzugehen, dass niemand sie beobachtete. Er schloss die Tür, dann nahmen die beiden nebeneinander vor mir Aufstellung, Schulter an Schulter, als gehörten sie zusammen. Der hochgewachsene, schwarzhaarige Butler und die kleine blonde Köchin. Nur sahen sie jetzt nicht mehr aus wie ein Butler und eine Köchin, sondern wie Soldaten.

»Guten Abend«, sagte ich. »Kommt herein. Ihr fragt euch sicherlich, warum ich euch hergebeten habe …«

»Respektlosigkeit wird dir nicht helfen«, konterte Jeeves. »Es ist Zeit für die Wahrheit.«

»Ganz meine Meinung«, stimmte ich zu.

»Leilah und ich sind ein Ehepaar, das als Sicherheitsteam arbeitet«, sagte Jeeves. »Man hat uns für dieses Wochenendtreffen zum Schutz für Mister Walter Belcourt angeheuert. Aber die Dinge scheinen uns ein wenig entglitten zu sein.«

»Deshalb dachten wir, es wäre Zeit, dir ein paar entscheidende Fragen zu stellen«, fügte Leilah hinzu. Sie zog eine kleine Handfeuerwaffe unter ihrem viktorianischen Köchinnenkostüm hervor und richtete sie auf mich. Es sah aus, als könne sie damit umgehen. Ich blieb ganz ruhig sitzen.

»Leilah und ich sind immer gemeinsam im Einsatz«, erklärte Jeeves. »Der eine im Vordergrund, die andere hinter den Kulissen.«

»Wir sind hier, um dich zu verhören«, sagte Leilah.

»Ach ja?«, fragte ich. »Warum ausgerechnet mich?«

»Du bist der Außenstehende«, erwiderte Leilah. »Niemand hier kennt dich. Du behauptest, für den verstorbenen James Belcourt zu arbeiten, aber dafür haben wir nur dein Wort. Ich wette, du hast nicht mal eine Sicherheitskennung, oder?«

»Nein«, antwortete ich. »Die Organisation, für die ich arbeite, existiert offiziell nicht. Wer uns kennen muss, weiß Bescheid.«

»Na ja«, meinte Leilah. »So was in der Art musstest du ja jetzt sagen, oder?«

»Du verstehst natürlich, dass dich das zu einem sehr nahe liegenden Verdächtigen macht«, sagte Jeeves.

»Natürlich«, sagte ich. »Ich an eurer Stelle würde dasselbe denken. Ihr seid doch in der Lage zu denken, oder? Gut. Was kann ich für euch tun?«

»Er ist schon wieder respektlos«, stellte Leilah fest.

»Stell deine Fragen«, sagte Jeeves.

»Nur zu«, ermunterte ich.

»Du kannst damit anfangen, uns alles über dich zu erzählen«, begann Leilah. »Wer du wirklich bist, für wen du wirklich arbeitest und was du wirklich hier tust. Alles, was wir wissen müssen, um unseren Auftraggeber zu beschützen. Du redest, und wir sagen dir, wann du aufhören kannst.«

»Was, wenn ich dazu keine Lust habe?«, fragte ich.

Leilah grinste fies. »Dann werde ich es aus dir herausprügeln. Darin bin ich wirklich sehr gut. Frag Jeeves.«

Ich sah ihn an. »Das wirst du zulassen? Die Misshandlung eines möglicherweise vollkommen unbeteiligten Unschuldigen?«

»Zulassen?«, fragte Jeeves. »Ich gedenke, ein Stück zurückzutreten, damit ich keine Blutspritzer abbekomme, mir Notizen zu machen und sie wenn nötig anzufeuern. Wir sind nicht von der Polizei, wir arbeiten nicht für die Regierung und spielen nur nach unseren eigenen Regeln. So erzielen wir Ergebnisse.«

Leilah wedelte bedeutungsvoll mit ihrer Waffe herum.

»Wir hören.«

Ich sprang vom Fußende des Bettes auf, schlug Leilah die Waffe aus der Hand, packte sie an der Schürze und warf sie aufs Bett. Sie schlug heftig genug auf, um kurzzeitig außer Atem zu sein. Jeeves griff bereits nach seiner Waffe, als ich mich ihm näherte. Ich packte seinen Arm mit einer Hand und übte Druck auf den Muskel aus, bis er vor Schmerz aufstöhnte. Kraftlos öffnete er die Hand und die Waffe fiel ihm aus den tauben Fingern. Ich fing sie auf, packte Jeeves bei der Hemdbrust seiner Butlerlivree und warf ihn neben Leilah, die sich noch immer bemühte, wieder zu Atem zu kommen, aufs Bett. Ich hob ihre Waffe auf und stand dann am Fußende, beide Knarren auf ihre früheren Besitzer gerichtet. Dabei atmete ich nicht einmal schwer. Jeeves und Leilah funkelten mich vom Bett her reglos an.

»Verdammt«, sagte Jeeves. »Du bist schnell und sehr gut trainiert. Na schön. Du hast mich überzeugt. Jemand, der uns so leicht ausschalten kann, muss für die Organisation arbeiten.«

»Damit bin ich kein Verdächtiger«, folgerte ich.

Leilah sah mich finster an. »Solange du unsere eigenen Waffen auf uns gerichtet hast, kannst du sagen, was du willst. Aber du bist trotzdem verdächtig. Um James Belcourt auf so eine extreme Weise zu töten, bräuchte es jemanden, der so kaltblütig und optimal trainiert ist wie ein Agent der Organisation.«

»Ich dachte, wir seien uns einig, dass ich noch nicht hier war, als der Colonel starb?«, fragte ich.

Jeeves gab sich größte Mühe, auf dem Rücken liegend die Achseln zu zucken. »Die Kälte ändert alles. Wer weiß, wann er wirklich getötet wurde?«

»Auch wieder wahr«, stimmte ich ihm zu. Ich warf ihnen ihre Waffen wieder zu, und sie fingen sie geschickt aus der Luft auf.

»Bitte steht von meinem Bett auf«, sagte ich. »Das sieht total unordentlich aus.«

Jeeves und Leilah rollten sich links und rechts aus dem Bett und waren sofort wieder auf den Beinen, die Waffen auf mich gerichtet. Ich hob eine Braue. Jeeves und Leilah sahen einander an, als hofften sie beide, der jeweils andere hätte eine gute Idee, wie es jetzt weitergehen sollte. Am Ende zuckten sie mehr oder weniger synchron die Achseln und steckten die Waffen weg.

Leilah sah mich trotzig an. »Ich vermute, du erwartest jetzt, dass wir dir vertrauen, nur weil du uns unsere Waffe zurückgegeben hast?«

»Ich traue in diesem Haus niemandem«, antwortete ich, »und das solltet ihr auch nicht. Aber bitte sagt mir, wer eurer Meinung nach den Colonel ermordet hat, bevor ihr geht.«

»Das interessiert mich nur insoweit, als dass es zum Schutz unseres Klienten beiträgt«, sagte Jeeves. »Bist du sicher, dass der Angriff auf den Sohn etwas mit dem Vater zu tun hat?«

»Glaubt ihr das nicht?«, fragte ich.

»Ich rate dir dringend, bis morgen früh in deinem Zimmer zu bleiben«, mahnte Jeeves. »Verschließ die Tür. Ich habe Kontakt mit meinen Leuten aufgenommen, und sie hoffen, bis morgen jemanden herschicken zu können. Leilah und ich werden den Rest der Nacht auf dem Gang Wache halten. Jederzeit bereit, auf alles zu schießen, was nicht der jeweils andere von uns beiden ist.«

»Ich war überrascht, euch beide hier oben zu sehen«, bemerkte ich. »So passt niemand auf den armen Walter auf.«

»Melanie hat die Tür abgeschlossen«, erklärte Leilah. »Es ist jetzt so ruhig im Haus, dass man deutlich hört, wenn sich jemand bewegt.«

»Wirklich?«, fragte ich. »Ich hatte vorher schon mehrere Besucher. Ich habe mit mehreren Leuten gesprochen, die alle berichteten, sie hätten gehört, wie sich oben im Korridor jemand bewegte. Aber immer, wenn jemand nachsehen ging, war niemand zu sehen.«

Jeeves und Leilah sahen einander an. »Hast du hier oben irgendjemanden sich bewegen sehen, Ishmael?«, fragte Jeeves.

»Nein«, sagte ich. »Aber ich habe jemanden gehört.«

»Dies ist ein altes Haus«, meinte Jeeves. »Vielleicht spukt es hier.«

Leilah zuckte zusammen. »Sag so was nicht. Ich hasse Geister.«

Gemeinsam gingen sie hinaus, und ich verschloss die Tür hinter ihnen. Dann setzte ich mich auf den am bequemsten wirkenden Stuhl und dachte lange intensiv nach.

Irgendwann hob ich ruckartig den Kopf. Ich witterte und sprang auf. Dann eilte ich zur Tür, entriegelte und riss sie auf. Erneut witterte ich. Die Tür neben meiner öffnete sich, und Penny schaute heraus. Sie hatte noch keine Schlafsachen an, aber einen schweren eisernen Schürhaken in der Hand.

»Oh, du bist es!«, sagte sie. »Ich dachte, ich hätte gehört, wie jemand sich bewegt und diesmal habe ich außerdem gehört, wie sich eine Tür öffnete, und da dachte ich, ich schaue mal nach. Was ist los? Warum schaust du so?«

»Riechst du das?«, fragte ich. »Es riecht wie brennendes Fleisch.« Penny schnupperte eingehend und schüttelte dann den Kopf. Sie sah mich zweifelnd an. »Wir sind weit weg von der Küche, Ishmael.« Dann fuhren wir beide herum, als am anderen Ende des Korridors, in der Nähe der Treppe, ein schrecklicher Schrei ertönte. Penny und ich rannten darauf zu.

Acht

Blut fordert Blut

Penny und ich hatten die Hälfte des Korridors zurückgelegt, als plötzlich eine weitere Tür aufflog und Alexander Khan herausschaute. Er trug einen eleganten, sehr bunten Morgenrock, ganz einfache Hausschuhe und schaute verwirrt drein. Sein normalerweise zurückgegeltes Haar hing ihm wirr um den Kopf. Er hatte eindeutig bereits geschlafen und war erst halb wach.

»Was ist los?«, fragte er mit rauer Stimme. »Habe ich … einen Schrei gehört?«

Ich hatte keine Zeit, ihm zu antworten, und Penny offenbar keine Lust. Wir rannten weiter den Korridor entlang. Khan stolperte hinter uns her. Jeeves und Leilah stürmten bereits mit gezogenen Waffen und professionell konzentrierten Gesichtern die Treppe hoch. Sie erreichten das obere Ende der Treppe, als Penny und ich gerade am Ende des Korridors anlangten. Ein rascher Blick an ihnen vorbei zurück zeigte mir Walter und Melanie, die in zerknitterten alten Morgenmänteln im Partnerlook am Fuße der Treppe standen. Walter verlangte zu wissen, was eigentlich los sei, wobei seine Stimme dröhnte, seine Augen aber trüb waren, während Melanie ihr Bestes tat, um ihn zu beruhigen und zu trösten. Walter wollte davon nichts hören. Er erklomm die Treppe, so schnell er konnte, wobei er sich schwer auf seinen Gehstock stützte. Melanie folgte ihm nach oben, und sei es nur, weil sie nicht allein bleiben wollte.

Schließlich fiel mein Blick auf die Tür am Ende des Korridors. Sylvia starrte mit bestürzter Miene durch die Türöffnung in einen finsteren Raum. Abrupt drehte sie sich um und sah mich mit vor Entsetzen weit aufgerissenen Augen an. Sie hatte inzwischen aufgehört zu schreien, aber wahrscheinlich nur, weil sie sich beide Hände vor den Mund presste. Ich hielt einen Augenblick inne, um sie von Kopf bis Fuß zu mustern, denn ich wollte mich überzeugen, dass sie unverletzt war. Sylvia trug einen teuren, seidenen Überwurf, aber weder Lockenwickler im Haar noch Creme im Gesicht. Sie sah nicht aus, als hätte sie schon geschlafen. Panisch deutete sie in den vor ihr liegenden Raum, bekam aber kein Wort heraus. Ich legte ihr die Hände auf die Schultern und schob sie sanft beiseite. Sie stolperte und wäre beinahe gefallen, aber Penny war da, fing sie auf und stützte sie, während ich in das finstere Zimmer spähte.

»Bleib bei ihr, Penny«, sagte ich.

»Vergiss es«, widersprach Penny. Sie überzeugte sich, dass Sylvia ohne Hilfe stehen konnte und eilte dann an meine Seite, um ebenfalls in die Dunkelheit zu spähen. Das vom Korridor ins Zimmer fallende Licht reichte nicht weit.

Endlich trafen Jeeves und Leilah ein.

»Bleibt, wo ihr seid!«, forderte ich sie scharf auf. »Ihr müsst dafür sorgen, dass niemand dieses Zimmer betritt. Wir dürfen nicht riskieren, dass der Tatort verunreinigt wird.« Ich wandte mich an Penny. »Wessen Zimmer ist das? Wer schläft hier?«

»Roger«, sagte sie ruhig. »Er hat mich vorhin hereingebeten, aber ich wollte nicht. Das wird nicht gut enden, oder?«

»Nein«, erwiderte ich.

»Glaubst du, Roger ist tot?«

»Wahrscheinlich«, antwortete ich. »Jemand in diesem Zimmer ist es zumindest. Das spüre ich.«

In Rogers Zimmer war kein Licht an, und da die Fensterläden geschlossen waren, war es stockfinster. Nur die Finsternis, die etwas verbarg, wie ein Kind mit einem schmutzigen Geheimnis. Deutlicher denn je roch ich verbranntes Fleisch. Ich hörte Flammen leise knistern, aber der Kamin im Zimmer verbreitete kein Licht.

Penny drängte neben mir ins Zimmer, versuchte aber nicht, sich an mir vorbeizuschieben. »Jetzt rieche ich auch, dass etwas brennt«, sagte sie leise. »Wo ist der Lichtschalter?«

Ich fasste nach drinnen und tastete herum, bis ich ihn fand. Ich schaltete das Licht ein, und Penny schrie unwillkürlich auf.

Eine geschwärzte, verkohlte Leiche saß auf einem Stuhl neben dem Kamin, in dem kein Feuer brannte, das Gesicht der Tür zugewandt. Die Bekleidung der Leiche war weitgehend weggebrannt, und die Haut darunter war verbrannt und aufgesprungen. Das Gesicht war eine unkenntliche, schwarze Fläche. Im zerstörten Mund schimmerten weiße Zähne. Die Augen fehlten. Ich trat rasch ins Zimmer, riss die Tagesdecke vom Bett und warf sie über die Leiche. Dann begann ich mit einer Herzmassage, obgleich ich wusste, dass es zu spät war. Ich hörte Knochen brechen, als ich zu heftig drückte. Ich ließ die Tagesdecke los und trat zurück.

»Es tut mir so leid«, sagte ich zu Penny.

Sie schluckte schwer. Sie war bleich, doch als sie schließlich sprach, war ihre Stimme fest. »Dies ist Rogers Zimmer, aber können wir sicher sein, dass er das ist?«

»Gute Frage«, sagte ich. »Langsam glaube ich in diesem Haus gar nichts mehr.«

Ich zog eine Seite der Tagesdecke zurück, gerade weit genug, um die verkohlte rechte Hand zu enthüllen. Ein wenig Rauch stieg auf. Ich zeigte Penny einen goldenen Siegelring, groß und protzig. Als sie ihn sah, nickte sie schnell.

»Ja. Ich kenne diesen Ring. Er war so stolz auf ihn, war immer scharf darauf, damit zu anzugeben, und ich zog ihn immer damit auf, weil er so hässlich war. Das ist Roger.« Sie verstummte und schüttelte kurz den Kopf, presste die Lippen aufeinander und musterte die Leiche dann, ohne mit der Wimper zu zucken. »Ich werde jetzt nicht weinen. Nicht, solange es noch so viel zu tun gibt. Ich weine später, wenn mehr Zeit ist. Ich verspreche es dir, Roger.« Wütend sah sie mich an. »Wer sollte denn ausgerechnet Roger töten wollen? Er ist nicht wichtig, nicht wie dein Colonel. Ich glaube, Roger hatte auf der ganzen Welt keinen einzigen Feind.«

»Er hat behauptet, seine ganze Familie hasst ihn«, bemerkte ich vorsichtig.

»Ja schon, aber die ist nicht hier«, sagte Penny. »Außerdem, warum sollte jemand aus Rogers Familie James töten wollen?«

»Ich weiß nicht«, antwortete ich. »Ich sehe auf den ersten Blick keine Verbindung zwischen den beiden Morden. Das ergibt alles keinen Sinn.«

Jeeves steckte den Kopf zur Tür herein, schaute die Leiche an und machte ein finsteres Gesicht. »Habe ich richtig gehört? Das ist Roger?«

»Ja«, sagte Penny. »Er ist tot.«

Sie trat wieder auf den Korridor hinaus, und Jeeves machte ihr rasch Platz. Ich folgte ihr, blieb unter der Tür stehen und blockierte den Zugang zum Zimmer.

»Roger ist tot«, verkündete Penny laut. »Der Mörder hat ihn angezündet.«

Auf dem Korridor hatte sich eine Menschentraube gebildet. Alle gaben Geräusche des Entsetzens und des Schmerzes von sich und drängten sich aneinander. Alle Anwesenden schienen von dieser Nachricht wirklich schockiert zu sein. Khan tröstete Sylvia, die leise an seiner Brust schluchzte. Sie sah aus wie ein Kind, das gerade entdeckt hatte, wie hart und grausam die Welt sein konnte. Khan tätschelte mechanisch Sylvias Schulter, wirkte aber verwirrt und fassungslos. Jeeves und Leilah standen mit gezogenen Waffen dicht beisammen. Beide schienen unsicher, was als Nächstes zu tun war. Walter und Melanie hatten endlich die Treppe erklommen. Walter keuchte und hatte eine ungesunde Gesichtsfarbe. Er stützte sich schwer auf seinen Gehstock und auf Melanies Arm. Sie sah sich hektisch um, als rechne sie jeden Augenblick mit einem Angriff.

»Ich kann das nicht glauben«, sagte Walter. »Zwei meiner Gäste in meinem Haus ermordet … zuerst James und jetzt Roger? Was zum Teufel geht da vor sich? Ich will sofort wissen, was hier läuft!«

»Still, Liebster«, bat Melanie. »Um Himmels willen.«

Walter schien zum ersten Mal zu bemerken, wie aufgeregt seine Frau war, und tätschelte ihre Hand auf seinem Arm.

Ich trat vor, um mich an Sylvia zu wenden, die sich noch immer schwer auf Alexander Khan stützte. »Ich weiß, Sie sind aufgeregt, Sylvia, aber ich muss Ihnen ein paar Fragen stellen. Wie kommt es, dass Sie hier waren?«

Sylvia wandte sich langsam von Khan ab, um mir zu antworten. Ihre Stimme war höher als sonst, aber dennoch einigermaßen ruhig. Tränen rannen ihr übers Gesicht, doch sie schien es nicht zu bemerken.

»Ich habe wieder diese Schritte gehört. Sie sind … einfach ziellos auf und ab gegangen. Aber als sie diesmal stehen geblieben sind, habe ich gehört, wie eine Tür aufging. Da habe ich gedacht: Diesmal ist es anders. Also bin ich zu meiner Tür gegangen und habe eine Weile gelauscht. Keine Stimmen, und ich habe auch nicht gehört, wie sich die Tür wieder geschlossen hat. Also habe ich meine Tür aufgeschlossen und hinausgeschaut. Ich habe niemanden gesehen, aber ich konnte nicht glauben, dass ich mir das alles nur eingebildet hatte, deshalb bin ich auf den Gang hinausgegangen. Da habe ich bemerkt, dass Rogers Tür offen stand. Also bin ich hier runtergekommen, um herauszufinden, was los ist. Ich weiß, das hätte ich nicht tun sollen, ich weiß, es war unvernünftig, aber … ich konnte nicht anders. Ich musste es wissen … dann habe ich ins Zimmer geschaut … und Roger gesehen …« Sie verstummte, konnte nicht weitersprechen.

Khan nahm sie wieder in die Arme. Über ihre Schulter hinweg funkelte er mich an. »Kann das nicht warten?«

»Vermutlich schon«, gab ich zu. »Es ist ja nicht so, dass jemand von uns irgendwohin könnte.« Der Reihe nach sah ich die anderen an. »Niemand betritt dieses Zimmer. Wir haben endlich einen richtigen Tatort, und ich will nicht, dass ihr hier etwas durcheinanderbringt. Wir haben nicht herausgefunden, wo der Colonel den Tod gefunden hat, aber Roger scheint eindeutig hier gestorben zu sein.«

Jeeves und Leilah nickten zögernd. »Na schön«, sagte Jeeves. »Wir werden mit diesen Leuten hier reden, während du dir das Zimmer und den Leichnam anschaust. Du kennst dich mit Leichen wahrscheinlich sowieso besser aus.«

»Entschuldigung«, meldete sich Melanie zu Wort. »Darf ich mal fragen, warum die Köchin bewaffnet ist?«

Ich überließ es Jeeves, das zu erklären, und betrat wieder Rogers Zimmer. Penny war im Handumdrehen an meiner Seite.

»Ich weiß, er war dein Freund«, erklärte ich. »Aber ich muss mir die Leiche ziemlich genau anschauen. Du musst nicht …«

»Versuch mal, mich rauszuwerfen«, sagte Penny. »Ich will alles wissen. Ich muss es wissen.«

»Wenn dir schlecht wird, kotz bitte auf den Gang«, sagte ich, so sanft ich konnte.

Ich zog die Tagesdecke von der Leiche im Stuhl und warf sie wieder aufs Bett. Penny schluckte schwer, wandte sich aber nicht ab, als ich den Leichnam untersuchte. Die verkohlten Überreste rauchten hier und da noch, brannten aber nicht mehr. Der Leichnam saß aufrecht und offenbar entspannt auf dem Stuhl. Nichts wies darauf hin, dass er sich während des Brennens bewegt hatte. Trotz all des Schadens, den das Feuer angerichtet hatte, schien es die Leiche kaum angetastet zu haben. Dann fuhr ich herum, weil Penny hinter mir ein Geräusch von sich gab.

Sie hatte Mund und Nase mit beiden Händen bedeckt, um nichts zu riechen. Ihrem Gesichtsausdruck nach zu urteilen klappte das nicht besonders gut. Sie sah, dass ich sie beobachtete, und bedeutete mir mit einem ungeduldigen Winken fortzufahren ich sah mir die Leiche sorgsam von Kopf bis Fuß an, beugte mich, wo es nötig war, dicht über sie, achtete aber sorgsam darauf, nichts zu berühren. Weder der Gestank noch der Zustand des Leichnams machten mir etwas aus.

»Ich vermute, du wirst gleich sagen, dass du schon Schlimmeres gesehen hast«, sagte Penny.

»Ja«, bestätigte ich. »Habe ich.«

»Im Dienste des Colonels? Meines lieben, geheimnisvollen Stiefbruders James? Was genau hast du für den Mann getan, Ishmael?«

»Frag mich später noch mal«, antwortete ich. »Für den Augenblick musst du einfach akzeptieren, dass ich Rogers beste Chance auf Rache bin.«

Je genauer ich hinsah, desto überzeugter war ich, dass Roger nicht verbrannt war. Er war in seinem Stuhl gestorben, und dann hatte man ihn angezündet, um Beweise zu vernichten. Um zu verschleiern, was wirklich mit ihm geschehen war. Bisher klappte das auch. Ich sah nirgends eine tödliche Verletzung.

»Das Feuer hat jemand nach dem Mord gelegt«, sagte ich zu Penny. »Vermutlich, um die Mordmethode zu verschleiern. Ich muss also davon ausgehen, dass sie irgendwie signifikant ist. Oder verräterisch. Vielleicht wird die Mordmethode auf jemand Bestimmtes verweisen, wenn wir erst einmal wissen, wie Roger zu Tode gekommen ist.«

Jeeves streckte den Kopf zur Tür herein. »Ich störe dich ja nur ungern beim Grübeln«, begann er, »aber ich glaube wirklich, Leilah und ich müssen reinkommen und uns den Tatort persönlich ansehen.«

»Natürlich«, sagte ich. »Aber sagt allen anderen, sie sollen bleiben, wo sie sind. Für den Augenblick nur Profis.«

»Profis und ich«, warf Penny ein.

Jeeves und Leilah betraten vorsichtig Rogers Zimmer und rümpften die Nase, als ihnen der Geruch entgegenschlug. Sie hatten beide die Waffen weggesteckt.

»Keine Anzeichen eines Kampfes«, stellte ich fest. »Nichts weist darauf hin, dass man ihn woanders getötet und dann seine Leiche hier abgelegt hat. Ich würde sagen, Roger ist auf dem Stuhl sitzend gestorben.«

»Sylvia hat die Tür offen vorgefunden«, sagte Jeeves. »Roger hätte aber seine Tür abgeschlossen … er muss sie also aufgeschlossen haben, um seinen Mörder einzulassen.«

»Warum hätte er unter diesen Umständen jemandem die Tür öffnen soll?«, fragte Leilah.

»Er hat seinen Besucher gekannt«, antwortete ich, »und hielt es für ungefährlich, ihn hereinzubitten.«

Jeeves sah Penny an. »Ihnen hätte er die Tür geöffnet, Miss Belcourt. Selbst, wenn er niemand anderen eingelassen hätte.«

»Bin ich verdächtig?«, fragte Penny.

»Alle sind verdächtig«, erwiderte Leilah.

»Ishmael!«, rief Penny. »Sag was!«

»Alle sind verdächtig«, wiederholte ich.

»Das wollte ich nicht hören«, beschwerte sich Penny.

»Jeder in diesem Haus ist verdächtig«, sagte ich. »Einschließlich Jeeves und Leilah.«

»Nun«, meinte Penny. »Immerhin. Das erleichtert mich irgendwie.«

»Wenigstens wissen wir jetzt sicher, dass der Mörder noch im Haus ist«, sagte Jeeves. »Leilah und ich haben gerade einen kompletten Rundgang durch das Herrenhaus gemacht. Alle Türen und Fenster überprüft. Alles dicht.«

»Die Türen und Fensterläden sind nicht nur verschlossen, sie sind verriegelt«, sagte Leilah. »Ein Profi kann ein Schloss knacken oder aufbrechen, ohne Spuren zu hinterlassen. Aber an einem Riegel kommt niemand vorbei. Ich glaube fest an Riegel.« Sie trat zum einzigen Fenster des Zimmers, dessen Läden geschlossen waren, und nickte rasch. »Sage ich doch. Der einzige Weg hier herein führt durch diese Tür.«

»Aber … warum sitzt er auf seinem Stuhl?«, fragte ich.

»Damit es mehr nach einem Fall von spontaner Selbstentzündung aussieht?«, fragte Leilah zurück.

Wir alle hielten inne mit dem, was wir gerade taten, und schenkten ihr den gleichen irritierten Blick.

Leilah funkelte uns herausfordernd an. »Könnte doch sein! Kommt schon, wir alle haben schon seltsamere Dinge gesehen!«

»Ich nicht«, widersprach Penny.

»Jetzt schon«, sagte ich. »Aber nein, das hier hat nichts Spontanes an sich. Jemand hat Roger ganz bewusst angezündet.«

»Wie?«, fragte Jeeves. »Im Kamin brennt kein Feuer. Wie konnte der Mörder einen Mann so komplett in Brand stecken? Ich meine, Roger hat von Kopf bis Fuß gebrannt. Irgendein Brandbeschleuniger?«

Ich sah ihn fast mitleidig an. »Könnte man so sagen … Tretet mal näher an die Leiche heran. Was riecht ihr außer dem Erwartbaren noch?«

Jeeves und Leilah sahen einander an, beugten sich vor, schnupperten konzentriert und zuckten dann heftig hustend zurück.

Ich erbarmte mich ihrer. »Der Mörder hat die Leiche mit Brandy übergossen. Seht ihr die leere Flasche neben dem Kamin? Sie ist von Kopf bis Fuß damit getränkt. Deshalb ging seine Kleidung so schnell und komplett in Flammen auf. Es bedurfte nur eines Streichholzes. Dann konnte der Mörder zurücktreten und den Leichnam brennen lassen. Das ist eindeutig passiert, als Roger schon tot war. Denn niemand bleibt ruhig in seinem Stuhl sitzen, wenn er verbrennt.«

»Nein, verdammt«, sagte Jeeves, der plötzlich erschauerte. »Er wäre vielmehr im Zimmer herumgerannt, hätte sich die Lunge aus dem Leib geschrien, wäre mit Möbeln kollidiert, hätte heißes Fett verspritzt und so Einrichtungsgegenstände in Brand gesetzt …«

Er hielt inne und sah Penny entschuldigend an, die nur knapp nickte. Leilah knuffte Jeeves hart gegen den Arm. Er zuckte rasch die Achseln.

»Könnte darin eine Verbindung liegen?«, fragte Leilah langsam. »Im Umgang mit den Leichen? Kälte für James, Hitze für Roger? Könnte das was mit den … Elementen zu tun haben?«

»Serienmörder schicken gerne Botschaften«, meinte Jeeves.

»Können wir nach nur zwei Morden schon von einer Serie sprechen?«, fragte Leilah.

»Glaubst du, er wird es bei diesen beiden bewenden lassen?«, konterte Jeeves.

Leilah sah Penny an. »Er … oder sie.«

»Ja …«, begann Jeeves. Er wandte sich mit aller Macht seiner natürlichen Autorität an Penny. »Haben Sie ein Alibi, Miss Belcourt?«

»Woher zum Teufel soll ich das wissen?«, fragte Penny völlig unerschüttert. »Wir wissen nicht, wann Roger gestorben ist, oder?«

»Niemand hat ein Alibi«, sagte ich. »Genau wie beim Colonel.«

Dann hielt ich inne und betrachtete nachdenklich den Boden.

»Moment mal … es war definitiv noch jemand in diesem Zimmer. Ich sehe Fußabdrücke im Teppich.«

Jeeves und Leilah sahen zuerst einander und dann den Teppich an. Am Ende mussten sie auf allen vieren den Teppich aus der Nähe betrachten, dann nickten sie schließlich zustimmend. Sie erhoben sich wieder, halfen einander fürsorglich auf und sahen mich dann an.

»Du hast wirklich gute Augen«, sagte Jeeves.

»Du bist seltsam«, fand Leilah.

»Mindestens«, bestätigte ich. »Das gehört einfach dazu. Keine Spur von hohen Absätzen, die auf eine Frau hinweisen würden. Nur flache Abdrücke. Einfache Slipper. Der Größe nach könnte es sich um einen Mann oder eine Frau gehandelt haben.«

»Also hilft uns das eigentlich nicht weiter«, stellte Leilah fest.

Jeeves winkte ab. »Haben wir noch etwas übersehen, Ishmael?«

»Ja …«, sagte ich. »Ich rieche noch etwas in diesem Zimmer, etwas, das hier nicht hingehört. Abgesehen vom Erwartbaren. Der Geruch nach verbranntem Fleisch und Brandy überdeckt den von Blut.«

»Du kannst Blut riechen?«, fragte Leilah. »Was zum Teufel bist du eigentlich? Ein Halbbluthund?«

»Er hat schon einmal Blut gewittert«, erzählte Penny. »Unmittelbar bevor wir James' Leiche im Schneemann verborgen gefunden haben.«

»Was lernt ihr nur alles bei der Organisation?«, fragte Jeeves.

Leilah sah Jeeves an. »Glaubst du ihm?«

»Bisher hat er in jedem Punkt recht behalten«, meinte Jeeves.

»Ich finde, ihr solltet die anderen runter bringen«, sagte ich. »Dieses ganze Stockwerk fühlt sich nicht gut an. Bringt sie runter, setzt sie ins Bild, zumindest so weit, wie ihr es für klug haltet, während Penny und ich den Tatort zu Ende in Augenschein nehmen. Ich würde vorschlagen, ihr verschanzt euch im Salon. Nur eine Tür, leicht zu verteidigen, und es gibt etwas zu essen und zu trinken. Sollte für den Augenblick hinreichend sicher sein.«

»Ich glaube, ich werde mich nie wieder sicher fühlen«, sagte Penny. Sie sah die Leiche an. »Oder hungrig. Nie mehr.«

Leilah sah mich trotzig an. »Wir nehmen von dir keine Befehle entgegen! Wir sind nur dem Kunden verantwortlich. Warum sollten wir die Schafe bewachen?«

»Weil ihr Waffen habt«, erwiderte ich.

»Außerdem ist das unser Beruf, Leilah«, fügte Jeeves hinzu. »Wir klären keine Morde auf. Wir schützen den Klienten. Korrekt?«

»Ich finde ihn immer noch seltsam«, murmelte Leilah.

Sie verließen das Zimmer, und ich hörte sie auf dem Gang höflich und nachdrücklich auf die anderen Gäste einreden. Dann gingen alle nach unten, Jeeves und Leilah vorneweg, gefolgt von Khan und Sylvia und schließlich Walter und Melanie. Ich wandte mich wieder der Leiche zu. Penny starrte in das zerstörte Gesicht.

»Ich wollte ihn los sein«, sagte sie. »Aber nicht so. Weißt du, er war kein schlechter Kerl. Nicht wirklich. Er hat sich nur in die falsche Frau verliebt. Er hätte sich eine suchen sollen, die … netter zu ihm ist.«

Abrupt wandte sie sich ab und verließ das Zimmer. Draußen atmete sie in tiefen Zügen die etwas frischere Luft ein. Ich ging zu ihr, verharrte aber unter der Tür und sah noch einmal zurück. Ich wurde das Gefühl nicht los, dass mir etwas entging. Ein wichtiges Detail …

Als ich die Tür schließen und verriegeln wollte, stellte ich fest, dass der Schlüssel innen steckte. Also hatte der Mörder … ihn stecken gelassen? Hatte die Tür offen gelassen, sodass wir die Leiche finden konnten? Warum sollte der Mörder das tun, nachdem er sich solche Mühe gegeben hatte, die Leiche des Colonels zu verstecken? Oder konnte es sein, dass der Mörder es so eilig gehabt hatte, dass ihm keine Zeit geblieben war, die Tür zu verschließen? Was bedeutete das? Dass der Mörder Roger fast unmittelbar nach Betreten von dessen Zimmer getötet hatte? Warum die Eile? Wie hatte der Mörder Roger so schnell überwältigen können? Roger war nicht gerade das, was ich einen Kämpfer genannt hätte, aber er hatte sich doch sicher gewehrt … es sei denn, der Mörder hatte ihn komplett überrascht … oder betäubt.

Ich zügelte meine Gedanken. Viel zu viele Fragen und kaum Antworten.

Ich verschloss die Tür und steckte den Schlüssel ein. Ich brauchte Zeit zum Nachdenken, bevor ich jemand anderen die Leiche inspizieren ließ. Dann trat ich zu Penny. Sie atmete noch immer tief durch, hatte aber schon wieder eine etwas gesündere Gesichtsfarbe. Penny sah mir direkt in die Augen.

»Du glaubst nicht, ich hätte Roger umgebracht, oder, Ishmael?«

»Ich sehe keinen Anlass«, antwortete ich.

»Das habe ich nicht gefragt«, sagte Penny.

»Ich halte dich zu so etwas nicht für fähig«, ergänzte ich. Penny lächelte. »Danke.«

Plötzlich umarmte sie mich. Ich ließ es zu.

»Natürlich«, fügte ich hinzu, »habe ich mich auch schon in Menschen geirrt.«

»Das war ein wunderbarer Augenblick«, murmelte Penny in meine Schulter. »Verdirb ihn nicht.«

»Sorry«, sagte ich.

Nach einer Weile ließ sie mich los und trat zurück. Sie strahlte. »Da wir beide die Einzigen in diesem Haus sind, denen wir jeweils trauen können, finde ich, wir sollten gemeinsam das Rätsel lösen und den Mörder finden. Wir haben beide gute Gründe, diesen Drecksack zur Strecke zu bringen. Ich will Roger rächen und du James. Deinen Colonel.«

»Warum vertraust du mir?«, fragte ich. »Du kennst mich kaum.«

»Ich weiß nicht«, erwiderte Penny. »Einfach so. Manchmal muss man jemanden einfach nur ansehen, dann weiß man Bescheid.«

»Ja«, sagte ich. »Ich weiß.«

Dann sah ich mich hektisch im Korridor um. »Halt! Moment mal! Ich wusste doch, dass mir etwas entgangen ist … wo ist Diana? Sie war vorhin nicht zusammen mit den anderen hier.«

»Du hast recht!«, sagte Penny. »Sie war nicht hier, aber es ist mir gar nicht aufgefallen … warum nicht? Und warum ist sie nicht mit den anderen hier aufgetaucht? Oh, warte mal. Sylvia könnte Diana ein Schlafmittel verabreicht haben.«

»Warum ist Sylvia dann mit den anderen runtergegangen und hat Diana hier oben sich selbst überlassen, mutterseelenallein in ihrem Zimmer, ohne einen Ton darüber zu sagen?«

»Schock?«, fragte Penny. »Roger so zu finden muss …«

»Warum ist uns nicht aufgefallen, dass Diana nicht bei den anderen war?«, fragte ich. »Hier stimmt etwas ganz und gar nicht. Welches ist Dianas Zimmer?«

»Daddy hat sie im Primelzimmer untergebracht«, antwortete Penny. »Diana besteht darauf, jedes Jahr dasselbe Zimmer zu bekommen.«

Sie ging voraus. Die Tür zu Dianas Zimmer war geschlossen und, wie ich durch Drücken der Klinke herausfand, auch verriegelt. Penny klopfte laut an die Tür und rief Dianas Namen. Keine Antwort. Ich witterte.

»Blut«, stellte ich fest. »Ich rieche Blut.«

»Durch eine geschlossene Tür?«, fragte Penny.

Mit einem heftigen Stoß meiner Hand drückte ich die Tür auf. Das Schloss brach heraus und die Tür flog aus den Angeln. Sie kippte ins Zimmer und lag der Länge nach auf dem Teppich.

Penny sah mich an. »Okay, jetzt bin ich ernsthaft beeindruckt.«

»Alles Teil der Ausbildung«, sagte ich.

»Echt?«

»Nein.«

Im Zimmer war es stockfinster. Ich fand den Lichtschalter und legte ihn um. Penny wollte hineineilen, aber ich hielt sie mit einer Geste zurück. Vorsichtig trat ich ein und blieb dann stehen. Das Bett war leer und kein bisschen zerwühlt. Es war unberührt. Im Zimmer war es still, nichts regte sich. Ich roch Dianas Parfüm, halb verborgen unter einem halben Dutzend anderer Gerüche. Sie war hier irgendwo. Ich ging weiter, folgte dem Geruch quer durch den Raum, und Penny blieb dicht an meiner Seite. Am Ende stand ich vor dem Kamin. Er war viel größer als der in meinem Zimmer. Jemand hatte Unmengen von Kohle ins Feuer gelegt, und es brannte heftig und gab jede Menge Hitze ab. Ich kniete nieder, griff mit beiden Händen ins Feuer, schob die brennenden Kohlen auseinander, zerrte einige heraus und verteilte sie auf dem Kamingitter. Es dauerte nicht lange.

Penny sah sich das alles aus sicherer Entfernung an und bewegte sich nur gelegentlich, um mit dem Fuß ein glühendes Stück Kohle zurück aufs Kamingitter zu schieben, wenn es zu weit gerollt war und Anstalten machte, den Teppich in Brand zu setzen. Nachdem ich das Feuer gelöscht hatte, zwängte ich mich in die Kaminöffnung und sah in den breiten Kamin hinauf. Plötzlich roch es stärker nach Dianas Parfüm.

Penny stieß plötzlich ein schockiertes Geräusch aus. »Ishmael, nicht! Sie kann nicht …«

Ich zwängte meine Schultern in den Kaminschacht, griff nach oben ins Dunkel und ertastete eine herabhängende Hand, die ich fest umschloss. Dann zog ich Dianas Leiche aus dem Kamin aufs Kamingitter herunter. Man hatte sie weit nach oben geschoben und fest verkeilt, was dafür sprach, dass der Mörder sehr stark war. Doch ich war stärker und entschlossener.

Ich trat zurück und zog Dianas Leichnam komplett aus dem Kamin. Penny machte mir Platz und gab entsetzte Laute von sich, als ich Diana auf den Teppich legte. Hitze und Rauch hatten sie fast bis zur Unkenntlichkeit verändert, aber es war eindeutig Diana. Ich erkannte die Kleidung und das Parfüm wieder. Neben der Leiche setzte ich mich auf den Boden.

Penny ging neben mir in die Hocke. »Ishmael, lass mich deine Hände anschauen.«

»Es geht ihnen gut.«

»Das kann nicht sein. Du hast gerade mitten ins Feuer gegriffen. Lass mich sehen, wie schlimm sie verbrannt sind.«

»Es geht ihnen gut!« Ich zeigte ihr meine Hände. Sie waren gerötet, aber nicht verbrannt.

»Das verstehe ich nicht«, sagte Penny.

»Konzentriere dich aufs Wesentliche«, erwiderte ich. »Diana ist tot.« Penny sah mich argwöhnisch an, dann wandte sie ihre Aufmerksamkeit der Leiche zu. »Es ist genau wie in der alten Geschichte von Edgar Allan Poe«, sagte sie. »Der Doppelmord in der Rue Morgue! Aber da war ein Orang-Utan der Mörder. Nein. Ich kann es nicht glauben ... Bist du sicher, dass das Diana ist? Ich meine, das Gesicht ist ...«

»Sie ist es«, beharrte ich. »Ich kenne sie. Ihre Kleidung, ihr Parfüm, ihren Körper. Ich kenne sie in- und auswendig.«

Ich nahm Diana in die Arme, presste sie an mich und wiegte sie wie ein Vater sein schlafendes Kind. Ich weinte nicht, aber etwas in meinem Gesicht veranlasste Penny, neben mir niederzuknien. Sie versuchte nicht, mich zu berühren und sagte kein Wort. Sie blieb einfach bei mir und tröstete mich nach Kräften mit ihrer schlichten Anwesenheit. Diana lag leicht, federleicht in meinen Armen, als habe sich alles verflüchtigt, was an ihr wichtig gewesen war.

»Du hättest sie tanzen sehen sollen, Penny«, sagte ich schließlich. »Als sie noch jung, talentiert und voller Leben war. Startänzerin im Crazy Horse in Paris. Wenn sie sich auf dieser Bühne bewegte ... war sie wundervoll anzuschauen.«

»Was?«, fragte Penny. »Tut mir leid, Ishmael. Ich verstehe kein Wort.«

»Sie hatte es nicht verdient, so zu sterben«, sagte ich.

»Roger und James auch nicht«, sagte Penny.

Ich erhob mich, den Leichnam noch immer mühelos auf den Armen, durchquerte den Raum und legte Diana respektvoll aufs Bett. Ich faltete ihr die Hände auf der Brust. Dankenswerterweise waren ihre Augen geschlossen.

Penny war dicht an meiner Seite. »Warum hat der Mörder das getan?«, fragte sie. »Warum hat er die arme, alte, wehrlose Diana getötet? Sie hatte weder Geld noch ... und warum tut der Mörder den Leichen diese schrecklichen Dinge an?«

»So viele Fragen«, meinte ich. »Warum ist Sylvia nicht aufgefallen, dass Diana weg war?«

»Ich vermute … sie hatte nur Roger und seinen schrecklichen Tod im Kopf«, überlegte Penny.

»Könnte jemand Diana getötet haben, nachdem Sylvia das Zimmer verlassen hatte?«, fragte ich langsam. »Könnte Diana hier ermordet worden sein, während wir alle mit Roger beschäftigt waren?« Ich sah Penny an. »Hast du irgendwann bemerkt, dass jemand nicht bei der Gruppe war?«

»Nein«, sagte Penny. »Ich war völlig konzentriert auf das, was Roger widerfahren war. Jeder hätte kommen und gehen können …«

»Ich auch«, sagte ich. »Schau dich mal um. Auch hier keine Kampfspuren. Keine umgestürzten Möbelstücke. Nicht einmal Spuren auf dem Teppich. Als hätte der Mörder einfach … Diana getötet und dann direkt in den Kamin geschoben. In Windeseile …«

»Aber warum?«, fragte Penny fast verzweifelt. »Warum hat er danach das Feuer angefacht? Warum hat er James den Kopf abgesägt und Roger angezündet? Warum hat er all das getan, nachdem sie schon tot waren?«

»Diese Fragen setzen voraus, dass es einen Grund gibt«, sagte ich langsam. »Das wir es nicht nur mit einem Psycho zu tun haben, der uns eine Nachricht schickt, die nur für ihn Sinn ergibt … warum hat sich der Mörder solche Mühe mit den Leichen gegeben? Sie waren alle versteckt, entstellt … ja! Das ist es! Er hat alle Leichen beschädigt und entstellt, um eine spezifische, allen Leichen gemeinsame Verletzung zu verschleiern! Schnee, Feuer, Hitze und Rauch … um die gemeinsame Mordmethode zu verbergen! Ich habe bei allen drei Leichen dasselbe gerochen, Penny: Blut. Aber es gibt nirgends Spuren von Blutvergießen in der Nähe der Leichen. Wo also ist das ganze Blut hin?«

Ich beugte mich über das Bett und sah mir Dianas Leiche genauer an. Es dauerte eine Weile, aber schließlich fand ich, was ich suchte. Bissspuren an ihrem Hals. Direkt über den Hauptschlagadern. Nicht nur Nadelstiche oder zwei Bissspuren, sondern der komplette Abdruck eines Gebisses, so groß wie das eines Menschen, tief ins Fleisch eingeprägt. Die Hitze und die Raucheinwirkung hätten diese Abdrücke bei einer oberflächlichen Untersuchung verborgen. Nach zwei oder drei Tagen im Kamin wäre eine komplette Autopsie notwendig gewesen, um die Wunden zu entdecken. Ich richtete mich auf und stand eine Weile nachdenklich da. Penny sah mich gespannt an.

»Was haben alle drei Leichen gemeinsam?«, fragte ich schließlich. »Spuren von Gewaltanwendung, aber kein Blut. Weil es kein Blut mehr zu vergießen gab …«

Ich wandte mich ab und rannte aus Dianas Zimmer. Penny eilte mir nach und versuchte, mit mir Schritt zu halten. Am Ende des Ganges, vor Rogers Tür, hielt ich nicht an, um sie zu öffnen, sondern trat sie einfach ein und stürmte hindurch. Ich beugte mich über den Stuhl und drückte den verbrannten Kopf nach hinten, um den Hals inspizieren zu können, wobei ich das laute Knacken der Knochen ignorierte. Jetzt, wo ich wusste, wonach ich suchen musste, fand ich die von den Verbrennungen überdeckten Zahnabdrücke schnell. Ich wies Penny darauf hin, aber so nah wollte sie dem Toten nicht kommen.

»Na schön!«, sagte sie ein wenig atemlos. »Ich glaube dir. Bissspuren am Hals. Der Killer hat sie gebissen. Um eine Art Signatur zu hinterlassen?«

»Nicht ganz«, antwortete ich.

Ich ließ Rogers Kopf los und trat von der Leiche zurück. Lange musterte ich Penny, dann zog ich den schlanken Dolch aus der in meinem Ärmel verborgenen Scheide am linken Unterarm.

»Hast du nicht gesagt, du magst keine Waffen?«, fragte Penny.

»Tue ich auch nicht«, sagte ich. »Aber manchmal sind sie nützlich.«

Ich kniete nieder und brachte Roger einen tiefen Schnitt am linken Handgelenk bei, das auf der Armlehne des Stuhls lag. Die rasiermesserscharfe Klinge glitt problemlos durch das verkohlte Fleisch und durchtrennte die Hauptschlagader, doch es floss kein Tropfen Blut.

»Der Leichnam ist blutleer«, sagte ich zu Penny. »Genau wie Dianas. Man hat den Colonel nicht enthauptet, um ihn zu töten oder die Identifikation zu erschweren, sondern um die Leute abzulenken. Beim Enthaupten ist es nur darum gegangen, den Hals so stark zu verletzen, dass die Spuren nicht auffielen. Der Mörder ist also davon ausgegangen zu entkommen. Er hatte Zeit, sich an der Leiche zu schaffen zu machen, sie hinaus ins Freie zu bringen und dann im Schneemann zu verstecken. Offenbar hat er damit gerechnet, dass die Leiche erst entdeckt werden würde, wenn es taut, und bis dahin wäre er lange weg gewesen. Er hat nicht gewusst, dass ein Sturm seine Abreise verhindern würde. Jetzt muss er improvisieren, um seine Nahrungsaufnahme zu tarnen.«

Den Dolch noch immer in der Hand richtete ich mich auf und sah Penny ruhig an. »Tut mir leid. Ich kann es dir einfach nicht schonend beibringen. Unser Mörder ist kein Mensch. Wir haben es mit einem Vampir zu tun.«

Penny sah mich lange an, hin und her gerissen zwischen Schock und nervösem Lachen. »Was? Ist das dein Ernst? Erwartest du wirklich, dass ich das glaube, Ishmael? Das ist deine tolle Schlussfolgerung? Graf Dracula bringt uns der Reihe nach zur Strecke? Nein. Nein! Bis hierher habe ich dir geglaubt, aber jetzt reicht's. Ich will eine Erklärung. Auf der Stelle. Für dich, Ishmael. Wer bist du wirklich? Was genau hast du für deinen Colonel getan?«

»Ich jage Monster«, antwortete ich. »Weil ich keins sein will.« Ich erklärte es ihr, so gut ich konnte. Erzählte von dem Stern, der 1963 vom Himmel gefallen war. Von den Umwandlern, die mich zum Menschen gemacht hatten. Von meiner Arbeit für die Organisation. Penny riss die Augen auf, sagte aber kein Wort.

»Ich bin ein Mensch«, erklärte ich schließlich. »In jeder Hinsicht, die wirklich etwas bedeutet. Aber ich wurde geschaffen, nicht geboren. Ich bin stärker und schneller als die meisten Menschen. Meine Sinne sind schärfer. Ich sehe und höre Dinge, die den meisten Menschen entgehen.«

»Erwartest du wirklich von mir, dass ich diesen … Scheiß glaube?«, fragte Penny. »Wie könnte ich das denn?«

»Es ist aber wahr«, entgegnete ich. »Du weißt, du kannst mir vertrauen.«

»Das dachte ich, als ich dich noch für geistig gesund hielt!«

»Man sagt, sehen heißt glauben«, antwortete ich.

»Du bist verrückt«, befand Penny. »Tut mir leid, Ishmael, aber du bist verrückt! Anders kann ich es mir nicht erklären.«

»Über diese Möglichkeit habe ich lange sehr ernsthaft nachgedacht«, räumte ich ein. »Bis ich einen Unfall hatte.«

»Ishmael?«, sagte Penny vorsichtig. »Warum hast du immer noch das Messer in der Hand?«

Ich legte den Dolch an mein linkes Handgelenk und fügte mir einen tiefen Schnitt zu. Goldenes Blut floss über mein Handgelenk. Penny gab ein kehliges Geräusch von sich und wich zurück, bis das halbe Zimmer zwischen uns lag. Die Wunde schloss sich, und das goldene Blut versiegte. Ich wischte die Klinge an meinem Ärmel ab und ließ den Dolch wieder zurück in seine Scheide gleiten.

»Sehen heißt glauben«, wiederholte ich.

»Na schön«, sagte Penny heiser. »Du hast … goldenes Blut. Wow. Wenn ich es nicht mit eigenen Augen gesehen hätte, würde ich es nicht … das kannst du nicht getürkt haben. Also … ich bin immer noch nicht sicher, ob ich alles … akzeptieren kann, was du mir gerade gesagt hast, aber fürs Erste belassen wir es mal dabei. Später, wenn ich mehr Zeit dazu habe, kriege ich dann in aller Ruhe einen Schreikrampf. Eine Begegnung der dritten Art mitten in einem Krimi in einem Landhaus … damit hatte ich dieses Wochenende nicht gerechnet. Arbeiten für die Organisation nur Außerirdische?«

»Nein«, sagte ich. »Das wäre mir aufgefallen.«

»Na immerhin. Also! Ein Außerirdischer, der sich als Mensch ausgibt, ist hier, um einen Vampir aufzuspüren, der dasselbe tut. Hat der Colonel davon gewusst …?«

»Vielleicht«, sagte ich. »Weißt du noch, was er in seinem Brief geschrieben hat? Ein Schrecken ist über Belcourt gekommen …«

»Warum hat er denn nicht einfach gesagt, dass es sich um einen Vampir handelt?«

»Vielleicht war er sich nicht sicher«, vermutete ich. »Solche Wesen sind selten. Ich bin noch nie einem begegnet. Ich kenne auch niemanden, der schon mal einem Vampir begegnet ist. Aber der Colonel muss Grund zu der … Annahme gehabt haben. Deshalb wollte er unbedingt, dass ich herkomme. Er wollte, dass ein Monster ein anderes erledigt.«

»Er hat also gewusst … was du bist?«

»Ich habe ihn nie gefragt«, antwortete ich. »Ich habe mir größte Mühe gegeben, mein wahres Wesen geheim zu halten.«

»Warum?«

»Weil ich nicht in einem Käfig enden will«, erwiderte ich. »Oder auf einem Sektionstisch. Dieser Planet empfängt illegal eingereiste Außerirdische nicht gerade mit offenen Armen.«

»Sagen wir es den anderen?«, fragte Penny.

»Wahrscheinlich keine gute Idee«, sagte ich. »Die haben schon genug um die Ohren. Außerdem frage ich mich, wie es kommt, dass zwei Besucher dieser kleinen Versammlung mich von früher kennen. Diana aus den Sechzigern und Alexander Khan aus den Achtzigern.«

»Moment mal!«, sagte Penny. »Du meinst, Alex hat wirklich dich erkannt … und nicht deinen Vater? Dich? Kennt Diana dich etwa auch wirklich aus Paris? Bist du tatsächlich so alt? Heilige Scheiße …«

»Ich habe zusammen mit Alex bei einer Regierungsbehörde gearbeitet, bei Black Heir«, gab ich zu. »Diana und ich waren früher mal ein Paar.«

»Ein Paar?«, fragte Penny. »Igitt …«

»Sie war mal so schön wie du heute«, erklärte ich.

»Du scheinst recht schnell über ihren Tod hinweggekommen zu sein«, mutmaßte Penny.

»Ich habe gelernt, meine Gefühle zu verbergen«, sagte ich. »Weil sie nicht immer komplett menschlich sind. Ich werde sie und den Colonel rächen.«

»Roger auch?«, fragte Penny spitz.

»Natürlich«, antwortete ich. »Aber ich will trotzdem wissen, warum zwei Leute aus meiner Vergangenheit hier sind, um an derselben Weihnachtsfeier teilzunehmen. Zufall? Oder vom Colonel arrangiert? Er hat immer gedacht, er hätte mein Leben besser im Griff als ich selbst. Jetzt, wo er tot ist, werde ich es nicht mehr erfahren. Er hat mich fünfzehn Jahre vor der Welt versteckt. Wer wird mich jetzt beschützen?«

Für einen Augenblick war ich völlig außer mir und wusste nicht, was ich sagen oder denken sollte.

Penny durchquerte langsam den Raum und trat vor mich hin. »Dies ist nicht der richtige Zeitpunkt, um dich in der Vergangenheit zu verlieren, Ishmael. Konzentrier dich auf die Gegenwart, auf das Hier und Jetzt. Wir sind in Gefahr. Du, ich und alle da unten werden von einem Vampir bedroht. So. Jetzt habe ich das Wort mit V gesagt. Wir alle sind auf dich angewiesen, Ishmael.«

»Ja«, sagte ich. »Schon gut, Penny. Ich bin wieder da. Du hast natürlich völlig recht. Ich werde euch nicht enttäuschen.« Ich hielt inne und sah sie lange an. »Penny … ich bin immer noch ich. Ich habe mich nicht verändert. Ich bin immer noch der Mann, dem du vertrauen zu können glaubtest.«

»Ja«, sagte Penny. »Ich vertraue dir. Was auch immer du bist.«

Wir lächelten einander an. Dann verließen wir Rogers Zimmer und traten zusammen wieder auf den Gang hinaus.

Nebeneinander standen wir oben an der Treppe und schauten hinunter. Leise hörte ich Stimmen aus dem Salon. Es reichte gerade aus, um zu erkennen, dass alle dort waren.

»Was wissen wir über Vampire?«, fragte ich. »Ich meine, was wissen wir wirklich? Im Gegensatz zu dem, was wir aus all den Filmen, Fernsehserien und seltsamen romantischen All-Age-Romanen zu wissen glauben? Die kamen mir immer schon … seltsam vor. Ich finde, die Blutsauger haben nichts Romantisches an sich.«

»Ich weiß, dass Dracula ursprünglich kein Roman war, der in der Vergangenheit spielte«, sagte Penny. »Ich habe das Buch im College gelesen. Wir sind daran gewohnt, es so zu sehen. Aber bei der Erstveröffentlichung von Bram Stokers Roman war Graf Dracula in der Welt seiner Leser unterwegs, der Welt vor ihren Fenstern. Der Vampir war umgeben von all den neuen technologischen Errungenschaften seiner Zeit. Eisenbahnen, Autos, Telegramme und Bluttransfusionen. Dracula war eine übernatürliche Kreatur, die in eine auf Wissenschaft beruhende Zivilisation eindrang.«

»Ich bin schon vielen seltsamen Wesen begegnet«, sagte ich. »Teufel auch, ich bin selbst eines und komme immer noch nicht richtig damit klar. Wir müssen herausfinden, welche Vampirlegenden vermutlich auf Wahrheit beruhen und welche nur abergläubische Märchen sind.«

»Nun«, begann Penny, »ich weiß definitiv, dass alle Anwesenden irgendwann schon mal bei Tag draußen waren. Außerdem hat ganz sicher keiner einen Sarg dabei, in dem er schläft. Das wäre Jeeves aufgefallen. Wir haben alle dasselbe gegessen und getrunken. Teufel auch, wir alle hatten gestern Abend Huhn Kiew mit jeder Menge Knoblauch … alle haben Spiegelbilder …«

»Kreuze?«

»Ich habe nirgends eines gesehen«, sagte Penny stirnrunzelnd. »Daddy war noch nie sehr religiös. Aber niemand hatte ein Problem mit den religiösen Elementen der Weihnachtsfeier. Was sind Vampire eigentlich?«

»Aus dem Grab wiederauferstandene Leichen«, erklärte ich. »Sie befreien sich aus ihren Särgen und wühlen sich an die Oberfläche. Um als Untote auf Erden zu wandeln und sich von den Lebenden zu nähren. Ein Vampir ist ein Raubtier, das sein wahres Wesen hinter einem Zauber verbirgt. Einem angenehmen Äußeren. Es handelt sich um eine telepathisch gewirkte Illusion, die dazu führt, dass wir ihn als normales menschliches Wesen sehen, nicht als untoten wandelnden Leichnam. Deshalb riechen Vampire für mich nicht anders und sehen auch nicht anders aus. Tatsächlich nehme ich wahrscheinlich sogar Unterschiede wahr. Es fällt mir nur nicht auf. Er verhindert mental, dass ich sie bemerke. Das ist tatsächlich ziemlich unheimlich. Dadurch haben wir zum Beispiel übersehen, dass Diana nicht in der Gruppe vor Rogers Zimmer dabei war.«

»Bis jemand anders nach unten ging!«, folgerte Penny und hüpfte vor Aufregung auf und ab. »Bedeutet das, die Kräfte des Vampirs haben eine Reichweitenbeschränkung?«

»Könnte sein«, sagte ich. »Er muss inzwischen wissen, dass er in Gefahr ist. In Gefahr, erkannt und als das enthüllt zu werden, was er wirklich ist. Er muss wissen, dass er uns alle wird töten müssen, um seine Sicherheit zu gewährleisten. Einen nach dem anderen. Nicht um des Blutes willen. Er müsste mittlerweile satt sein. Nein, um seiner Sicherheit willen. Er kann sich keine Zeugen leisten ... die würden nur wilde Geschichten über einen Vampir erzählen. Tatsächlich sind die Menschen heute abergläubischer denn je. Sie glauben einfach alles. Nein. Er wird uns alle umbringen, nur um sich sicher zu fühlen, hier das Ende des Sturms abwarten und sich dann ins nächste Dorf begeben. Dort wird er verschwinden. Zurück bleibt dann nur ein Haus voller Leichen. Vielleicht brennt er das Herrenhaus auch nieder. Damit niemand je erfährt, was hier passiert ist. Nur ein weiteres ungelöstes Rätsel.«

»Warum ist der Vampir noch nicht weg?«, fragte Penny. »Einfach abgehauen? Kälte macht Untoten doch nichts aus, oder?«

»Ich weiß es nicht!«, antwortete ich. »Wirklich, ich weiß es nicht, Penny! Vampire sind nicht mein Fachgebiet. Ich hätte nie gedacht, dass ich mal einem begegnen würde.«

»Was ist denn dann dein Fachbereich?«

»Ich erzähle es dir später«, sagte ich.

»Besser wäre es«, mahnte Penny.

»Wir müssen herausfinden, wer von den verbleibenden Gästen der Vampir ist«, sagte ich. »Dann machen wir ihn fertig.«

»Aber Ishmael - was, wenn wir uns irren? Wir können doch nicht einfach jemanden pfählen!«

»Keine Sorge«, sagte ich. »Wir tun erst etwas, wenn wir sicher sind. Todsicher.«

Ich war schon immer gut im dreisten Lügen gewesen.

»Warum schnappt er sich uns einen nach dem anderen?«, fragte Penny. »Warum löscht er uns nicht einfach … alle aus?«

»Wahrscheinlich, weil er nicht halb so mächtig ist, wie er uns glauben machen möchte«, vermutete ich.

»Das ist das erste Beruhigende, was du bisher gesagt hast«, meinte Penny.

Neun

Weitere Todesfälle und etwas, das nicht tot genug ist

Ich musterte Penny nachdenklich, als wir die lange Wendeltreppe hinuntergingen, um uns den anderen im Salon anzuschließen. Ich fand, sich hielt sich alles in allem ziemlich gut. In all meiner Zeit auf Erden hatte ich mich nur fünf Menschen anvertraut. Mit vier davon hatte es kein gutes Ende genommen. Deshalb hielt ich Penny am Fuße der Treppe auf und sah sie ruhig an.

»Lass uns den anderen nicht verraten, was ich bin«, bat ich.

»Gute Idee«, stimmte Penny mir zu. »Ich wüsste auch gar nicht, wo ich anfangen soll.«

»Aber«, sagte ich, »von dem Vampir müssen wir Ihnen erzählen.«

»Lass uns darüber mal noch einen Augenblick nachdenken«, meinte Penny. »Wir können ihnen sagen, dass unser Mörder ein übernatürliches Nachtgeschöpf ist, aber nicht, dass du ein kleines grünes Männchen aus dem Weltall bist? Warum?«

»Weil ich sie nicht ablenken will«, erwiderte ich. »Es wird ihnen schon schwer genug fallen zu akzeptieren, dass ein Vampir in ihrer Mitte ist, auch ohne dass wir ihnen auch noch die Sache mit mir zumuten.«

»Verstehe«, sagte Penny. »Mir fällt es immer noch schwer zu akzeptieren, was du bist, und ich habe den Beweis gesehen.«

»Die anderen haben ein Recht darauf zu wissen, was sie wirklich bedroht«, erklärte ich, »und sei es nur, um einen Weg zu finden, wie wir uns am besten verteidigen können.«

»Ich sage ja gar nichts dagegen«, antwortete Penny. »Nur … wie wollen wir ihnen diese ganze Vampirsache erklären?«

»Verbal«, sagte ich.

»Hohoho«, machte Penny. »Außerirdischenhumor.«

»Einer von ihnen weiß es schon«, sagte ich. »Also ist derjenige, der am lautesten widerspricht …«

»Mit ziemlicher Sicherheit der Vampir!«, schloss Penny.

»Siehst du, wie einfach es ist?«, fragte ich.

Penny lächelte breit. »Ich kann dich von hier aus schlagen.«

Ich sah die geschlossene Tür des Salons an, von der uns der halbe Korridor trennte. Dahinter stritten Leute laut, wütend und grenzhysterisch.

Niemand schien sicher zu sein, wie es weitergehen sollte, aber das schien sie nicht davon abzuhalten, sich darüber zu streiten. Also blieb ich, wo ich war und hörte zu.

»Wir sollten einfach von hier abhauen!«, schluchzte Sylvia. »Das Haus verlassen und Fersengeld geben. Mir gefällt es hier nicht, und ich will weg!«

»Dann gehen Sie doch«, sagte Melanie kalt. »Niemand wird Sie aufhalten.«

»Allein will ich nicht gehen«, gab Sylvia zu. »Ich habe Angst vor dem Sturm. Davor, mich zu verirren. Kommt niemand mit?«

»Es ist zu gefährlich, Sylvia«, gab Khan zu bedenken, eindeutig bemüht, teilnahmsvoll zu klingen. »Uns allen ist klar, wie furchterregend unsere Situation ist, aber der Sturm ist noch viel gefährlicher. Es wäre Selbstmord, jetzt das Haus zu verlassen.«

»Melanie?«, fragte Sylvia.

»Seien Sie nicht albern«, sagte Melanie sofort. »Ich kann Walter nicht alleinlassen, und er würde da draußen in der Kälte keine zehn Minuten überleben.«

»Das würde niemand«, stellte Jeeves fest. »Ich habe vor ein paar Minuten vor die Haustür geschaut, und der Sturm ist kalt genug, um uns alle umzubringen, lange bevor wir einen sicheren anderen Unterschlupf gefunden hätten.«

»Ich bin immer noch der Auffassung, wir sollten uns alle in unseren Zimmern einschließen!«, sagte Melanie. Sie kämpfte um Selbstbeherrschung, war aber kurz vor dem Durchdrehen. »Warum hört mir eigentlich niemand zu? Nur das garantiert unsere Sicherheit, bis Hilfe kommt!«

»Die Hilfe ist unterwegs«, versicherte Jeeves. »Meine Leute sind auf dem Weg hierher, aber sie werden erst morgen früh eintreffen. Frühestens.«

»Roger hat es nicht geholfen, sich in seinem Zimmer einzuschließen«, warf Leilah ein. »Oder?«

»Wir sollten alle zusammenbleiben«, sagte Khan. »Zusammenbleiben und aufeinander aufpassen. Zu mehreren ist man sicherer. Ishmael hat recht gehabt. Er mag nervig und überheblich sein, aber er hat recht gehabt. Wenn wir auf ihn gehört hätten, würde Roger vielleicht noch leben.«

»Ishmael, Darling«, begann Penny. »Bitte sag mir, was du tust, denn du hast dich seit einer Weile nicht mehr gerührt, dein Gesicht ist völlig ausdruckslos, und ich drehe gleich völlig hohl.«

»Tut mir leid«, sagte ich. »Ich habe die anderen im Salon belauscht.« Ich verschaffte ihr einen Überblick über das Gehörte.

Penny schaute den Gang entlang zur Tür des Salons. »Du verstehst, was sie sagen? Auf diese Entfernung? Durch eine geschlossene Tür?«

»Ja«, antwortete ich. »Es ist eine Art Gabe.«

Ich stieß die Tür zum Salon auf, und sofort erstarrten und verstummten alle. Sie entspannten sich ein klein wenig, als sie sahen, dass es nur Penny und ich waren, aber sie mussten nur in unsere Gesichter schauen, um zu wissen, dass etwas passiert war, was ihnen nicht gefallen würde.

Ich sah Jeeves an. »Du hättest abschließen sollen.«

»Habe ich«, erwiderte er. »Aber dann musste ich wieder aufschließen, weil die Leute darauf bestanden, ungehindert kommen und gehen zu können, also …«

»Keine gute Idee«, befand ich.

»Ich werde mich nicht in meinem eigenen Haus einsperren lassen!«, verkündete Melanie laut.

»Wären Sie lieber tot?«, fragte ich.

»Also wirklich …«, sagte Melanie.

»Was ist passiert?«, fragte Leilah und sah mich mit zusammengekniffenen Augen an.

»Diana ist tot«, sagte ich, so sanft ich konnte. »Man hat sie in ihrem Zimmer ermordet.«

»Nein!«, rief Sylvia. Sie hatte wieder die Hände vor den Mund geschlagen. »Sie hat geschlafen, also habe ich hinter mir abgeschlossen, als ich das Zimmer verließ. Nachdem wir Roger entdeckt hatten, bin ich dann hier runtergekommen … wie konnte ich sie nur da oben alleinlassen? Was habe ich mir dabei nur gedacht?«

Penny warf mir einen bedeutungsschwangeren Blick zu. Ich hatte diesen Gedanken auch schon gehabt. Konnte es sein, dass der Vampir Sylvias Geist manipuliert hatte? Sie dazu gebracht hatte, ihre Freundin alleinzulassen und dann zu vergessen? Wie wir sie vor Rogers Zimmer stehend alle vergessen hatten?

Sylvia wandte sich wie schon zuvor Trost heischend an Khan. Diesmal aber war er dazu nicht bereit. Er stand nur da und sah sie an. Nicht argwöhnisch, aber auch nicht voller Vertrauen. Sylvia wandte sich ab, erschüttert ob seiner Ablehnung, und schlang die Arme eng um sich, um nicht völlig die Fassung zu verlieren.

»Sie sind die Einzige hier, die wir nicht kennen, Sylvia«, sagte Khan langsam. »Diana hat Sie mitgebracht. Vor diesem Wochenende mussten wir nichts über Sie.«

»Sie Drecksack!«, fuhr Sylvia ihn an. »Sie sind doch hier derjenige mit Motiven für diese Morde! James und Roger sind tot, und mit beiden hatten Sie Streit! Das haben wir alle gesehen! Das haben wir alle gehört! Was hatten Sie gegen Diana? War sie Ihnen bei Ihren Versuchen, Druck auf Walter auszuüben, im Weg?«

Melanie funkelte Sylvia kalt an. »Ich habe Sie hier nie gewollt. Genauso wenig wie Diana. Hinterhältige kleine Schlampe. Wenn

Sie beide weggeblieben wären ... ich habe Diana nur herkommen lassen, weil Walter darauf bestand. Er dachte, wir könnten alle gute Freunde sein ... er war schon immer sentimentaler, als gut für ihn ist.«

»Wo ist Walter eigentlich?«, fragte ich.

Alle verstummten und sahen sich um, nur um sich der Tatsache bewusst zu werden, dass Walter nicht anwesend war.

»Nein ...«, sagte Penny. »Bitte nicht, Ishmael. Nicht Daddy ...«

»Er hat doch gerade erst den Raum verlassen«, meinte Khan. »Oder?«

»Er ist auf unser Zimmer gegangen«, sagte Melanie. »Um seine Pillen zu nehmen. Er ist noch nicht lange weg ...«

»Nicht?«, fragte Khan.

»Wie lange?«, fragte Penny heftig. »Wie lange ist Daddy schon weg?«

Alle sahen einander an, wussten nicht, was sie sagen sollten und waren überrascht, dass sie Walters Abwesenheit nicht früher bemerkt hatten.

»Eine ganze Weile«, schätzte Khan. »Oder?«

»Er hat versprochen, gleich wiederzukommen«, erwiderte Melanie, die sich Bestätigung heischend umsah und keine fand. »Er hat sogar seinen Gehstock hiergelassen.«

Sie deutete auf den Stock, der an der Wand lehnte. Der einsame Holzstock hatte etwas sehr Bedeutsames und sehr Trauriges an sich.

»Der Klient«, sagte Jeeves. »Wir müssen nach dem Klienten sehen, Leilah.«

Ich stürmte los, kam aber abrupt zum Stehen, als mir klar wurde, dass ich nicht wusste, welches Zimmer Walter und Melanie bewohnten. Ich witterte, bereit, mich von meiner Nase leiten zu lassen.

Penny eilte an meine Seite und starrte mich ängstlich an. »Riechst du wieder Blut, Ishmael?«

»Ja«, antwortete ich. »Viel mehr als zuvor.«

»Bedeutet das, Daddy ist tot?«, fragte Penny ruhig.

Ich hätte beinahe ja gesagt, doch ich beherrschte mich. Solange noch eine Chance bestand … »Finden wir es heraus«, beschloss ich. »Wo schlafen deine Eltern?«

Inzwischen hatten Jeeves und Leilah uns eingeholt. Beide hatten die Waffen wieder gezogen.

»Bitte bleiben Sie alle im Salon, während Leilah und ich uns umsehen«, sagt er bestimmt.

»Ja, klar«, meinte Penny.

»Wo schlafen sie?«, fragte ich.

Sie deutete auf die Tür ihrer Eltern, und wir rannten sofort los. Jeeves und Leilah eilten uns nach, wobei Leilah vor sich hin knurrte und fluchte. Ich hörte, wie die anderen uns folgten. Sie wollten wissen, was los war, und keiner von ihnen wollte zurückbleiben. Dann rannte Melanie an mir vorbei zu dem Zimmer, das sie mit ihrem Mann teilte.

Sie rief laut: »Walter! Walter! Geht es dir gut? Antworte, Walter!«

»Bitte, Mrs Belcourt!«, sagte Jeeves sofort. »Wir wollen niemanden auf unser Eintreffen aufmerksam machen!«

Sie ignorierte ihn und rief immer wieder nach ihrem Mann, bis sie zur Tür zu ihrem Zimmer kam und abrupt stehen blieb, weil sie offen stand. Genau wie die von Roger. Melanie blieb reglos stehen und starrte vor sich in die Dunkelheit. Sie zitterte und wimmerte. Jeeves und Leilah ergriffen rasch ihre Arme und schoben sie sanft, aber entschieden zur Seite. Melanie starrte mit weit aufgerissenen Augen wie ein ängstliches Kind stocksteif ins Dunkel. Ich hatte Jeeves und Leilah vorbeigelassen, damit sie sich um sie kümmern konnten. Teils, weil ich nicht gut darin war, Hysterikerinnen zu trösten, und teils, weil ich sie alle aus dem Weg haben wollte, um als Erster den Raum betreten zu können.

Aber am Ende zögerte ich, weil Penny bei mir war. Ich hätte sie bitten können zurückzubleiben, sah den Sinn darin aber nicht. Ich kannte ihre Antwort im Voraus. Jeeves funkelte mich an, während ich vor der offenen Tür stand und in die Finsternis dahinter starrte.

»Ich sollte zuerst hineingehen!«, sagte Jeeves.

Ich nickte zustimmend. Auf diese Entfernung musste ich den Raum nicht betreten, um zu wissen, was passiert war. Der metallische Geruch vergossenen Blutes lag schwer in der Luft. Jeeves und Leilah reichten Melanie, die sich das widerstandslos gefallen ließ, an Khan weiter und traten mit gezogenen Waffen ein. Sie traten nach links und rechts von der offenen Tür weg, spähten in die Dunkelheit und sahen einander finster an, als sie nichts erkennen konnten. Drinnen herrschte bedrohliche Stille. Ich trat vor, griff durch die Tür und schaltete das Licht ein.

Man hatte Walter Belcourt mit einer der antiken Waffen seiner Familie an die gegenüberliegende Wand seines Schlafzimmers genagelt. Ein für die Bärenjagd gedachter Speer ragte aus seiner Brust und hielt ihn so hoch an der Wand fest, dass seine Füße den Boden nicht berührten. Wie ein alter Schmetterling, aufgespießt in einem Präsentationsrahmen. Schlaff wie eine Lumpenpuppe hing er da. Sein Gesicht war totenbleich und völlig blutleer. Diesmal hatte sich der Mörder nicht die Mühe gemacht, die wahre Todesursache zu verbergen. Die brutalen Bissspuren in der zerfetzten, ausgefransten Haut waren unübersehbar. Die Vorderseite seines Körpers war blutverschmiert, und noch immer fielen Blutstropfen träge von seinen baumelnden Füßen. Der Vampir hatte ihn übel zugerichtet. Raserei beim Trinken? Oder nur ein Anzeichen dafür, dass dem Mörder inzwischen alles egal war? Dass er uns wissen lassen wollte, was er war …?

Ich stand ganz still und sah mich in dem leeren Raum um. An einer Wand gab es eine Lücke, eine leere Tafel, an der der Sauspieß einmal gehangen hatte. Der Mörder war gekommen, hatte seine Arbeit getan und war wieder gegangen, ohne dass es jemandem aufgefallen war.

Jeeves und Leilah eilten durch den Raum und nahmen alles in Augenschein. Schließlich senkten sie die Waffen, als ihnen klar wurde, dass sie nichts Nützliches finden würden. Jeeves beugte sich vor und betrachtete die Bissspuren an Walters Hals genau. Er schaute einfach … ungläubig. Leilah wirkte mürrisch und wütend, als habe ihr Klient sie enttäuscht, indem er sich einfach so hatte umbringen lassen.

Dann trat Melanie vor ihren toten Ehemann hin. Wir waren alle so erschüttert von dem, was geschehen war, dass niemand einen Gedanken an sie verschwendet hatte. Sie registrierte, was man ihrem Mann angetan hatte, und stieß einen Schrei aus. Einen lauten, entsetzten, fast tierischen Laut der Qual und des Verlusts. Sie fiel vor der aufgespießten Gestalt an der Wand auf die Knie, berührte mit zitternder Hand die baumelnden Füße und zog sie wieder zurück, als Blut über ihre Fingerspitzen rann. In stiller Verleugnung schüttelte sie den Kopf, und ihre Schultern hoben und senkten sich unter Schluchzen.

Ein Teil von mir fragte sich, ob sie übertrieb.

Penny trat langsam neben ihre Mutter und starrte zu ihrem toten Vater empor. Sie war bleich, aber beherrscht. »Oh, Daddy …«, flüsterte sie.

Dann sah sie wieder mich an, als wisse sie nicht, was sie sagen sollte. Ich streckte die Hand aus, und sie umfasste sie mit beiden Händen und klammerte sich daran wie eine Ertrinkende an die einzig existierende Rettungsleine.

Kopfschüttelnd sah Penny ihren toten Vater an. »Daddy und ich haben uns nie besonders gut verstanden, aber … in letzter Zeit hatte er sich mehr Mühe gegeben. Das hätte ich auch tun sollen, aber … mir gefiel der Gedanke nicht, dass James wieder heimkommt. Weißt du, ich war eifersüchtig auf ihn. Weil er so leicht Daddys Aufmerksamkeit bekam. Obwohl James gegangen und ich geblieben war. Oder zumindest in regelmäßigen Abständen heimgekommen bin. Jetzt werde ich nie herausfinden, ob Daddy und ich das hinbekommen hätten. Oh, sei doch mal leise, Mami! Das ganze Jammern und Klagen bringt doch niemandem etwas! Ich bin sicher, du findest bald einen anderen Ernährer.«

Melanie hörte auf zu weinen. Sie kam auf die Beine und funkelte Penny böse an. »Er ist dir egal. Du hast ihn nie geliebt! Undankbares Kind!«

»Vielleicht hättet ihr nicht solche Rabeneltern sein sollen«, entgegnete Penny. Aber Melanie hörte ihr gar nicht mehr zu. Sie starrte wieder mit jämmerlichem Blick den an die Wand genagelten Leichnam an.

Jeeves und Leilah wechselten einen Blick, nahmen Melanie wieder bei den Armen und führten sie sanft, aber bestimmt aus dem Raum. Sie wollte nicht gehen und versuchte, sich zu widersetzen, aber Jeeves und Leilah waren Profis. Sie hatten eine Aufgabe zu erledigen und würden sich von niemandem daran hindern lassen. Nicht einmal von der Witwe ihres Klienten. Jeeves redete eindringlich auf Khan und Sylvia ein, überantwortete ihnen Melanie, scheuchte alle drei aus dem Raum und schlug ihnen die Tür vor der Nase zu.

Als die Tür sich schloss, hörte ich Sylvia sehr schrill sagen: »Ich muss hier raus! Ich muss aus diesem Haus raus!«

Ich sah Penny an. »Wir müssen das Zimmer inspizieren. Die Spuren sichern. Der Vampir muss sich darüber im Klaren sein, dass wir Bescheid wissen. Er macht sich nicht mehr die Mühe, seine Spuren zu verwischen.«

»Bitte gib mir einen Augenblick, Ishmael«, sagte Penny. »Ich kann nicht ermitteln. Nicht jetzt.«

Ich drückte ihr ein letztes Mal beruhigend die Hände und schloss mich dann Jeeves und Leilah an.

»Ich habe es für das Beste gehalten, den Tatort abzuriegeln«, erklärte Jeeves. Sein Blick war recht ruhig, aber seine Stimme zitterte ein wenig. »Irgendwo hier muss es schlagende Beweise geben.«

»Über diese Phase sind wir hinaus«, entgegnete ich. »Ich weiß, warum und wie Walter getötet wurde.«

Leilah sah mich scharf an. »Ja? Du weißt, warum jemand einen scheißgroßen Speer durch ihn hindurchgerammt hat?«

»Daran ist er nicht gestorben«, sagte ich.

Beide betrachteten die Bissspur an Walters Hals, obgleich sie es eindeutig nicht wollten.

»Natürlich nicht«, bestätigte Jeeves. »Das Blut stammt ausschließlich aus der Halswunde. Aus der Speerwunde ist kein Blut geflossen. Da, auf Halshöhe, ist Blut an die Wand gespritzt, wo er stand, als der Mörder ihn angriff. Der Killer hat ihn post mortem an die Wand genagelt. Wie stark muss man sein, um einen Mann so hoch zu heben und dann mit einem Speer zu durchbohren?«

»Was zum Teufel ist hier passiert?«, fragte Leilah.

»Wir müssen alle wieder in den Salon bekommen«, sagte ich. »Ich glaube, niemand von uns ist sicher, wenn wir einander zu lange aus den Augen lassen.«

»Hört, hört«, meinte Jeeves.

Im Salon saß Melanie zusammengesunken auf einem Sessel, starrte blicklos vor sich hin, hatte sich in ihrer Trauer verloren. Wenigstens hatte sie aufgehört zu weinen. Penny wollte zu ihr gehen, überlegte es sich dann aber anders. Sie, Khan und Sylvia standen jeweils allein da. Niemand wollte einem anderen zu nahe kommen. Jeeves und Leilah schlossen und verriegelten die Tür des Salons und lehnten sich dagegen. Dann sahen mich alle an. Weil allen klar war, dass ich etwas wusste.

Ich schaute mich in aller Ruhe im Zimmer um, um sicherzugehen, dass alle da waren, zählte sogar zweimal nach, nur für den Fall, dass der Vampir meine Gedanken zu manipulieren versuchte. »Na schön«, begann ich. »Wer hat nach Walter diesen Raum verlassen?«

Mehrere Leute räusperten sich, schwiegen dann aber. Offenbar war sich niemand sicher. Sie alle wirkten verwirrt, ohne zu wissen warum.

»Ich schätze«, sagte Khan langsam, »wir haben alle so gestritten, dass es uns nicht aufgefallen ist. Ich glaube, die meisten von uns waren zumindest kurz mal draußen. Aus unterschiedlichen Gründen ...«

»Ich war eine Weile draußen«, sagte Jeeves. »Ich bin den Korridor entlanggegangen, um die Haustür zu öffnen und nach dem Wetter zu schauen. Wollte nachsehen, ob der Sturm ein wenig nachgelassen hatte. Aber ich hatte Leilah Bescheid gesagt. Ich war ja nur ein oder zwei Minuten weg.«

»Das stimmt«, ergänzte Leilah sofort. »Das kann ich bestätigen.«

»Der Sturm hat unverändert getobt«, sagte Jeeves. »Deshalb bin ich direkt zurückgekommen. In meiner Abwesenheit hatte Leilah hier das Sagen.«

Ich sah Leilah an, die unbehaglich die Achseln zuckte.

»Ich habe Sylvia aufs Klo gehen lassen.«

»Ich war nicht lange weg!«, kam es sofort von Sylvia. »Ich musste halt mal!«

Ich sah Melanie an, aber sie war noch zu aufgewühlt, um mir zu antworten. Dann wandte ich meinen Blick Khan zu, der hilflos die Achseln zuckte.

»Ich weiß nicht, Ishmael. Ich war nicht draußen, und ich erinnere mich auch nicht, jemanden hinausgehen gesehen zu haben. Ich weiß, dass Leute kamen und gingen, aber ich habe auch nicht darauf geachtet. Seltsam. Man sollte doch unter den gegebenen Umständen annehmen, dass ich alle wie ein Schießhund beobachtet habe. Warum ist mir nicht aufgefallen, dass Walter so lange weg war?«

»Das hat seinen Grund«, erklärte ich. Bei diesen Worten sahen mich alle an. Sogar Melanie. »Der Mörder hat unsere Gedanken manipuliert«, sagte ich. »In unseren Köpfen herumgepfuscht. Ich kann das nicht diplomatisch ausdrücken, also sage ich es einfach direkt. Der Mörder ist ein Vampir.«

Ich war auf lauten Widerspruch und wütende Entgegnungen gefasst, auch auf die schlichte Weigerung, mir zu glauben, aber am Ende sahen mich alle nur an. Als hätte ich einen dummen, sehr unpassenden Witz gemacht. Sie alle hatten so viele Schocks, Verluste und emotionale Berg-und-Tal-Fahrten hinter sich … doch dann nickte Jeeves langsam.

»Ich habe die Bissspuren an Walters Hals gesehen. Menschengroß.«

»Du meinst … unser Mörder ist einer dieser Spinner, die es aufgeilt, Blut zu trinken?«, fragte Leilah, die bei diesem Gedanken finster dreinblickte.

»Nein«, erwiderte ich. »Leider haben wir es hier mit einem echten Vampir zu tun. Einem Blutsauger. Einem Untoten.«

»Ach, komm schon!«, wandte Leilah ein. »Die gibt es nicht! Es gibt keine Vampire! Nur in Märchen und Horrorfilmen … was versuchst du, hier abzuziehen?«

»So, jetzt reicht es!«, bestimmte Jeeves. »Keine weiteren Theorien, keine weiteren Diskussionen. Leilah und ich sind hier die Profis, also haben wir von jetzt an das Sagen.«

»Verdammt richtig!«, stimmte Leilah zu. »Mit uns wird es hier keine weiteren Tode geben – und keinen weiteren abergläubischen Scheißdreck!«

»Ich weiß nicht«, sagte Khan. Plötzlich sahen alle ihn an. Weil da etwas in seiner Stimme war. Er merkte, dass aller Augen auf ihm ruhten, und zuckte unbehaglich die Achseln.

»Schräge Scheiße passiert. Seltsame Dinge existieren. Ich weiß das, weil ich es schon erlebt habe. Ich habe früher für Black Heir gearbeitet.«

Jeeves und Leilah reagierten sofort auf diesen Namen und sahen Khan mit unverhohlenem Respekt an.

»Wir haben einmal einen Fall zusammen mit zwei Agenten von Black Heir bearbeitet«, sagte Jeeves. »Ein Fall um die schwarze Magie der Muti im Londoner East End. Die Typen waren … gruselig.«

»Sehr professionell«, ergänzte Leilah.

»Wer oder was ist Black Heir?«, fragte Penny.

»Sie kennen doch all die geheimen Regierungsorganisationen, die es offiziell nicht gibt«, sagte Khan. »Nun, nicht einmal deren Sicherheitsstufe ist hoch genug, um etwas über Black Heir zu wissen. Es handelt sich um eine Organisation, deren einzige Aufgabe es ist, sich um … schrägen Scheiß zu kümmern.«

»Reden wir über die X-Akten?«, fragte Penny.

»Ganz definitiv nicht«, antwortete Khan bestimmt.

»Dann … haben Sie Erfahrung mit Vampiren?«, fragte Sylvia.

»Natürlich nicht!«, erwiderte Khan. »Ich habe im ganzen Leben noch keinen getroffen. Ich kenne auch niemanden, der einen getroffen hat. Für Black Heir arbeite ich seit den Achtzigern nicht mehr. Damals war Ishmaels Vater dort mein Kollege.«

Melanie hatte zusammengesunken auf ihrem Stuhl gesessen und die Hälfte dessen, was um sie herum vorging, gar nicht mitbekommen, doch plötzlich setzte sie sich kerzengerade auf und zeigte mit anklagendem Finger auf mich.

»Sie! Sie sind es! Sie sind der Vampir! Sie müssen es sein … weil Sie nicht dazugehören! Niemand hier kennt sie. Was ist das überhaupt für ein Name, Ishmael Jones? Das muss ein Pseudonym sein …

außerdem sind Sie anders. Das spüre ich. Jeder spürt das!« Sie sah sich im Raum um. »Das muss euch doch aufgefallen sein! Wie er redet, wie er sich benimmt …«

»Dies ist nicht die Zeit für Rachsucht, Mami«, mahnte Penny.

»Du magst ihn, nicht wahr?«, fragte Melanie mit einem unangenehmen Lächeln. »Undankbares Kind …«

»Mrs Belcourt hat nicht unrecht«, sagte Jeeves und sah mich ruhig an. »Um dich herum sind zu viele unnatürliche Dinge passiert, Ishmael. Ich glaube, wir können dir nicht mehr trauen.«

»Traust du irgendjemandem hier?«, fragte ich.

»Nein«, antwortete Jeeves. »Aber dir am allerwenigsten. Ich gehe keine Risiken mehr ein. Ich glaube, es ist am sichersten, wenn wir dich irgendwo einsperren. Bis morgen früh meine Leute kommen. An einem sicheren, ausbruchssicheren Ort.«

»Nein«, entgegnete ich. »Das wird nicht passieren.«

Jeeves und Leilah richteten die Waffen auf mich. Leilah nickte rasch. »Es muss sein, Ishmael. Du versuchst, uns mit diesem ganzen Vampirquatsch abzulenken. Dann behauptest du noch, du könntest Blut riechen … das ist ja echt überhaupt nicht verdächtig.«

»Ich bin der Einzige hier, der euch vor dem Vampir retten kann«, erklärte ich.

»Na ja, das musst du ja jetzt sagen, oder?«, meinte Jeeves. »Ich glaube, Leilah und ich sind durchaus in der Lage, uns um diese Angelegenheit zu kümmern. Schließlich sind wir Profis. Jetzt sei brav und tu, was wir dir sagen, Ishmael. Sonst lasse ich Leilah dir eine Kugel an einer Stelle verpassen, wo es wirklich wehtut.«

»Liebend gern«, sagte Leilah. »Ich habe dir von Anfang an nicht getraut, Ishmael.«

»Sie haben wirklich Nerven!«, protestierte Penny laut. »Wo waren Sie beide, als vier Menschen gestorben sind? Darunter der, zu dessen Schutz Sie angestellt waren? Mein Vater hat Ihnen vertraut … und was haben Sie getan, um seinen Mörder zu finden? Wenigstens hat Ishmael etwas unternommen! Ich vertraue ihm mehr als Ihnen beiden zusammen!«

»Das überrascht mich nicht«, meinte Leilah, die mich nicht aus den Augen ließ und die Waffe auf mich gerichtet hielt. »Sie scharwenzeln ja schließlich schon um Ishmael herum, seit er hier aufgetaucht ist. Jetzt, wo Ihr Stiefbruder und Ihr Vater tot sind, sind Sie die Alleinerbin hier … wenn Ihrer Mutter noch etwas passiert …«

»Undankbares Kind …«, sagte Melanie und sackte wieder auf ihrem Stuhl zusammen.

»Ich schwöre, wenn du das noch einmal sagst, knalle ich dir eine, Mami«, drohte Penny kalt. »So, dass es wehtut.«

»Ich fürchte, wir sperren Sie besser zusammen mit Ishmael ein, Miss Belcourt«, sagte Jeeves. »Reine Sicherheitsmaßnahme. Wenn wir morgen früh alle noch leben, haben wir ausreichend Zeit für Entschuldigungen.«

»Sperrt mich ein, und ihr werdet den Morgen nicht erleben«, sagte ich.

»Erschießen Sie ihn«, forderte Melanie. »Erschießen Sie ihn! Er hat meinen Walter getötet …«

Ich machte einen Schritt nach vorn, um etwas Vernünftiges zu sagen, und Jeeves schoss zweimal auf mich. Aber ich war nicht da. Als die Kugeln in die Wand einschlugen, war ich bereits woanders, raste auf Jeeves und Leilah zu und wich dabei ihren Kugeln aus. Beide schossen mit professioneller Geschwindigkeit und Genauigkeit, doch ich war schneller. Meine Augen waren besser als die der meisten Menschen. Ich konnte Kugeln fliegen sehen. Es war alles eine Frage der Konzentration.

Ich entriss Jeeves und Leilah die Waffen, wobei ich sorgsam darauf achtete, ihnen nicht die Finger zu brechen, trat zurück und richtete ihre eigenen Schießeisen auf sie. James und Leilah sahen ungläubig zunächst einander und dann mich an und beschlossen, ganz ruhig stehen zu bleiben.

Ich sah mich rasch im Zimmer um. Khan und Sylvia starrten mich mit offenen Mündern an. Penny grinste breit. Melanie starrte ins Leere. Ich lächelte Jeeves und Leilah an, trat dann vor und gab ihnen einmal mehr ihre Waffen zurück.

»Also wirklich«, sagte ich tadelnd. »Wie oft müssen wir das denn noch durchexerzieren? Wenn ich euren Tod wollte, wäret ihr längst nicht mehr am Leben.«

»Ich habe noch nie jemanden sich so schnell bewegen sehen«, stellte Leilah fest.

»Was bist du, Ishmael?«, fragte Jeeves.

»Beschäftigt«, antwortete ich.

»Na schön ...«, meinte Leilah. Sie hielt die Waffe unsicher in der Hand, als fürchtete sie, ich könne ihr irgendwie eine Imitation untergeschoben haben, und sah mir dann direkt in die Augen. »Vielleicht bist du nicht der Mörder. Aber wir müssen die Spuren trotzdem logisch bewerten. Der Mörder hat Mister Belcourt wirklich übel zugerichtet, müsste also total blutverschmiert sein. Niemand hier hatte Zeit, sich umzuziehen. Aber ich sehe nirgends Blut ...«

Alle Anwesenden sahen alle anderen an, registrierten das völlige Fehlen von Blut und entspannten sich tatsächlich ein wenig.

»Der Mörder kann keiner von uns sein!«, sagte Sylvia. »Das beweisen die fehlenden Blutflecken!«

»Leider nicht«, widersprach ich. »Es ist ein bisschen komplizierter. Ich bin ziemlich sicher, dass der Vampir unsere Gedanken manipulieren und uns dazu bringen kann zu sehen, was er will. Er kann sein wahres Äußeres hinter einem Zauber verbergen. Hinter einer optisch ansprechenden Illusion. Der Mörder könnte direkt hier stehen, in diesem Zimmer, getränkt im Blut seiner Opfer, und wir sähen es trotzdem nicht. Weil der Vampir es nicht zuließe.«

»Na toll!«, sagte Sylvia. »Zuerst sagen Sie uns, der Mörder sei eine Kreatur der Nacht, und jetzt sollen wir nicht mal mehr unseren Augen trauen?«

»Das kaufe ich dir alles nicht ab«, knurrte Leilah.

»Ich bin auch nicht sicher, ob ich das glaube«, erklärte Jeeves und legte die Stirn in tiefe Falten. »Aber hier geht etwas Seltsames vor sich. Sich hinter einer optisch ansprechenden Illusion verbergen ... Du meinst, wie bei Hypnose?«

»Irgend so was«, sagte ich. »Ich glaube, so kann der Vampir seine Opfer auch so problemlos überwältigen. Er hypnotisiert sie, macht sich ihren Geist zeitweilig untertan, macht sie wehrlos und greift sie dann an. So konnte er einen erfahrenen alten Kämpfer wie den Colonel erledigen. Er hat ihn buchstäblich nicht kommen sehen. Deshalb greift der Vampir immer nur ein Opfer auf einmal an, um Ablenkungen zu vermeiden, die seine Trance stören könnten.«

»Die Kräfte dieser Kreatur haben also ihre Grenzen«, folgerte Jeeves. »Na immerhin ...«

Leilah sah ihn an. »Du kaufst ihm das ab ...?«

»Ich ... spiele für den Augenblick mit«, antwortete Jeeves.

Ich sah mich im Zimmer um, musterte alle, ließ mir Zeit. Jeeves und Leilah standen dicht beisammen und behielten nach wie vor die verschlossene Tür im Auge. Sie hatten noch immer die Waffen in den Händen, schienen aber nicht sicher zu sein, worauf sie zielen sollten. Penny stand direkt neben mir und sah mich an, hoffte auf eine Antwort. Oder zumindest auf eine Idee, was sie als Nächstes tun sollte. Melanie beugte sich im Stuhl vor, starrte Penny und mich mürrisch an. Sylvia stand allein da, hatte die Arme um sich geschlungen, wirkte verloren, ängstlich und verwirrt von dem, was geschah. Khan stand abseits, sah uns andere der Reihe nach an und versuchte, durch pure Konzentration das wahre Gesicht unter der Maske zu sehen.

»Jemand in diesem Raum muss der Mörder sein«, sagte ich. »Penny kann es nicht sein, denn sie war oben bei mir, als Walter den Tod fand. Jeeves und Leilah können es nicht sein, weil sie als Team arbeiten und die Spuren sagen, dass wir es mit einem einzelnen Mörder zu tun haben.«

»Was für Spuren?«, fragte Leilah.

»Die Bissspuren an den einzelnen Hälsen«, antwortete ich.

»Sie könnten unabhängig voneinander töten«, sagte Penny aufgeregt. »Einander Alibis verschaffen!«

»Das würde bedeuten, wir haben zwei Vampire unter einem Dach«, stellte ich fest. »Wie wahrscheinlich ist das denn?«

»Wie wahrscheinlich ist ein Vampir?«, fragte Penny.

»Stimmt«, gab ich zu.

»Moment mal«, sagte Leilah. »Ich lasse mich mal auf deine Logik ein … du sagst, Penny war die ganze Zeit oben bei dir, aber wie kannst du dir da so sicher sein? Woher weißt du, dass sie dir das nicht nur hypnotisch eingepflanzt hat, in Wirklichkeit aber die Treppe nach unten genommen und ihren Vater getötet hat und zurück war, ehe du aus deiner Trance erwacht bist?«

»Sie sind durch und durch zynisch und argwöhnisch«, sagte Penny.

»Ich mache nur meine Arbeit«, entgegnete Leilah.

»Ich glaube, so läuft das nicht«, sagte ich. »Es ist klar, dass der Vampir sich den Geist eines Menschen unterwerfen kann, aber nur, wenn das Opfer nicht darauf achtet. Er muss den Großteil seiner Kraft dazu nutzen, die ihn schützende Illusion aufrechtzuerhalten, zu verhindern, dass wir sein wahres Ich sehen. Jegliche Gedankenkontrolle darüber hinaus muss wirklich anstrengend sein, sonst hätte er mich niemals so weit kommen lassen. Er hat Sie alle daran gehindert, Walters Abwesenheit zu bemerken, aber das gelang ihm nur, bis ich Sie darauf hingewiesen habe. Als der Bann erst einmal gebrochen war, konnte er Sie nicht länger daran hindern, darauf aufmerksam zu werden. Er kann jetzt, wo ich Sie alle darüber in Kenntnis gesetzt habe, nicht verhindern, dass wir über seine Existenz sprechen. Wahrscheinlich bringt es ihn schon an seine Grenzen, sich jetzt, da wir ihn suchen, vor uns zu verbergen.«

»Du sagst dauernd ‚wahrscheinlich'!«, rief Jeeves. »Wenn ich versuchen soll, einen Vampir zur Strecke zu bringen, brauche ich sehr viel mehr als wahrscheinlich!«

»Was braucht man, um einen Vampir zur Strecke zu bringen?«, fragte Leilah. »Ich schätze, Kugeln werden uns nicht helfen.«

»Silberkugeln?«, fragte Sylvia.

»Das sind Werwölfe«, erklärte Khan. »Vampire muss man pfählen.« Er lächelte knapp. »Ich stand früher total auf Christopher Lee in den ganzen alten Hammer-Horrorfilmen.«

»Ich glaube, auf die sollten wir uns nicht verlassen«, meinte ich.

»Holzpflöcke kommen in allen alten Geschichten und Legenden vor«, erwiderte Khan überzeugt.

»Was würde sonst noch helfen?«, fragte Leilah. »Feuer?«

»Ich bin kein Experte«, sagte ich. »Wenn Sie Van Helsings Nummer haben, zögern Sie nicht, ihn anzurufen. Ich improvisiere.«

»Vielleicht sollten wir ein paar Holzpflöcke anspitzen«, schlug Khan vor.

»Nur zu«, ermunterte ihn Leilah. »Ich wüsste nicht, wie ich das machen soll. Wie spitzt man einen Holzpflock an?«

»Niemand hier hat ein Alibi für den Mord am Colonel«, sagte ich laut, damit sich alle wieder auf mich konzentrierten. »Oder für den an Roger, weil wir nicht genau wissen, wann sie gestorben sind. Auch Diana kann vor oder nach Roger gestorben sein. Wir können auch nicht mit Sicherheit sagen, wer in diesem Raum war, als Walter starb, und wer nicht. Deshalb müssen wir uns der Tatsache stellen, dass wir aufgrund von Alibis niemanden ausschließen können. Somit bleiben uns nur logische Schlussfolgerungen. Ich wünschte, der Colonel wäre hier. Er war darin immer viel besser als ich. Aber er hat sich große Mühe gegeben, mir die Grundlagen beizubringen. Ich bemerke Dinge, auch wenn ich manchmal ein bisschen länger brauche.« Ich wandte mich langsam zu Sylvia um. »Warum haben Sie geschrien, als Sie durch die offene Tür in Rogers Zimmer geschaut haben?«

»Weil ich gesehen habe, was man ihm angetan hatte!«, sagte Sylvia. »Sie haben doch gesehen, in welchem Zustand er war!«

»Aber wie konnten Sie das sehen?«, fragte ich. »Es war stockdunkel im Zimmer. Ich konnte gar nichts sehen. Wir alle haben erst etwas erkennen können, als ich das Licht eingeschaltet hatte. Diese naheliegende Frage ist mir viel später eingefallen. Vielleicht haben Sie meine Gedanken manipuliert, vielleicht war ich auch nur langsam – und außerdem: eine hübsche Frau, die kreischt, wenn sie etwas Schreckliches sieht? Wir sind konditioniert, eine solche Szene zu akzeptieren, weil wir sie aus so vielen Filmen kennen.«

»Schauen Sie«, sagte Sylvia sehr vernünftig, »warum hätte ich die Tür offen lassen, kreischen und die Aufmerksamkeit aller auf den Mord lenken sollen, wenn ich Roger getötet hätte?«

»Um uns abzulenken«, entgegnete ich. »Während wir uns alle auf die Gräuel konzentrierten, die man Rogers Leichnam angetan hatte, dachten wir nicht darüber nach, ob er möglicherweise auf ganz andere Weise gestorben war. Uns fiel auch nicht auf, dass Diana nicht da war. Dass sie fast sicher schon tot war. Außerdem half das Finden des Leichnams, den Verdacht von Ihnen abzulenken. Sie armes, schockiertes kleines Persönchen.«

Jetzt schauten alle mit wachsendem Argwohn und Entsetzen Sylvia an. Khan wich von ihr zurück. Seinem Gesichtsausdruck nach zu urteilen dachte er daran, wie er Sylvia in den Armen gehalten und sie getröstet hatte … Melanie erhob sich zitternd von ihrem Stuhl und versteckte sich mit unsicheren Bewegungen hinter Khan. Penny funkelte Sylvia an, die die Fäuste ballte, bis die Knöchel weiß hervortraten. Jeeves und Leilah richteten ihre Waffen auf Sylvia, die reglos dastand.

Sie warf ihnen ihren besten flehenden Blick zu. »Sie glauben doch diesen Quatsch nicht, oder? Sie sind Profis! Ich meine, Vampire? Wirklich? Heutzutage?«

»Ich habe Sie allein den Raum verlassen lassen, um auf die Toilette zu gehen«, sagte Leilah. »Warum kann ich mich nicht erinnern, wie lange Sie weg waren?«

Langsam trat ich vor Sylvia hin. Dann schnupperte ich demonstrativ. »Du trägst ja ein wirklich starkes Parfüm«, stellte ich fest. »Stark genug, um deinen eigentlichen Duft vor den meisten Leuten zu verbergen. Aber ich bin nicht die meisten Leute. Nun, da ich weiß, was du tust, kommst du nicht mehr in meinen Kopf hinein. Meine Gedanken gehören nur mir allein, und ich kann Blut und Verfall riechen. Nur zu, Sylvia. Zeig es uns. Zeig uns allen, was du wirklich bist.«

Sie lächelte mich an, und ihr Grinsen schien immer breiter und breiter zu werden.

Sie ließ ihren Zauber fallen, und plötzlich erkannten wir alle, wie sie wirklich aussah. Alle anderen schrien schockiert, entsetzt und angewidert auf, als sie betrachteten, was so lange unerkannt unter ihnen gewandelt war. Sylvia war nur eine verrottende Leiche mit hell leuchtenden Augen und großen Zähnen, die die altmodische Festtagskleidung trug, in der man sie bestattet hatte, verschimmelt und getränkt mit altem und frischem Blut. Ich wich unwillkürlich zurück, und Jeeves und Leilah eröffneten augenblicklich das Feuer auf Sylvia.

Sie stand einfach da, ein schreckliches Lächeln auf den Lippen, während ihr untotes Fleisch die Kugeln absorbierte. Der Einschlag ließ sie nicht einmal erbeben. Jeeves und Leilah hörten erst auf zu schießen, als ihnen die Kugeln ausgingen. Es war eine instinktive Reaktion gewesen. Wie wenn man eine Spinne zertritt. Leilah gab schockierte, fast schon primitive Geräusche von sich. Jeeves hatte angewidert das Gesicht verzogen. Als ihre Waffen verstummten, standen sie einfach da und wurden mit diesem Wesen, das so weit außerhalb ihres Erfahrungshorizonts existierte, einfach nicht fertig. Sylvia grinste noch breiter. Das verfaulende Fleisch ihrer Wangen riss auf und offenbarte noch weitere Zähne. Sie lachte leise, ein völlig unmenschliches Geräusch.

»Warum bist du hier?«, fragte ich laut, und sie wandte mir sofort ihre Aufmerksamkeit zu. Ihr in die lodernden Augen zu blicken war, als stünde man plötzlich im Lichtkegel eines bösartigen Scheinwerfers. Ich erwiderte ihren Blick unerschüttert.

Als sie schließlich sprach, in ihrer wahren Gestalt, mit ihrer wahren Stimme, kam über ihre zerfetzten, verfaulten Lippen nur ein feuchtes, gurgelndes Krächzen. Ich hörte es in meinem Geist und meiner Seele ebenso wie in meinen Ohren.

»So bin ich eben, Ishmael. Ich ziehe umher, schließe Freundschaft mit mächtigen, einflussreichen Menschen, nutze meine Magie und meinen Charme, um zu Treffen an abgelegenen Plätzen wie diesem eingeladen zu werden. Damit ich trinken und weiterziehen kann. Üblicherweise nur ein Schlückchen hier und da von allen Anwesenden, sodass es gar nicht auffällt. Auch wenn sie hinterher etwas ... leichter manipulierbar sind. Denn wenn ich danach je einen Gefallen brauche oder aus dem Gefängnis freikommen muss ...«

»Warum werden sie nicht zu Vampiren?«, fragte Penny. »Warum erheben sich nicht all deine Opfer wieder, um zu werden wie du?«

Sie versuchte, vernünftig und interessiert zu klingen, aber es gelang ihr nicht ganz. Das Beben in ihrer Stimme verriet, wie viel Angst sie hatte. Wir alle fürchteten uns. Es war die einzig geistig gesunde Reaktion auf das schreckliche Ding vor uns.

»Weil das so nicht läuft«, antwortete Sylvia. »Es ist für uns sehr anstrengend, ein Kind zu zeugen. Ich habe nie einen Sinn darin gesehen. Wer braucht schon mehr Konkurrenz?«

»Was tust du hier?«, fragte ich. »Warum hier und warum jetzt?«

»Dein Colonel glaubte bei irgendeinem langweiligen Empfang in einer Botschaft, mich als das erkannt zu haben, was ich bin«, sagte Sylvia. »Frag mich nicht, woher er es wusste. Er war schließlich nur ein Mensch. Im Gegensatz zu dir, Ishmael. Also freundete ich mich mit seiner Mutter, der armen, alten, einsamen Diana, an, um hierher eingeladen zu werden. Auf den Stammsitz der Familie des Colonels. Ich ließ es ihn über gewisse Kanäle wissen. Ich dachte, ich könnte sein Schweigen erkaufen, indem ich seine Familie bedrohe. Aber er hat nicht mitgespielt. Er kam her, um mich aufzuhalten und seine Lieben zu beschützen. Also habe ich ihn getötet. Niemand widersetzt sich mir und kommt damit durch.«

»Dann hat der Sturm dich hier festgesetzt«, sagte ich. »Du hattest keine andere Wahl, als zu bleiben und mitzuspielen, dich als Mensch auszugeben. Was du nicht wusstest, war, dass der Colonel Hilfe herbeigerufen hatte.«

»Aber wenn James der Einzige war, der um dein wahres Wesen wusste, der Einzige, der wirklich eine Gefahr für dich dargestellt hat«, fragte Penny, »warum hast du dann all die anderen getötet?«

»Du weißt doch, wie es ist«, antwortete Sylvia. »Wenn man einmal auf den Geschmack gekommen ist, kann man nicht mehr aufhören. Ihr könnt euch nicht vorstellen, wie es ist, untot zu sein. Es geht ja nicht nur um das Trinken von Blut als Nahrung. Blut … ist besser als Drogen. Besser als Sex. Außerdem hat man kein nerviges Gewissen mehr, nichts, was einen daran hindert, absolut alles zu tun, was man will. Ein Wolf mit blutigem Maul in einer Welt voller Schafe zu sein. Ich liebe das …«

»Aber deshalb hast du nach dem Colonel nicht weiter getötet«, stellte ich fest.

»Ich hinterlasse niemals Zeugen«, sagte Sylvia. »Die Welt bildet sich gern ein, Wesen wie mich gäbe es nicht mehr. Nur in ungefährlichen, romantischen Fantasien. Das macht alles so viel leichter für mich.«

»Oh mein Gott«, sagte Jeeves. »Dieses Ding wird uns alle töten. Das muss es, damit wir niemandem erzählen können, was hier passiert ist.«

»Reiß dich zusammen!«, forderte ihn Leilah barsch auf. »Sie ist allein! Noch können wir sie aufhalten!«

»Wie?«, fragte Jeeves.

»Du hältst sie fest. Ich ramme ihr einen Pflock ins Herz!«, sagte Leilah.

Jeeves hätte beinahe gelächelt. »Klingt wie ein Plan. Wo ist denn dein Pflock?«

»Ich arbeite daran«, antwortete Leilah.

Sylvia ignorierte sie, ihr lodernder, höllischer Blick galt nur mir. Langsam öffnete und schloss sie die leichenblassen, blutverschmierten Hände, die in langen, schmutzigen Klauen endeten, an den Seiten.

»Ich habe nicht gewusst, dass der Colonel ein weiteres Monster zu Hilfe gerufen hatte. Ich spüre, dass du kein Mensch bist, Ishmael. Ich sehe Dinge, von denen die meisten Menschen nicht einmal zu träumen wagen … aber so etwas wie dich habe ich noch nie gesehen, Ishmael. Was bist du wirklich?«

»Nicht von hier«, antwortete ich.

»Warum schlägst du dich auf ihre Seite?«, fragte Sylvia. Es klang ehrlich neugierig. »Du bist genauso wenig wie sie, wie ich es bin. Sie würden dich auf der Stelle töten, wenn sie wüssten …«

»Du nährst dich von ihnen«, sagte ich. »Ich beschütze sie. Das ist meine Aufgabe. Ich habe noch immer meine … Menschlichkeit.«

»Ishmael?«, fragte Jeeves. »Wovon redet sie?«

Sylvia und ich ignorierten ihn.

»Es ist egal, was du bist«, befand Sylvia. »Du wirst genauso widerstandslos sterben wie die anderen auch.«

Ich spürte, wie ihr Geist nach meinem tastete und versuchte, meine Gedanken in meinem Kopf einzusperren. Mich wie ihre anderen Opfer bewegungsunfähig zu machen. Aber die anderen waren Menschen gewesen, ich war ein wenig mehr. Ich spürte ihren Einfluss, der über meinen Geist strich wie Spinnweben. Mühelos blies ich ihn weg.

Sylvia fauchte und warf sich mit unglaublicher Geschwindigkeit auf mich. Sie war nur ein Flimmern in der Luft, schien nur aus gebleckten Zähnen und ausgestreckten Händen zu bestehen. Ich warf mich ihr genauso schnell entgegen. Wir prallten mit einer Wucht, die jeden Menschen getötet hätte, mitten im Raum aufeinander. Ineinander verkrallt schwankten wir hin und her und zerschmetterten das Mobiliar, das uns im Weg war. Alle anderen gingen schreiend in Deckung. Ich wich den Klauen, die mich wie Skalpelle aufgeschlitzt hätten, und dem fangbewehrten Mund, der sich dicht neben meinem Hals schloss wie eine stählerne Bärenfalle, aus.

Sie war stärker, aber ich war schneller.

Plötzlich löste sich Sylvia von mir, sprang an die Wand und krallte sich dort fest wie ein unfassbar großes Insekt. Sie huschte die Wand empor an die Decke, wo sie kopfunter hing. Dann ließ sie sich direkt vor Jeeves und Leilah wieder zu Boden fallen. Sie hatten Zeit gehabt, nachzuladen und eröffneten beide wieder das Feuer. Der Lärm war auf so engem Raum ohrenbetäubend. Sylvia warf sich mitten in den Kugelhagel, ohne den geringsten Schaden zu nehmen. Es war, als schössen sie in Wasser. Ihre Klauenhände griffen nach ihnen.

Ich packte sie von hinten und riss sie weg. Sie drehte sich in meinen Armen, packte mit beiden Händen meinen Kopf und drehte ihn heftig, um mir das Genick zu brechen. Doch ich drehte den

Kopf um 360 Grad, ohne dass mein Genick brach. Meine Physiologie war besser. Ich war sehr biegsam. Mit beiden Händen packte ich ihre Handgelenke und schrie dabei fast vor Ekel. Es fühlte sich an, als hätte ich in einen Haufen wimmelnder Maden gefasst. Ihr untotes Fleisch schien sich in meinem Griff zu winden. Problemlos löste sie sich von mir und wich wütend zischend zurück.

Khan drang auf Sylvia ein, er hielt zwei silberne Kerzenhalter wie ein Kreuz vor sich. Sylvia lachte ihn völlig unbeeindruckt aus. Ich rammte ihr mit aller Kraft die Faust gegen die Schläfe. Ihr fauliges Fleisch gab unter der Wucht meines Schlages nach, ich hörte ihren Schädelknochen knackend brechen, doch ihr Kopf bewegte sich keinen Millimeter, sie steckte den Hieb einfach weg. Hätte ich härter zugeschlagen, ich hätte mir die Hand gebrochen.

Während Sylvia von alldem abgelenkt war, packte Leilah Walters an der Wand lehnenden Gehstock. Mit einem brutalen Hieb brach sie ihn entzwei, um einen spitzen Pflock zu improvisieren, und stürzte sich dann auf Sylvia, den Pflock auf ihre Brust gerichtet. Sylvia packte Melanie am Arm und zerrte die arme, kreischende Frau vor sich. Leilah rammte Melanie den Pflock in die Brust und durchbohrte sie komplett, sodass er aus ihrem Rücken hervorragte.

Sie starb lautlos. Sylvia ließ sie los, und Melanie sackte zu Boden, als hätte sie keine Knochen. Leilah schrie vor Schreck und Entsetzen auf.

Während alle anderen davon abgelenkt waren, rannte Sylvia unfassbar schnell durch den Raum, riss die verschlossene Tür auf und eilte fröhlich lachend hinaus in den Korridor. Bis ich die Tür erreichte und ihr nachschauen konnte, war Sylvia schon am anderen Ende. Sie riss die Haustür auf und rannte noch immer lachend in die Kälte der Nacht hinaus.

Im Salon tröstete Jeeves Leilah, die aussah, als wolle sie weinen, wisse aber nicht, wie. Penny kniete neben ihrer toten Mutter und sah ziemlich genauso aus.

Khan starrte mich an, die Augen vor Schock und Unglauben weit aufgerissen.

»Sie sind es!«, verkündete er laut. »Sie waren das! Nicht Ihr Vater. Ich habe vor all den Jahren an Ihrer Seite gearbeitet … nur dass Sie seither keinen Tag gealtert sind. Ich weiß noch, wie Sie damals '88 in Moskau gegen diesen Klon der Baba Yaga gekämpft haben. Ich habe noch nie jemanden gesehen, der kämpfen konnte wie Sie …«

»Sparen Sie sich die Wiedersehensfreude für später«, riet ich.

»Aber wollen Sie sich nicht erklären?«

»Nein«, antwortete ich. »Jetzt nicht. Sylvia ist draußen. Wir müssen sie finden und vernichten.«

»Sie wird das Gelände nicht verlassen«, sagte Penny. Zitternd erhob sie sich. Ich hielt ihr die Hand hin und zog sie zurück, als sie mich ansah. Sie versuchte mit aller Kraft, nicht die Beherrschung zu verlieren. Sich auf das zu konzentrieren, was zählte. Sie holte tief Luft. »Wenn Sylvia bei diesem Sturm hätte fliehen können, hätte sie es unmittelbar nach James' Ermordung getan. Also vermag sie es nicht. Der Sturm hält sie hier fest. Sie wird versuchen, sich in einem der Nebengebäude zu verstecken. In der Zehntscheuer oder den Cottages.«

»Wenn wir rausgehen, wird sie uns töten«, warnte Khan. »Da draußen ist sie im Vorteil.«

»Wir müssen ihr folgen«, beharrte ich. »Sonst schleicht sie sich nur wieder herein und erledigt uns der Reihe nach. Oder versteckt sich draußen in einem der Gebäude, bis der Sturm soweit nachgelassen hat, dass sie entkommen kann.«

»Sie sagte dauernd, sie wolle weg«, ließ sich Jeeves ein wenig zittrig vernehmen, »wenn nur jemand mitkäme …«

»Da hat jemand Glück gehabt«, meinte ich. »Wenn jemand sich angeboten hätte, sie zu begleiten, hätte sie ihn ausgetrunken, sobald sie Energie gebraucht hätte. Hätte die Kraft ihrer Begleiter genutzt, um das nächste Dorf zu erreichen. Wir dürfen sie nicht entkommen lassen. Wir müssen sie finden.«

Leilah trat vor Penny hin. »Es tut mir so leid. Ich habe Ihre Mutter getötet.«

»Schon gut«, sagte Penny. »Wir standen einander nicht besonders nah.«

Zehn

Feuer und Eis

Dann waren wir nur noch zu fünft.

Penny und Leilah standen über Melanie Belcourts Leiche. Der Holzpflock ragte noch immer aus ihrer Brust, weil sich bisher niemand bemüßigt gefühlt hatte, ihn zu berühren. Melanies Miene zeigte mürrisches Bedauern, als hätte sie mit so etwas die ganze Zeit schon gerechnet. Leilah wirkte schockiert. Penny sah aus, als wisse sie nicht, was sie fühlen sollte. Alexander Khan stand ein ganzes Stück von uns anderen entfernt und starrte mich mit widerwilliger Faszination an. Jeeves tat immer noch sein Bestes, professionell zu wirken. Ich ging zu ihm hinüber, und er sah mich scharf an. Die Waffe in seiner Hand zuckte kurz. Als hätte er das Bedürfnis, sie auf jemanden zu richten.

»Hm«, sagte ich. »Das hätte besser laufen können.«

»Meinst du?«, fragte Jeeves.

»Sie ist da draußen«, sagte ich. »Sylvia. Sie wartet darauf, dass wir sie suchen kommen.«

»Hältst du das für eine gute Idee?«, fragte Jeeves.

»Besser, als zu warten, bis sie wiederkommt und uns der Reihe nach erledigt«, befand ich. »Sie will, dass wir uns hier verschanzen und uns sicher fühlen. So lange hält sie die Kälte locker aus. Dann dringt sie übernatürlich leise hier ein und huscht unbemerkt durchs Haus … es sei denn, wir tragen den Kampf zu ihr.«

Jeeves nickte langsam. »Wir müssen die Initiative ergreifen. Das Überraschungsmoment wieder auf unsere Seite bringen. Aber können wir ein solches Wesen wirklich vernichten?«

»Waffen werden nichts ausrichten«, sagte ich. »Aber wir können andere Dinge probieren.«

»Wir können nicht alle gehen«, erklärte Jeeves. »Wenn zu viele Leute da draußen herumstolpern, machen wir es ihr zu leicht. Sie könnte uns der Reihe nach abgreifen, uns im Nebel und im Schnee auflauern. Außerdem wären wir dem nicht alle gewachsen.«

»Richtig«, stimmte ich ihm zu. »Ich finde, wir beide sollten uns draußen mal umsehen, während Leilah auf die anderen aufpasst.«

»Das habe ich gehört!«, sagte Leilah sofort. »Du hast mir gar nichts zu befehlen!«

»Er nicht«, sagte Jeeves. »Aber ich. Ishmael geht, weil er am meisten über diese … Kreatur weiß, und ich gehe, weil es meine Aufgabe ist.«

»Meine auch!«, widersprach Leilah. »Wieso darfst du draußen den Helden spielen, während ich hier drin bleiben und auf die Kinder aufpassen muss? Ich habe ein Recht darauf, Sylvia zu verfolgen! Sie hat mich durch einen Trick dazu gebracht, Melanie zu töten!«

»Ich weiß«, sagte Jeeves freundlich. »Genau deshalb darfst du nicht mit, Leilah. Schau dich doch mal an, Mädchen. Du zitterst noch, bist immer noch ganz aufgeregt. Sylvia würde das ausnutzen. Um sie ausfindig zu machen, braucht man einen kühlen Kopf und professionelle Distanz. Rachedurst wäre dabei nur im Weg. Ishmael und ich werden diese Vampirin extrem kaltblütig vernichten.«

Leilah stellte sich vor ihren Mann. »So etwas hast du noch nie tun müssen.«

»Du auch nicht«, sagte Jeeves, »und ich will dir das auch nach Möglichkeit ersparen. Also pass auf die Gäste auf, bis wir wieder da sind. Lass dir nichts von ihnen gefallen. Räche mich, wenn ich nicht zurückkomme.«

»Komm zurück«, erwiderte Leilah.

Während sie sich unterhielten, warf mir Penny einen undurchdringlichen Blick zu, also ging ich zu ihr hinüber. Sie hatte sich von der Leiche ihrer Mutter abgewandt, um sie nicht sehen zu müssen. Ruhig sah sie mir in die Augen. »Warum kann ich nicht mitkommen? Ich habe uns als ziemlich gutes Team empfunden.«

»Ich auch«, sagte ich. »Als Detektive. Aber jetzt geht es ums Jagen. Da kennst du dich nicht aus, und vertrau mir, das ist auch besser so.«

»Was also soll ich tun? Einfach … rumstehen und die Hände ringen, bis du zurückkommst? Oder bis klar ist, dass du nicht zurückkommst? Ich muss irgendwas tun, Ishmael!«

»Leilah kann den Raum nicht allein bewachen«, sagte ich ruhig. »Wenn Jeeves und ich Sylvia nicht finden, wenn sie sich an uns vorbeischleicht, wird sie hierher zurückkommen. Sie will uns alle töten. Aus Rache. Weil wir uns ihr widersetzt haben … und um sicherzustellen, dass es keine Zeugen gibt. Also sorge zusammen mit Leilah und Khan dafür, dass ihr hier sicher seid, damit Jeeves und ich uns da draußen keine Sorgen um euch machen müssen. Schaffst du das?«

»Natürlich«, antwortete Penny. »Wenn du nicht zurückkommst … werde ich dich rächen, Ishmael. Ich werde dieser Schlampe einen Pflock durchs verrottete Herz rammen und ihr in die Augen spucken, während sie zu Staub zerfällt.«

»Natürlich«, sagte ich. »Ich hätte nichts anderes von dir erwartet.«

»Was ist danach?«, fragte Penny. »Wenn es ein Danach gibt? Was wird aus uns? Kannst du eine neue Partnerin gebrauchen?«

»Ich arbeite üblicherweise allein«, antwortete ich. »Das ist sicherer. Für alle Beteiligten. Ich wandle auf der dunklen Seite der Straße, Penny. Ich lebe allein, weil ich so weniger Leuten wehtue.«

»So kann man doch nicht leben«, fand Penny.

Sie nahm mich in die Arme und wir hielten einander lange umschlungen.

Am Ende ließ ich sie los und schob sie sanft von mir. »Wir können hinterher über vieles reden«, sagte ich. »Aber jetzt muss ich etwas erledigen.«

»Mach die Schlampe fertig«, forderte Penny. »Danach zeige ich dir, was leben heißt.«

»Gut«, sagte ich. »Es ist immer schön, wenn man sich auf etwas freuen kann.«

Ich wandte mich ab, um mit Jeeves zu reden, aber Khan stellte sich mir in den Weg. Er ließ mich einfach nicht vorbei und musterte mich von Kopf bis Fuß, als suche er nach Hinweisen, die er eigentlich schon früher hätte bemerken müssen. Dann schenkte er mir ein kurzes, unsicheres Lächeln.

»Na so was«, sagte er. »Als wir einander kennengelernt haben, waren wir in etwa gleich alt. Nur bin ich älter geworden, und Sie sind keinen Tag gealtert. In all den Jahren, die wir zusammen für Black Heir gearbeitet haben, habe ich nie vermutet, Sie könnten … was sind Sie, Ishmael? Wirklich, meine ich? Als ich Sie vor dreißig Jahren kennengelernt habe, hießen Sie Daniel, aber es fühlt sich nicht richtig an, Sie auch heute noch so zu nennen. Daniel war nicht Ihr wahrer Name. Aber ich schätze, das ist Ishmael auch nicht. Was sind Sie?«

»In Eile, Alex«, antwortete ich. »Ich habe zu tun.«

»Ich könnte mitkommen«, bot Khan an. »Ich habe bei Black Heir dieselbe Ausbildung genossen wie Sie.«

»Sie waren ein Schreibtischhengst«, erwiderte ich so freundlich wie möglich. »Sie haben es gehasst, mit mir in Moskau im Feldeinsatz zu sein. Sie konnten gar nicht schnell genug nach Hause kommen. Ich brauche Sie hier, Sie müssen helfen, diesen Raum zu verrammeln und zu sichern. Sylvia mag eine übernatürliche Kreatur sein, aber sie hat ihre körperlichen Grenzen. Man kann sie draußen halten, wenn man sich anstrengt.«

»Was ist danach?«, fragte Khan. »Was hindert mich daran, allen von Ihnen zu erzählen?«

»Wem könnten Sie es schon erzählen?«, fragte ich zurück. »Daniel ist aus den Reihen von Black Heir verschwunden, und Ishmael wird aus Belcourt Manor verschwinden. Wenn Sie aller Welt von Vampiren und Aliens erzählen … wird man Sie wegsperren.«

Khan nickte zögernd. »Für wen arbeiten Sie jetzt, Ishmael? Für wen hat James gearbeitet?«

»Für die Organisation«, sagte ich. »Jetzt wissen Sie genauso viel wie ich.«

Ich ging zurück zu Jeeves, der in der offenen Tür stand und in den Korridor hinausschaute. Alles schien ruhig zu sein. Hinter mir hörte ich Penny, Leilah und Khan leise die Verteidigung des Salons planen. Ich sah Jeeves an.

»Bereit?«

»Nicht wirklich. Du?«

»Ich werde nie bereiter sein.«

»Dann fangen wir an«, sagte Jeeves. »Ehe wir einen Anfall von gesundem Menschenverstand haben und es uns anders überlegen. Leilah!«

Sofort fuhr sie herum. »Ja? Was ist?«

»Gebt uns maximal eine Stunde«, sagte er ziemlich ruhig. »Wenn wir bis dahin nicht zurück sind, kommen wir nicht mehr. Dann müsst ihr selbst entscheiden, wie ihr weiter vorgehen wollt. Aber denk daran, Leilah: Unsere Aufgabe ist Personenschutz. Nicht Rache.«

»Der Kunde ist tot«, meinte Leilah.

»Seine Tochter nicht«, erwiderte Jeeves.

»Verstanden«, sagte Leilah. Sie sah uns andere an. »Mein Mann. Ist er nicht toll?«

Sie umarmte Jeeves zum Abschied, küsste ihn heftig, schob ihn dann von sich und kehrte zu den anderen zurück.

Jeeves sah mich an. »Sie ist sehr warmherzig.«

»Das habe ich gemerkt«, sagte ich.

Dann traten wir gemeinsam durch die Tür auf den stillen, schweigenden Gang.

Im Gang war es schon empfindlich kalt geworden, denn der Sturm wehte Schnee und Nebelschwaden durch die offene Haustür herein. Ich hörte den auf- und abschwellenden Wind und sah, dass es draußen Nacht geworden war. Blauweißes Mondlicht brach sich auf dem frisch gefallenen Schnee. Ich sah aufmerksam den Gang entlang. Alle Türen waren geschlossen, und nichts regte sich in den Schatten. Im ganzen Haus war es jetzt kalt. Kalt wie der Tod, kalt wie in einem Grab. Kalt wie das Herz einer Vampirin. Ich hörte keine Bewegung und roch nirgends Blut oder Verfall.

»Sie könnte einfach nur die Haustür aufgerissen haben, um uns glauben zu machen, sie sei nach draußen geflohen«, überlegte Jeeves langsam. »Dann ... könnte sie den Gang entlang zurückgeschlichen sein, um sich wieder im Haus zu verstecken. In der Hoffnung, einige von uns würden hinausgehen und so die Gruppe aufteilen. Wahrscheinlich fände sie es saukomisch, wenn wir beide in der Kälte und im Schnee herumstolperten, während sie die anderen angreift.«

»Sie ist nicht im Haus«, sagte ich. »Ich sehe draußen im Schnee ihre Fußspuren. Sie hätte nicht wieder hereinkommen können, ohne zumindest ein wenig Schnee hereinzuschleppen. Sie mag eine übernatürliche Kreatur sein, aber sie hinterlässt Spuren wie jeder andere auch.«

Jeeves sah mich an. »Für einen Augenblick habe ich gedacht, du sagst gleich, du könntest sie im Haus nicht riechen.«

»So gut bin ich nicht«, erwiderte ich.

»Aber du siehst vor der Tür am anderen Ende des Ganges im Schnee ihre Fußspuren«, sagte Jeeves. »Das könnte ich nicht mal mit einem Teleskop.« Er musterte mich nachdenklich. »Sylvia ... die Vampirin ... sagte, du wärst nicht menschlicher als sie.«

»Sie irrt«, entgegnete ich. »Ich bin viel menschlicher als sie. Nur, falls du es hören willst: Ich bin kein Vampir.«

»Das habe ich auch nicht angenommen«, versicherte Jeeves ein klein bisschen zu schnell. »Aber du bist ganz eindeutig seltsam. Hast du wirklich in den Achtzigern mit Alexander Khan zusammengearbeitet?«

»Wenn wir das alles gut hinter uns gebracht haben«, sagte ich, »werde ich es dir erklären.«

»Ich bin so froh, dass du ›wenn‹ gesagt hast und nicht ›falls‹«, meinte Jeeves. »Ich kann jede Form von Ermutigung gut gebrauchen.«

Vorsichtig gingen wir den langen, leeren Korridor entlang und blieben an der offenen Haustür stehen. Ich hörte, wie die anderen hinter uns im Salon schwere Möbel herumschoben, um eine Barrikade zu bauen. Jeeves und ich schauten hinaus in die Außenwelt. Es schneite heftig, doch der Wind hatte sich bis auf gelegentliche Böen fast vollständig gelegt. Perlgrauer Nebel waberte träge durch die Luft und nahm uns jede Fernsicht. Alles war totenstill und grabesruhig. Jeeves zitterte schon allein, weil er da unter der Tür stand, der Nacht und dem Sturm ausgesetzt, heftig.

Ich nicht.

»In Anbetracht der Tatsache, dass Sylvia untot ist«, sagte ich, »müssen wir wohl davon ausgehen, dass ihr die Kälte weniger ausmacht als uns. Sie hält es da draußen ohne Schutzkleidung aus.«

»Sehr wahrscheinlich«, sagte Jeeves. »Wie sie ausgesehen hat … ich schwöre, ich habe so etwas nie zuvor gesehen. Ihr Fleisch war an manchen Stellen bis auf den Knochen verfault! Dann ihre Augen, ihre Zähne … so etwas sollte es in einer geistig gesunden, rationalen Welt nicht geben!«

»Sie sind ja auch selten«, versuchte ich ihn zu beruhigen. »Aber die Welt ist größer, als die meisten Menschen je erkennen müssen. Wie sagt man so schön? Der liebe Gott hat einen großen, bunten Zoo, und darin gibt es auch allerlei böse Geschöpfe.«

»Sie könnte sich überall verstecken«, stellte Jeeves unglücklich fest. »Im Nebel, im Schnee. Darauf lauern, uns aus dem Hinterhalt anzufallen.«

»Klingt wahrscheinlich«, sagte ich.

Wir starrten in die Nacht hinaus. Grelles, strahlendes Mondlicht brach sich auf der weißen Weite vor uns. Überall hoben und senkten sich glatte, weiße Dünen, jungfräulich und mit geschlossener Schneedecke. Die großen Schneehügel vor uns waren unsere eingeschneiten Autos. Ich konnte nicht mehr erkennen, welches meines war. Sie erinnerten mich irgendwie an Iglus, und ich fragte mich, ob sich Sylvia vielleicht in einem der Autos versteckte. Sicher, unbemerkt und vor der Kälte geschützt. Nein – sie hätte von innen den Schnee nicht wieder so glätten können. Sie war eine Vampirin, keine Magierin.

Ich hatte einmal einen Magier gekannt. Er hatte seine Frau zersägt. Die Polizei hatte ihn nie gefunden.

Ich sah mich in aller Ruhe um. Auf der einen Seite des Herrenhauses ragte die Zehntscheuer aus dem Nebel auf, auf der anderen konnte man verschwommen die terrassenförmig angelegte Reihe der Cottages erkennen. Dahinter konnte ich vage den verschneiten Garten mit seinen Bäumen, Büschen und Formschnitthecken erkennen. So viele dunkle, schwer erkennbare Umrisse im grau schimmernden Nebel.

»Sie könnte überall hier draußen sein!«, sagte Jeeves. »Wo sollen wir überhaupt anfangen?«

»Sie ist ein Raubtier«, antwortete ich. »Die belauern ihre Beute gerne. Aber je länger wir zögern, desto mehr Zeit hat sie, Pläne gegen uns zu schmieden.«

Es entstand eine lange Pause.

»Gehst du auch so ungern da raus wie ich?«, fragte Jeeves. »Ich meine, sobald wir das Haus verlassen haben, gibt es kein Zurück mehr. Dann müssen wir es durchziehen. Wir jagen die Vampirin, bis wir sie finden, und dann vernichten wir sie entweder, oder sie tötet uns.«

»Ich gehe nur äußerst ungern«, sagte ich. »Aber wie uns die Erfahrung lehrt, ist ‚Augen zu und durch' fast immer die beste Methode. Denn das Wasser wird nicht wärmer.«

»Weißt du, was mir wirklich Angst macht?«, sagte Jeeves und sah mir mit fast schon brutaler Ehrlichkeit in die Augen. »Sie könnte beschließen, mich nicht zu töten. Sie könnte beschließen, mich stattdessen zu verwandeln. Mich zu einem Wesen der … unstillbaren Gier ohne jegliche Emotionen zu machen. Dem nichts und niemand je wieder etwas bedeutet. Ich würde so nicht weiterleben wollen. Wenn mir meine Leilah nichts mehr bedeutete.«

»Keine Sorge«, sagte ich. »Ich werde dafür sorgen, dass du richtig tot bist.«

»Ich wollte dich eigentlich bitten, Sylvia nicht an mich rankommen zu lassen!«, erwiderte Jeeves. »Mein Gott, du denkst wirklich morbid, Ishmael!«

»Das ist berufs- und umfeldbedingt«, erklärte ich. Wir lächelten einander kurz an.

»Wenn nötig, werde ich dasselbe für dich tun«, sagte Jeeves.

»Gut zu wissen«, meinte ich. »Denk daran, der Weg zum Herzen einer Vampirin führt mit Schwung direkt unter dem Brustbein hindurch.« Ich sah hinaus in den Schnee und den Nebel. »Wir werden alle Nebengebäude überprüfen und dann dafür sorgen müssen, dass sie sich dort nicht verstecken kann.«

»Wie stellen wir das an?«

»Wir zünden sie an«, antwortete ich. »Brennen sie alle nieder. Am besten, solange Sylvia drinnen ist. Aber wir müssen sie wenigstens ins Freie scheuchen, wo wir an sie rankommen.«

Mir fiel auf, dass Jeeves mich ehrlich schockiert anstarrte. Er brauchte einen Augenblick, um hervorzupressen: »Bist du verrückt? Das sind alles denkmalgeschützte Gebäude! Historische Schätze. Teile des architektonischen Erbes unseres Landes! Jedes einzelne davon ist ein kleines Vermögen wert!«

»Das Denkmalamt soll mir die Rechnung schicken«, sagte ich.

»Du bist wirklich kein Mensch«, befand Jeeves.

»Wir müssen uns warm einpacken, ehe wir da rausgehen«, sagte ich. »Links von dir im Schrank ist entsprechende Kleidung. Ich gedenke, mir einen dicken Schal mehrfach um den Hals zu wickeln.«

»Glaubst du wirklich, das hilft gegen ihre Bisse?«, fragte Jeeves.

»Nein. Aber gegen die Kälte.«

»Haben wir einen Plan?«

»Natürlich. Du legst Feuer, und ich stehe Schmiere.«

»Damit am Ende nur ich der Brandstiftung schuldig bin«, folgerte Jeeves. »Weil du nicht vorhast zu warten, bis meine Leute endlich auftauchen, richtig?«

»Wie die Organisation, für die ich arbeite«, antwortete ich, »gibt es mich offiziell nicht.«

Jeeves seufzte laut. »Dieser Job hat sich so gut angelassen. Echt gutes Geld, nur dafür, dass wir bei einem Wochenende auf dem Land die Leibwächter spielen. Gelegenheit für Leilah, mit ihren Kochkünsten zu glänzen. Leicht verdientes Geld … wir hätten es besser wissen sollen.«

Ich schloss die Haustür, um die Kälte auszusperren. Außerdem konnte ich so sicher sein, dass die Vampirin sich nicht wieder hereinschlich und uns aus dem Hinterhalt angriff, während wir uns umzogen. Ich zeigte Jeeves den begehbaren Kleiderschrank, und wir hüllen uns in so viele Lagen dicker Kleidung wie möglich, ohne Bewegungsfreiheit einzubüßen. Ich erinnerte mich, wie ich dasselbe mit Penny getan hatte. Erinnerte mich an unseren Spaziergang über das verschneite Gelände, bei dem wir noch nicht geahnt hatten, was für ein Tag vor uns lag. Erinnerte mich, wie ich die Leiche des Colonels in einem Schneemann gefunden und gewusst hatte, dass meine Welt sich unwiederbringlich verändert hatte.

Als Jeeves und ich angezogen waren, traten wir beide einen Schritt zurück und nahmen einander in Augenschein. Jeeves' Mund und Nase waren mit einem Schal bedeckt, und er trug eine Wollmütze auf dem kahlen Schädel, die er tief in die Stirn gezogen hatte, sodass ich gerade mal seine Augen sehen konnte. Aber ich war ziemlich sicher, dass er nicht lächelte.

Wir gingen zurück zur Haustür, und ich riss sie auf. Beide waren wir angespannt und bereit, nur für den Fall, dass Sylvia jenseits der Schwelle lauerte. Ich hätte das getan. Doch da waren nur Nebel, Schnee und glitzerndes Mondlicht. Es wehte kaum ein Lufthauch, und der dichte Nebel hing schwer in der Luft.

»Ideale Tarnung«, stellte Jeeves fest.

»Für uns und für sie«, ergänzte ich.

»Es sei denn, ihre Sinne sind schärfer als unsere.«

»Ich bezweifle, dass sie schärfer sind als meine«, sagte ich. »Ich hätte gewusst, wenn sie irgendwo in unserer Nähe gewesen wäre … wenn es so still ist, trägt der Schall weit, und nun, da ihr Zauberbann gebrochen ist, stinkt sie nach Grab.«

»Bist du sicher, dass du sie spüren wirst?«

»Ich gehe da raus, oder etwa nicht?«

Jeeves seufzte tief. »Weißt du, was das eigentliche Problem ist? Ich hätte nie gedacht, dass Sylvia die Mörderin sein könnte. Ich mochte Sylvia.«

»Das taten wir alle«, sagte ich. »Ich glaube, genau darum geht es bei diesen Tarnzaubern.«

Jeeves nickte und rief durch den Gang nach Leilah. Sofort streckte sie den Kopf zur Tür heraus. »Ja?«, fragte sie laut. »Was ist? Ich bin beschäftigt! Schwere Schutzbarrikaden bauen sich nicht von allein, weißt du?«

»Ich schließe die Haustür hinter uns ab, Leilah«, sagte Jeeves. »Du wirst uns also hereinlassen müssen, wenn wir zurückkommen. Ich werde so klopfen, damit du weißt, dass ich es bin.« Er hämmerte dreimal schnell an die Tür, dann zweimal langsam und sehr fest. »Lass mich nicht draußen in der Kälte stehen, Mädchen.«

»Ich werde die Ohren offen halten«, versicherte Leilah. »Mein Gott, wie seht ihr denn aus? Seid ihr sicher, dass ihr warm genug angezogen seid? Vergiss das Klopfzeichen nicht, sonst lasse ich dich nicht rein.«

»Das würde sie tun«, sagte Jeeves stolz.

»Aber mich nennt ihr seltsam«, brummte ich.

»Bist du auch!«, rief Leilah.

Nachdem Jeeves die Haustür fest hinter uns geschlossen hatte, standen wir draußen dicht beisammen und sahen uns um. Der Schnee reflektierte das Mondlicht, sodass es fast taghell war, aber man sah trotzdem fast nichts. Der Nebel wurde dichter. Ich konnte mit Mühe die Zehntscheuer neben dem Herrenhaus ausmachen, ein hoch aufragender, bedrohlicher Schatten. Sylvias Spuren im Schnee waren längst wieder verschwunden, von Neuschnee bedeckt.

Trotz all seiner warmen Mäntel zitterte und schlotterte Jeeves bereits aufgrund der extremen Kälte. Er funkelte mich an, als er bemerkte, dass ich kein bisschen zitterte.

»Es ist so einsam hier draußen«, sagte er. »Wie auf dem Mond. Eine tote Welt, in der es eine untote Kreatur gibt. Ich kann nicht glauben, dass ich das wirklich tue …«

»Glaub es besser«, riet ich. »Zweifel sind tödlich.«

»In den alten Geschichten war der Glaube eine echte Waffe gegen Vampire«, sagte Jeeves langsam. »In dieser Frage bin ich nach wie vor unentschieden.«

»Du hast doch gesehen, wie Khan versucht hat, Sylvia aufzuhalten, indem er mit zwei Kerzenhaltern ein Kreuz improvisierte«, erinnerte ich ihn. »Sie hat nur gelacht. Vertrau auf deine Erfahrung und deine Fähigkeiten, Jeeves. Die werden dir viel eher den Arsch retten.«

»Bringt dich das alles denn gar nicht zum Grübeln?«, fragte Jeeves. »Sie ist eine Vampirin. Es ist Weihnachten … das muss doch etwas bedeuten! Oder?«

»Ich weiß nicht«, erwiderte ich. »Wie gesagt, ich komme nicht von hier. Ich weiß nicht, was ich glauben soll.«

»Aber wenn es Vampire tatsächlich gibt«, beharrte Jeeves, »muss man sich doch fragen, was sonst noch alles existieren könnte.«

»Das würde ich nicht tun«, sagte ich. »Es bringt einen um den Schlaf. Können wir die philosophischen Implikationen bitte später erörtern, wenn alles vorbei ist und wir wieder im Warmen sitzen? Mir ist auch kalt, weißt du?«

»Riechst du etwas?«, fragte Jeeves.

»Nichts Nützliches«, antwortete ich. »Fangen wir mit dem nächstgelegenen Gebäude an.«

»Das wäre die Zehntscheuer.«

»Ja.«

Wir stapften weiter durch den Tiefschnee. Der große, graue Umriss der Scheune ragte vor uns aus dem Nebel, schien irgendwie immer realer und stofflicher zu werden, je näher wir ihm kamen. Die ganze Welt lag still und schweigend da, als halte sie den Atem an, gespannt, was als Nächstes passieren würde. Das einzige Geräusch war das Knirschen unserer Stiefel, die tief in den Schnee einsanken. Die Luft war so kalt, dass sie mir beim Einatmen in der Lunge brannte. Jeeves musste es noch schlimmer ergehen, denn er stieß, ohne es zu merken, bei jedem Atemzug leise Laute der Verzweiflung aus.

»Ich sehe keine Fußspuren«, sagte er, als wir uns der großen Öffnung in der Stirnwand der Scheune näherten.

»Damit habe ich auch nicht gerechnet«, sagte ich. »Der Schnee hatte mehr als genug Zeit, sie zuzudecken. Wenn du dir über noch etwas Sorgen machen möchtest ... vielleicht kann Sylvia kurze Distanzen fliegend überbrücken. Weißt du noch, wie sie an der Decke des Salons hing?«

»Du hast recht«, meinte Jeeves. »Das ist eine neue Sorge, und ich möchte ausdrücklich anmerken, dass es mir viel besser ging, bevor du das erwähnt hast.«

»Es ist unwahrscheinlich«, sagte ich. »Aber wir sollten besser alle Möglichkeiten in Betracht ziehen.«

»Du machst mich nicht gerade zuversichtlicher«, sagte Jeeves.

»Mich selbst auch nicht«, gab ich zu.

Wir blieben vor der Zehntscheuer stehen, um sie in Augenschein zu nehmen. Schwere Steinwände mit schmalen Fenstern unter einem steilen Schieferdach. Es hatte sich wenig verändert, seit ich mit Penny hier gewesen war. Vor einer Ewigkeit. Durch die offene Stirnwand war weiterer Schnee hereingeweht worden, der sich hoch aufgetürmt hatte. Keine Fußabdrücke, keine Lücken, nichts wies darauf hin, dass Sylvia die Scheune betreten hatte. Es sei denn, sie war wieder die Wand hochgehuscht ... ich bahnte mir einen Weg durch die Schneewehe und trat ein, wobei ich versuchte, überall gleichzeitig hinzuschauen, aber dennoch ruhig und entschlossen zu wirken. Jeeves eilte an meine Seite, die Waffe in der ruhigen, behandschuhten Hand.

»Du weißt«, erinnerte ich ihn ruhig, »dass Kugeln sie nicht aufhalten werden.«

»Aber vielleicht ein wenig bremsen«, erwiderte Jeeves. »Wenn ich ihr die Kniescheiben wegschieße. Oder die Augen. Außerdem fühle ich mich so besser.«

»Genau deswegen«, erklärte ich, »benutze ich nicht gerne Waffen. Sie verleihen einem so ein trügerisches Gefühl der Sicherheit.«

»Du bist wirklich überaus hilfreich ...«, sagte Jeeves.

»Soll ich dich lieber anlügen?«

»Ja!«

»Aber mich nennen die Leute seltsam.«

Ich entdeckte eine alte Sturmlaterne auf dem unebenen Boden an der Wand. Ich nahm sie und schüttelte sie vorsichtig. Öl platschte träge am Grund. Ich kramte noch in der Tasche nach Feuer, als Jeeves den Schalter an der Wand umlegte und helles elektrisches Licht die komplette Scheune erfüllte.

Er sah mich mitleidig an. »Du weißt schon, dass wir im 21. Jahrhundert leben?«

Die Scheune war, abgesehen von den unförmigen Umrissen alter landwirtschaftlicher Maschinen unter ihren schweren Planen, leer. Ich schaute sorgfältig hinter jede und hob sogar die Planen an, um darunter zu sehen. Keine Spur von Sylvia. Jeeves schritt für alle Fälle zweimal die Scheune ab. Wir ließen uns Zeit, um auch ja nichts zu übersehen. Ich sah trotz der Kälte Schweißtropfen in Jeeves' dunklem Gesicht. Er hielt die Waffe immer noch vollkommen ruhig.

Als wir davon überzeugt waren, dass die Scheune leer war, kehrten wir zur offenen Stirnwand zurück. Ich sah Jeeves ruhig an, und er nickte zögernd. Ich zerschlug die Öllampe an der Wand, spritzte einen Kreis aus Öl auf den Boden und kippte schließlich den Rest über die nächstbeste Plane. Jeeves brachte ein Zippo zum Vorschein, kniete nieder und zündete das Öl auf dem Boden an. Als hellgelbe Flammen emporzüngelten, eilten wir beide ins Freie.

Jeeves und ich hasteten hinaus ins Schneegestöber. Ein gewaltiger Schwall extrem heißer Luft rauschte aus der Öffnung in der Stirnwand und hätte uns beinahe erreicht. Schon quoll schwarzer Rauch aus den schmalen Fenstern. Das elektrische Licht in der Scheune erlosch, und sie war nur noch von tanzenden gelben Flammen erhellt.

»Steinmauern«, sagte Jeeves. »Aber hölzerne Deckenbalken und alte, hölzerne landwirtschaftliche Maschinen ... die Scheune wird bald komplett in Flammen stehen und eine ganze Weile brennen. Da kann Sylvia nicht mehr hin.« Er sah mich an. »Stimmt es, dass Feuer Vampire vernichtet?«

»Ich wüsste nicht, warum nicht«, antwortete ich. »Sie ist nur eine wandelnde Leiche, und Krematorien werden jeden Tag ganz prima mit Leichen fertig. Aber ...«

»Ich hasse es, wenn du solche Pausen machst«, meinte Jeeves. »Aber was?«

»Sylvia hat Rogers Leichnam angezündet«, sagte ich. »Was bedeuten könnte, dass sie keine Angst vor Feuer hat. Möglicherweise ist diese mangelnde Angst aber tatsächlich eine Schwäche. Sylvia sieht sich schon zu lange als unantastbar und unbesiegbar. Vielleicht hat sie weniger ausgeprägte Überlebensinstinkte als wir.«

»Das ist erstaunlich«, fand Jeeves. »Du redest ununterbrochen, kommst ständig auf neue Gedanken, aber kein einziger davon ist auch nur um Entferntesten tröstlich.«

»Das ist eine Gabe«, sagte ich.

Ich führte ihn am Herrenhaus und den Cottages vorbei in den Garten. Dort vermutete ich Sylvia nicht, wollte mich aber vorsichtshalber trotzdem umschauen. Sylvia kam mir vor wie jemand, der immer genau das Gegenteil von dem tat, was man von ihr erwartete, nur um ihre Gegenüber aus dem Gleichgewicht zu bringen. Jeeves hatte keine Einwände. Er glaubte, ich wisse alles über Vampire, was aber nur bewies, wie wenig er wusste. Bei jedem Schritt sanken unsere Füße mit lauten, knirschenden Geräuschen tief in den Schnee ein, als wollten sie Sylvia unser Kommen ankündigen.

Wir gingen durch den verschneiten Garten, durch Alleen und an den Formschnitthecken vorbei, die ich als noch verstörender empfand als zuvor, weil noch mehr Schnee ihre eigentlichen Umrisse unkenntlich machte. Nichts ließ mehr auf ihre ursprüngliche Form schließen. Ich sah sie mir alle gründlich an, klopfte sogar mit dem Handrücken auf die Zweige, um den Schnee zu entfernen und die Form sichtbar zu machen.

»Glaubst du wirklich, Sylvia versteckt sich in einem dieser Dinger?«, fragte Jeeves.

»Sie hat den Colonel in einem Schneemann versteckt«, sagte ich.

Ich schaute zwischen die Formschnitthecken und hinter jede einzelne, ließ mir Zeit, ließ mich nicht drängen. Ich wollte auf keinen Fall, dass Sylvia mich aus einer davon heraus plötzlich ansprang. Ich spürte eine wachsende Spannung in Jeeves' immer ruckartigeren Bewegungen. Ich fragte mich, ob er den Eindruck hatte, ich schöbe die Durchsuchung der Cottages nach Sylvia vor mir her, und war mir selbst nicht ganz sicher. Schließlich blieb ich an einer ganz bestimmten Stelle stehen und starrte zu Boden.

Jeeves trat neben mich. »Hast du hier den Schneemann gefunden?«, fragte er leise.

»Ja«, antwortete ich. »Hier habe ich den Colonel gefunden. Als ich das erste Mal Blut roch, ohne zu wissen, was es bedeutete.«

»Ich vermute, damals erschien dir die Welt noch sinnvoll«, sagte Jeeves.

»Nein«, erwiderte ich. »Ich kann nicht behaupten, diese Welt jemals als sinnvoll empfunden zu haben.«

»Fragst du dich je ... ob Sylvia einfach das Ende des Sturmes abgewartet und sich dann verzogen hätte, wenn du James' Leiche nicht gefunden hättest?«, fragte Jeeves. »Ob dann vielleicht außer ihm niemand gestorben wäre?«

»Nein«, antwortete ich. »So etwas denke ich nie. Nachträgliches Grübeln hat noch nie jemandem geholfen. Ich sehe immer nach vorn. Sylvia hat getötet, ehe sie hierher kam und hätte es danach auch wieder getan. Sie ist ein Raubtier. Es liegt in ihrem Wesen. Das Einzige, was zählt, ist, sie zu stoppen.« Ich sah mich um. Die fahle Welt erwiderte meinen Blick, schillernd, unberührt und tödlich kalt.

Jeeves zitterte jetzt heftig. »Ich glaube, hier haben wir alles gesehen«, sagte er. »Schauen wir uns die Cottages an.«

»Ja«, stimmte ich zu. »Tun wir das. Vielleicht können wir ein Feuer legen, um uns zu wärmen.«

Wir kehrten zurück zu der Reihe viktorianischer Cottages, pflügten durch den hart gefrorenen Schnee. Ich glaube, dort im Freien fühlten wir uns beide verwundbarer, gefährdeter. Sylvia hätte überall sein können. Wir wollten beide die Vampirin aufspüren und die Sache hinter uns bringen. Das verrottete Scheusal finden und pfählen und fertig, damit wir uns wieder unserem Leben widmen konnten. Vor Gravelstone Cottage, dem alten Gärtnerhaus, blieben wir stehen und nahmen es sorgfältig in Augenschein. Hinter den Fenstern brannte kein Licht, und die Haustür war fest geschlossen. Ein schöner Anblick in dieser Winterwelt.

Aber brauchte eine Untote Licht oder Heizung? Oder sonst irgendetwas? Oder reichte ihr ein dunkles Versteck?

Jeeves ging zur Vordertür und drückte die Klinke herunter. Die Tür bewegte sich keinen Millimeter. »Verschlossen«, sagte Jeeves. »Ich wusste doch, ich hätte mein Dietrichset mitbringen sollen.«

Ich bedeutete ihm, beiseite zu treten, und rammte die schwere Holztür. Ich erwischte sie voll mit der Schulter und riss sie aus den Angeln, ohne auch nur langsamer zu werden. Die Tür knallte auf den Boden, und ich stieg einfach darüber weg und trat in die dunkle, schattenverhangene Diele. Jeeves kam hinter mir hereingeeilt, wobei er mehr oder weniger professionell die Waffe von rechts nach links und wieder zurück schwenkte.

»Na schön«, sagte er, sobald er sicher war, dass wir allein waren. »Das war … echt krass. Ich bin offiziell beeindruckt. Tut dir das nicht in der Schulter weh?«

»Doch«, erwiderte ich.

Langsam schoben wir uns in den düsteren Gang. Jeeves fand schließlich den Lichtschalter, und die plötzliche Helligkeit blendete uns beinahe. Die schmale Diele war verstörend gemütlich und heiter eingerichtet, mit einer hübsch altmodischen Tapete, süßen Möbeln und einem blanken Dielenboden. Ein perfektes Ferienhäuschen, wo der gestresste Gast so richtig ausspannen konnte. Nicht der Ort, an dem man mit einem Monster rechnete. Aber genau darum ging es ja.

Wir durchsuchten erfolglos alle Räume im Erdgeschoss. Kein Anzeichen dafür, dass in den letzten Monaten jemand Gravelstone Cottage betreten hatte. Wir gingen nach oben. Jeeves wollte vorgehen, weil er die Waffe hatte, aber ich drängte mich vor, denn mir war klar, dass ich viel schwerer umzubringen war. Ich schnupperte unablässig, roch aber weder Blut noch Verfall. Nur Staub und Feuchtigkeit.

Wir durchsuchten auch oben alle Räume, traten Türen ein und sahen in gespannter Erwartung in alle Ecken und Winkel. Ich öffnete sogar alle Schränke und drehte die Betten um, für den Fall, dass ein Monster darunter lauerte. Als wir alle Zimmer durchsucht hatten und wieder auf dem Treppenabsatz standen, waren wir beide so angespannt, dass die Konzentration in Erschöpfung umzuschlagen drohte. Mir taten alle Muskeln weh, weil ich sie ständig angespannt hatte.

»Es ist niemand zu Hause«, stellte Jeeves bitter fest. »Hauen wir ab.«

»Nach dir«, sagte ich.

Ich folgte ihm die knarrende Holztreppe hinunter. Ich wollte nicht, dass er mein finsteres Gesicht sah, während ich unsere Lage zu durchdenken versuchte. Ich wurde das Gefühl nicht los, dass mir etwas entging. *Lerne zu denken wie deine Beute*, hatte der Colonel immer gesagt, *damit du sie im Denken übertreffen kannst.* Aber normalerweise jagte ich Beute, die auf die eine oder andere Weise lebendig war. In meinen Fällen drehte es sich üblicherweise eher um Superwissenschaft als um das Übernatürliche. Ich wusste, es gab solche Dinge. Niemandem, der in meiner Welt operierte, konnte das entgehen. Aber dafür hatte der Colonel andere Agenten gehabt. Warum hatte er dann so dezidiert mich zu Hilfe gerufen? Warum hatte er, wenn er geahnt hatte, dass Sylvia eine Vampirin war, keine besser geeigneten Agenten gerufen? Konnte es sein, dass er den anderen weniger vertraut hatte als mir? Der Gedanke gefiel mir.

Als wir wieder vor der offenen Tür in der Diele standen, fühlte ich mich etwas besser. Auf dem ganzen Weg die Treppe hinunter hatte ich den furchtbaren Verdacht gehegt, Sylvia werde unten auf uns lauern. Mit ihrem schrecklichen Lächeln. Aber sie war nicht da. Jeeves und ich zerrten die Möbel aus den Wohnräumen in die Halle und stapelten sie dort auf. Dann übergossen wir sie abwechselnd mit dem Inhalt einer Hausbar, die wir gefunden hatten, bis die ganze Diele nach Alkohol stank. Jeeves und ich schoben uns ins Freie, wobei ich sorgfältig eine Alkoholspur hinter uns herzog, und dann kam Jeeves' Zippo wieder zum Einsatz. Die Möbel gingen sofort in Flammen auf, und eine gewaltige Hitzewelle schoss zur offenen Vordertür heraus. Wären wir nicht so gut eingepackt gewesen, hätte uns die große Hitze vielleicht die Augenbrauen weggesengt. Bald stand die gesamte Fassade von Gravelstone Cottage lichterloh in Flammen. Jeeves zog die Handschuhe aus und wärmte sich begeistert die bloßen Hände an der sengenden Hitze. Er zerrte seinen Schal herunter und grinste mich an.

»Das erste Mal, dass mir warm ist, seit wir das Herrenhaus verlassen haben! Schau nur, wie das brennt … und du schwitzt nicht mal!«

»Das tue ich fast nie«, sagte ich.

Wir wandten unsere Aufmerksamkeit der langen Reihe der terrassenförmig angeordneten Cottages zu. Sie erstreckte sich, so weit das Auge reichte, und das letzte Cottage verschwand im Nebel. Wo auch immer wir hinschauten, alle Türen waren fest geschlossen, und nirgends brannte Licht. Sylvia hätte hinter jedem der dunklen Fenster lauern und uns beobachten können, ohne dass wir es bemerkt hätten.

»Es wird viel zu lange dauern, jedes Cottage einzeln zu durchsuchen«, sagte ich. »Außerdem gäbe es Sylvia viel zu viele Möglichkeiten, einen Hinterhalt zu legen. Ich schlage vor … wir gehen überhaupt nicht rein. Wir zünden sie gleich an. Du legst am anderen Ende Feuer, ich an diesem. Dann lassen wir die Flammen von einem Cottage aufs nächste übergreifen, bis sie sich in der Mitte treffen. Wir warten, bis das Feuer Sylvia aufscheucht, schlagen sie nieder, pfählen sie … und enthaupten sie dann vorsichtshalber noch.«

»Glaubst du wirklich, dass wird so leicht?«, fragte Jeeves.

»Eigentlich nicht«, erwiderte ich. »Ich wollte nur positiv klingen.«

»Du hast nicht mal einen Holzpflock!«

»Ich besorge mir einen, wenn ich ihn brauche«, erwiderte ich.

»Du machst mir nicht gerade Mut, weißt du das?«, sagte Jeeves. Er sah an der langen Reihe der Cottages entlang. »Hältst du es für eine gute Idee, wenn wir uns trennen?«

»Wir haben wohl keine andere Wahl«, erklärte ich. »Wenn wir beide am selben Ende anfangen, könnte sie einfach abhauen. Also … bleib nach Möglichkeit in Sicht und lass dich nicht ablenken. Leg Feuer und komm so schnell wie möglich zu mir zurück. Ruf mich, wenn du etwas zu sehen glaubst.«

»Dito«, sagte Jeeves.

Wir nickten einander knapp zu. Mehr gab es nicht zu sagen. Jeeves stapfte durch den Schnee davon, während ich mein Ende der Cottages in Augenschein nahm. Einmal sah ich ihm nach, doch Jeeves war bereits in der grauen Wand aus Nebel und Schnee verschwunden.

Ich brauchte nicht lange, um an meinem Ende der Terrasse Feuer zu legen. Ich trat die erste Tür ein, stapelte die Möbel auf, übergoss sie mit allem Brennbaren, das mir in die Finger fiel, und zündete sie an. Ab und an hielt ich inne und witterte, aber ich roch nie auch nur einen Hauch von Blut und Verfall. Nie hörte ich eine Bewegung oder hatte auch nur das Gefühl, nicht allein zu sein. Das machte mir Sorgen. Irgendwo hier musste Sylvia ja sein. Sie konnte sich sonst nirgends verstecken. Ich entzündete das Feuer mit meinem eigenen Feuerzeug. Ich rauchte nicht und hatte das auch nie getan, doch es war immer gut, ein Feuerzeug dabeizuhaben. Man wusste nie, wann man eine plötzliche Feuersbrunst brauchen konnte.

Das letzte Cottage auf meiner Seite stand schnell in Flammen, und das Feuer griff rasch auf das nächste über. Die ganze Terrasse war plötzlich nur noch eine große Brandfalle. Die beiden ersten Cottages standen schnell völlig in Flammen und erfüllten die kalte Nachtluft mit sengender Hitze und dichtem, schwarzem Rauch. Aber als ich zum anderen Ende der Cottages hinüber sah, war Jeeves nirgends zu entdecken, und nichts brannte. Etwas war schiefgegangen.

Ich rannte an den mittleren Cottages vorbei, stürmte durch den Schnee, und plötzlich tauchten die Häuser am anderen Ende der Terrasse aus dem Nebel auf. Kein Feuer, keine aufgebrochenen Türen, nicht einmal ein eingeschlagenes Fenster. Jeeves war nirgends zu sehen. Ich spielte mit dem Gedanken, nach ihm zu rufen, besann mich dann aber eines Besseren. Ich witterte konzentriert, roch aber nur Rauch.

Dann hörte ich ein Geräusch und sah nach oben. Da waren sie: Jeeves jagte Sylvia über die verschneiten Giebeldächer. Sie sah noch immer aus wie eine verrottende Leiche in dreckigen alten Klamotten, wie sie da leichtfüßig über die Cottages tanzte und dabei fröhlich lachte. Jeeves hatte Mühe, mit ihr Schritt zu halten. Er hatte die Waffe gezogen, aber noch nicht geschossen. Ich hörte seine Schritte, mit denen er über die rutschigen, verschneiten Schieferplatten stürmte und schlitterte, Sylvias hingegen nicht. Kein Wunder, dass ich sie so weit oben nicht hatte riechen können. Ich hörte sie lachen und Jeeves atemlos fluchen. Er blieb stehen, zielte sorgfältig und eröffnete das Feuer, doch wenn seine Kugeln Sylvia trafen, verlangsamten sie sie nicht einmal.

Ich wusste nicht, wie sie da hochgekommen waren. Vielleicht hatte Sylvia Jeeves Stockwerk um Stockwerk nach oben und dann durch ein Dachfenster ins Freie gelockt … so in der Art musste es zweifellos gelaufen sein. Dann eine letzte Jagd, bei der sie sich aus Spaß von ihm hetzen ließ.

Wieder folgte ihr Jeeves. Ich rief zu ihm hinauf, brüllte, er solle stehen bleiben und herunterkommen, damit wir sie so ausschalten konnten, wie wir es geplant hatten. Aber entweder hörte er mich nicht, oder er wollte mich nicht hören, weil ihn das Jagdfieber gepackt hatte. Er schlitterte und rutschte über die vereisten, verschneiten Dächer, aber irgendwie kam er getrieben von reiner Kraft und Sturheit voran. Mehrfach wäre er beinahe abgestürzt, fing sich aber jedes Mal im letzten Augenblick. Sylvia schien mit übernatürlich sicheren Schritten vor ihm her zu schweben und verlor keine Sekunde lang das Gleichgewicht. Dann wirbelte sie plötzlich zu Jeeves herum. So schnell konnte er nicht anhalten, also stolperte er auf sie zu, und während er abgelenkt war, warf sie sich auf ihn. Sie raste so schnell über das verschneite Dach, dass sie vor meinen Augen verschwamm und legte innerhalb weniger Sekunden die Entfernung zwischen den beiden zurück.

Ich konnte nichts für ihn tun.

Sylvia prallte gegen Jeeves, der mehrere Schritte zurücktaumelte.

Sie packte ihn mit beiden Händen bei den Schultern, und Jeeves schrie ob der schrecklichen Kraft ihres untoten Griffs. Ich hörte seine Schulterblätter brechen. Jeeves kämpfte trotzdem gegen sie an, wehrte sich mit allem, was er hatte, konnte sich aber nicht losreißen. Er versuchte, die Waffe zu heben, hatte aber keine Kraft mehr in den Armen.

Sylvia sah zu mir herab, und ich wusste, sie hatte das alles für mich arrangiert. Eine Show hoch oben auf den Dächern, damit ich nicht eingreifen konnte. Jeeves hatte doch recht gehabt. Sie hatte nur darauf gewartet, dass wir uns trennten, um uns einzeln zu erwischen und ihren Spaß mit uns zu haben.

Ruckartig bewegte sie den Kopf auf ihn zu, und Jeeves schrie auf. Ein furchtbarer, verzweifelter Laut. Sie schlug die Fänge in seinen Hals. Blut spritzte, dampfte heftig in der kalten Luft. Noch mehr Blut rann über seine Brust, durchtränkte seinen Mantel. Sylvia zerfetzte mit den spitzen Zähnen seine Kehle wie ein Hund ein Stück Frischfleisch. Die Geräusche, die sie beim Trinken von sich gab, waren nicht einmal tierisch. Sie waren irgendwie noch urtümlicher, primitiver.

Ich konnte nichts tun. Ich hatte keine Chance, zu den beiden zu gelangen, ehe alles vorbei war.

Mit der Kraft ihres untoten Leibes hielt Sylvia Jeeves aufrecht. Seine erschlafften Beine waren völlig kraftlos. Sie vergrub das Gesicht in der klaffenden Wunde, die sie in seine Kehle gerissen hatte, und trank sein Blut. Ich hörte die grässlichen Geräusche ganz deutlich. Jeeves wandte langsam das Gesicht ab, um zu mir herunterzuschauen. Dann öffnete er die Hand und ließ seine Waffe fallen. Sie trudelte über das Dach, prallte von der Regenrinne ab und wirbelte dann durch die Luft. Rasch machte ich einen Schritt nach vorn und fing sie auf.

Sylvia löste ihr Gesicht von Jeeves' Hals. Sie funkelte mich an, die Augen strahlten widernatürlich hell in ihrem verrottenden Gesicht. Blut troff von ihren Lippen und Fängen. Als sie sprach, hörte ich sie so deutlich, als stünde sie direkt vor mir.

»Siehst du, was ich tue, Ishmael? Das werde ich mit ihnen allen machen! Der Reihe nach, bis nur noch du übrig bist. Du darfst sie leiden sehen, und dann darfst du auch leiden, für die Sünde, mir Unannehmlichkeiten bereitet zu haben. Eigentlich ist das alles deine Schuld, oder? Wenn ich dich dann am Ende holen komme … oh, was werde ich dir nicht alles antun! Aber für den Augenblick musst du nur zusehen …«

Jeeves' Körper war völlig erschlafft, er hatte keine Energie mehr. Nur die Kraft der Vampirin hielt ihn noch aufrecht. Aber er sah noch immer zu mir herunter, und ich wusste, er hatte seine Waffe fallen gelassen, damit ich sie auffangen konnte. Ich hob sie und zielte sorgfältig. Sylvia sah es und lachte mir ins Gesicht. Dann schoss ich Jeeves zweimal in den Kopf. Ich mochte vielleicht keine Waffen, aber ich konnte damit umgehen.

Mehr konnte ich nicht für ihn tun. Seinem Leiden ein Ende setzen und dafür sorgen, dass Sylvia ihn nicht verwandeln konnte.

Sylvia schrie vor Zorn, als ich vor ihren Augen Jeeves' halben Kopf in Stücke schoss. Sie stieß ihn von sich, als sei er plötzlich hoch ansteckend. Jeeves wirbelte durch die Luft, überschlug sich mehrfach und krachte schließlich so heftig vor mir auf den verschneiten Boden, dass ich seine Knochen brechen hörte. Ich wusste, er musste tot sein, aber ich kniete dennoch nieder und fühlte seinen Puls. Weil ich sicher sein musste. Er hätte dasselbe für mich getan.

Als ich wieder nach oben sah, war Sylvia vom Dach verschwunden. Da oben war nur noch wirbelnder Schnee. Wenigstens um eine kleine Rache hatte ich sie betrogen.

Die Cottages brannten gut. Bald würden die Flammen das Ende der Gebäudereihe erreichen. Dann konnte sich Sylvia nirgends mehr verstecken. Ihr blieb nur noch ein Ziel. Belcourt Manor.

Wo ich einen Köder für sie ausgelegt hatte.

Elf

Blutopfer

Der Wind nahm zu, schien aus der eisigsten aller Höllen hervorzuwehen. Der Schnee peitschte mir ins Gesicht, als ich nach Belcourt Manor zurückkehrte, und stach mir in die zusammengekniffenen Augen. Ich musste die Vampirin vernichten, solange sie noch hier festsaß. Wenn nicht, würde Sylvia alle Insassen des Hauses töten, warten, bis der Sturm nachließ und dann einfach gehen. Dann würde das Ganze woanders wieder von vorn anfangen. Ich kämpfte mich durch den Sturm und weigerte mich, mich von der Kälte aufhalten oder auch nur im Geringsten bremsen zu lassen. Ein normaler Mensch hätte das vermutlich nicht geschafft.

Als ich das Herrenhaus zusammen mit Jeeves verlassen hatte, war mir klar gewesen, dass uns Sylvia mit großer Wahrscheinlichkeit entwischen würde. Dass wir sie nicht würden aufhalten können. Deshalb hatte ich darauf bestanden, die Nebengebäude in Brand zu stecken. Um Sylvia nur noch einen Zufluchtsort übrig zu lassen. Belcourt Manor. Wir hätten die anderen mit auf die Vampirjagd nehmen können. Um als Gruppe zusammenzubleiben. Zahlenmäßige Überlegenheit und so. Aber ich hatte sicher sein müssen, wohin sich Sylvia im Falle ihres Entkommens zurückziehen würde. Ich hatte einen Köder für meine Falle gebraucht.

Penny, Leilah und Alexander.

Ich musste die Vampirin vernichten. Dafür, was sie dem Colonel angetan hatte. Für all die, die sie getötet hatte und noch töten würde, wenn ich sie nicht aufhielt. Aber ich musste auch denen, die ich im Haus zurückgelassen hatte, das Leben retten. Denn das hätte ein Mensch getan.

Langsam schälte sich das Herrenhaus aus dem dichten Nebel. Als ich näher kam, sah ich, dass die Haustür noch immer fest geschlossen war. Immerhin. Ich blieb in sicherer Entfernung stehen, um das Gebäude in Augenschein zu nehmen. Nichts deutete darauf hin, dass Sylvia vor mir das Herrenhaus erreicht hatte. Dann erloschen die Lichter.

Der Lichtschimmer, der durch die schweren hölzernen Klappläden des Salons gefallen war, verlosch abrupt. Da niemand in diesem Raum Grund hatte, das Licht auszumachen, bedeutete das, dass Sylvia das Haus bereits betreten und die Sicherungen herausgerissen hatte. Gute Taktik. Hätte ich auch so gemacht. Sie hatte im Lauf des Wochenendes mehr als genug Zeit gehabt, um herauszufinden, wo sie waren und im Voraus zu planen. Raubtiere zogen es oft vor, im Dunkeln zu jagen …

Ich eilte weiter, pflügte durch den links und rechts aufwirbelnden Tiefschnee auf die Haustür zu. Dort angekommen packte ich die Türklinke und rüttelte daran, musste aber feststellen, dass die Tür noch immer fest verschlossen war. Wie war Sylvia hinein gelangt? Ich trat zurück, schaute nach oben, legte den Kopf weit in den Nacken, und da sah ich es … ein offenes Fenster im obersten Stockwerk, mit lose in den Angeln hängenden, weggerissenen Klappläden. Dasselbe Fenster, hinter dem ich bei meiner Ankunft einen Beobachter zu sehen geglaubt hatte. Sylvia musste an der Außenwand hochgehuscht sein … und war jetzt bei den anderen im Haus.

Ich hämmerte mit der Faust gegen die Haustür, bis das massive Holz im Rahmen erbebte, und erst dann fiel mir Jeeves' Klopfzeichen wieder ein. Dreimal kurz und zweimal heftig und lang schlug ich gegen die Tür, dann stand ich keuchend da und überlegte, wie es weitergehen sollte, wenn ich drinnen war. Nach einer besorgniserregend langen Pause hörte ich, wie von innen jemand die Tür aufschloss. Sie öffnete sich nach innen, und Penny stand vor mir. Ihr lächelndes Gesicht war voller Erleichterung, mich wiederzusehen, dann verging ihr das Lächeln, als ihr klar wurde, dass Jeeves nicht bei mir war.

Ich eilte ins Halbdunkel der unbeleuchteten Diele, und sie machte mir Platz. Eiskalte Luft wirbelte hinter mir Schnee hinein. Penny schlug die Tür zu, um den Sturm auszusperren, und verschloss sie wieder. Mit funkelnden Augen sah ich mich in der dunklen Diele um. »Hast du Sylvia gesehen?«, fragte ich.

»Nein«, antwortete Penny. »Ich dachte, sie sei noch draußen! Oh verdammt, das Licht! Das war sie, oder? Wir dachten alle, es sei der Sturm gewesen.«

»Nein«, sagte ich. »Sie ist irgendwo hier drin.«

Penny half mir, mich aus den vielen Lagen Kleidung zu schälen. Ich ließ sie auf den Boden fallen und schob sie mit dem Fuß beiseite. Die äußeren Lagen waren schneebedeckt, die inneren durchgeschwitzt. Ich war froh, sie loszuwerden. Mit tauben Fingern kratzte ich eine Eisschicht aus meinem Gesicht und ging dann rasch auf die Tür des Salons zu. Sie stand einen Spaltbreit offen, und warmes, gelbliches Licht fiel in die Diele.

»Leilah zündet Kerzen an«, sagte Penny, die neben mir her eilte. »Es stehen immer viele Kerzen herum. Dafür hat Daddy gesorgt. Er hat immer gesagt, das sei ein wichtiger Teil der Weihnachtsatmosphäre. Wir haben sie früher oft benutzt, als ich noch ein kleines Mädchen war und wir das mit dem Generator noch nicht so im Griff hatten … Tut mir leid. Ich fasele. Ishmael … Wo ist Jeeves? Was ist mit Jeeves passiert?«

»Er hat es nicht geschafft«, antwortete ich.

»Hat Sylvia ihn getötet?«

»Ja«, sagte ich.

»Oh Gott … Aber er war doch ein Profi!«

»Das bin ich auch«, erwiderte ich.

»Ja«, sagte Penny und versuchte zu lächeln. »Aber worin?«

»Gute Frage«, sagte ich.

Weiteres Licht fiel aus dem Salon. Ich sah mich ein letztes Mal in der leeren Diele um, stieß die Tür auf und trat ein, dicht gefolgt von Penny.

Unmittelbar hinter der Tür war die Hälfte der Möbel des Raums zu einer Barrikade aufgetürmt. Sie hatten sie zur Seite geschoben, um Penny hinauszulassen. Ich schob sie beim Eintreten mit einer Hand weiter zurück. Sie fühlte sich ziemlich stabil und schwer an, doch ich hatte keinen Zweifel, dass Sylvia einfach hätte hindurchbrechen können, ohne auch nur langsamer zu werden. Das war mir immer schon klar gewesen. Ich hatte die anderen nur ermutigt, eine Barrikade zu errichten, um ihnen etwas zu tun zu geben und damit sie sich sicherer fühlten.

Dann schloss ich die Tür. Der Feuerschein aus dem Kamin und das Kerzenlicht verbreiteten eine beinahe gemütliche Atmosphäre im Salon. Jemand hatte das Feuer angefacht und viel Kohle und Holz im Kamin aufgestapelt. Es loderte in dem gewaltigen Steinkamin. Ich ging direkt zum Feuer hinüber, stellte mich davor und wärmte mich. Mir war gar nicht klar gewesen, wie kalt mir war, wie viel langsamer mich die Zeit draußen im Sturm gemacht hatte. Kälte war tückisch. Sie kroch in einen hinein. Ich drehte mich um, ließ das Feuer meinen Rücken rösten und sah mich im Zimmer um. Große und kleine Kerzenhalter und Kandelaber standen auf jeder waagrechten Oberfläche. Warmes, organisches Licht vertrieb die Schatten.

Leilah sah mich an, und ein Blick sagte ihr alles. Ich musste ihr nicht erklären, warum Jeeves nicht bei mir war. Sie schien zu implodieren, wirkte plötzlich alt und müde … dann richtete sie sich langsam wieder auf, wappnete sich mit ihrer Kraft und gewann ihre alte Autorität zurück. Denn das war ihr Job, und er war das Einzige, was ihr jetzt noch blieb. Sie sah mir direkt in die Augen. »Sag mir einfach … dass er einen guten Tod gestorben ist«, sagte sie.

»Er ist im Kampf gestorben«, erwiderte ich. »Hat ihr getrotzt bis zum Ende.«

Was hätte ich auch sagen sollen? Die Wahrheit sicher nicht. Das wäre grausam gewesen.

Bewusst wandte ich den Blick ab. Jemand hatte Melanie vom Boden aufgehoben und wieder auf ihren Stuhl gesetzt. Sie saß zusammengesackt da, den Kopf in den Nacken gelegt, sodass sie zur Decke starrte. Vermutlich hatte jemand versucht, ihr die Augen zu schließen, aber das war oft gar nicht so leicht. Der Pflock ragte noch immer aus ihrer blutverschmierten Brust.

Khan stand etwas abseits und wirkte verloren. Als hätte er keine Ahnung, was er jetzt tun sollte. Wahrscheinlich eine ganz neue Erfahrung für einen Mann wie Khan, der es gewohnt war, alles im Griff zu haben. Er merkte, dass ich ihn beobachtete und sah etwas in meinem Gesichtsausdruck. »Nicht der Sturm hat das Licht gelöscht, oder?«, fragte er. Mit großen Augen starrte er mich an wie ein Reh, das schreckstarr ins Scheinwerferlicht äugte. »Ist Sylvia wieder hier im Haus?«

»Sieht so aus«, antwortete ich.

»Warum haben Sie die Schlampe nicht getötet?«, fragte Khan mit erhobener Stimme.

»Wir haben es versucht«, sagte ich. »Jeeves ist bei diesem Versuch gestorben.«

»Für Sie ist das etwas anderes«, sagte Khan aufsässig. »Sie sind für solchen schrägen Scheiß ausgebildet. Ich war bei Black Heir nur ein Schreibtischhengst, erinnern Sie sich?«

Ich wandte mich von ihm ab. »Penny, wo ist der Sicherungskasten?«

»Keine Ahnung!«, antwortete Penny. »Woher soll ich das wissen?«

»Es ist doch Ihr Zuhause!«, warf Khan ein. »Wie können Sie nicht wissen, wo der Sicherungskasten ist?«

»Weil ich nur zu Besuch bin!«, konterte Penny. »Das hier ist schon seit Ewigkeiten nicht mehr mein Zuhause! Wissen Sie vielleicht, wo der Sicherungskasten ist?«

»Natürlich!«, erwiderte Khan.

»Armes kleines reiches Mädchen«, sagte Leilah, die gerade die letzten paar Kerzen mit einem Zippo anzündete, wie es auch ihr verstorbener Mann besessen hatte, ohne sich umzudrehen. »Weiß alles, außer den wirklich wichtigen Dingen. Ihr Sicherungskasten ist unten in der Küche. Allerdings ist mir im Augenblick nicht danach, da runterzugehen ...«

»Pst!«, befahl ich. »Hört mal ...«

Alle standen ganz ruhig da, niemand bewegte sich. Wir atmeten ganz flach, lauschten, konzentrierten uns. Außerhalb des Salons, ganz am Ende der Diele, hörten wir jemanden langsam die lange, geschwungene Treppe herunterkommen. Schritt für Schritt, theatralisch. Jeder Schritt schien ewig zu dauern, die Pausen bis zum nächsten Geräusch zerrten an unseren Nerven. Dann hörten die Schritte am Fußende der Treppe auf. Lange herrschte nur tiefe Stille. Wir standen alle stocksteif da und spitzten die Ohren. Die Schritte gingen wieder die Treppe hoch, einen langsamen Schritt nach dem nächsten, bis ganz nach oben. Dort verhielten sie wieder.

Ich merkte erst, wie angespannt ich gewesen war, als ich mich zwang, mich zu entspannen.

»Sie ist hier«, sagte ich, »und sie will, dass wir das wissen.«

»Warum?«, fragte Penny. »Sie kann ja wohl kaum Angst vor uns haben! Das ergibt keinen Sinn!«

Wir standen dicht beieinander, sprachen leise, als könne uns Sylvia sonst hören. Vielleicht war das ja sogar der Fall.

»Vielleicht sucht sie die Nähe ihrer Opfer?«, meinte Khan. »Die sind immer noch oben.«

Leilah schnaubte wegwerfend. »Sie will, dass wir ihr folgen. Den einzigen sicheren Ort, den es in diesem Haus gibt, verlassen, und hochgehen. Damit sie uns der Reihe nach erledigen kann. Das kommt aber gar nicht infrage. Ich gehe nirgendwohin.«

»Sie provoziert uns«, sagte Khan. »Spielt Spielchen ... weil sie es kann. Wir sollten diese Barrikade wieder vor die Tür schieben. Hier bleiben. Gemeinsam sind wir stark.«

Leilah schnaubte erneut. »Das sagen Sie nur, weil Sie Angst haben, allein zu bleiben.«

»Natürlich«, gab Khan zu. »Sie etwa nicht?«

»Ich will nur eine Chance, sie zu vernichten!«, sagte Leilah.

»Wir können nicht einfach hier herumstehen, bis sie den ersten Schritt macht!« sagte Penny. »Wir müssen einen eigenen Plan entwickeln!«

»Du hast recht«, stimmte ich zu. »Wir dürfen nicht zulassen, dass sie die Initiative ergreift. Wir müssen den Kampf zu ihr tragen.«

»Theoretisch korrekt«, sagte Leilah. »Aber wie soll das gehen?«

»Ich weiß nicht«, gab ich zu. »Ich überlege noch.«

Leilah sah Khan streng an. »Sie haben für Black Heir gearbeitet ...«

»Als Buchhalter!«, sagte Khan. Er funkelte mich an. »Sie haben im Feld gearbeitet, Ishmael! Tun Sie etwas!«

»Ich kümmere mich um Sylvia«, entschied ich. »Verbarrikadieren Sie die Tür hinter mir.«

»Was?«, fragte Penny. »Nein! Das darfst du nicht, Ishmael! Du hast es schon einmal versucht, zusammen mit Jeeves, und sie hat ihn getötet!«

»Ich weiß«, sagte ich. »Aber einer muss es ja machen.«

»Warum musst das immer du sein?«, fragte Penny.

»Weil ich noch hier bin«, antwortete ich, »und Jeeves nicht.«

Ich sah Leilah an, und sie erwiderte meinen Blick. Ihre Augen sagten mir, dass sie verstanden hatte, was ich damit sagen wollte. Dass ich mich dafür verantwortlich fühlte, dass ich Jeeves nicht lebendig mit zurückgebracht hatte. Sie nickte rasch. Sie hatte mir nicht verziehen, dass ich statt seiner lebend zurückgekehrt war. Aber sie begriff, warum ich bereit war, einen erneuten Versuch zu wagen, und das genügte ihr.

Ich schnappte mir eine brennende Kerze in einem schweren, silbernen Kerzenhalter.

»Ich sehe besser als die meisten anderen Menschen«, erklärte ich. »Selbst im Halbdunkel. Das weiß Sylvia nicht. Sollte mir einen Vorteil verschaffen.«

»Du musst nicht allein gehen«, sagte Penny. »Ich komme mit. Als Rückendeckung.«

Ihr Blick war ganz ruhig, ihre Stimme weniger. Aber sie meinte es ernst.

»Nein«, widersprach ich.

»Warum nicht?«

»Weil ich nicht auf mich aufpassen kann, wenn ich mir Sorgen um jemand anderen machen muss«, erklärte ich.

Penny biss sich heftig auf die Unterlippe und nickte dann zögernd. Dann wandte sie sich ab, damit sie nicht sehen musste, wie ich fortging.

Ich sah Leilah an. »Lasst die Tür einen Spalt offen. Bleibt aufmerksam, stellt eine Wache auf. Wenn jemand die Diele entlang kommt, der nicht aussieht wie ich, schieß. Jeeves hatte eine gute Idee, die auszuprobieren er keine Gelegenheit mehr bekam: Ziel auf die Knie und die Augen. Das könnte ausreichen, um sie zumindest ein wenig aufzuhalten. Ich werde einen Pflock brauchen … Wo ist die andere Hälfte von Walters Stock?«

Leilah nickte in Richtung eines Beistelltischchens, auf dem das kurze, abgesplitterte Holzstück griffbereit lag. Ich nahm es mir. So ein kleines, zerbrechliches Stück Holz als Waffe gegen ein Monster … Es war jedoch meine einzige Option. Ich musste einfach darauf setzen, dass dieser Teil der Legende stimmte. Dann stand ich an der Tür, den Pflock in der einen und den Kerzenhalter in der anderen Hand. Vorsichtig öffnete ich die Tür und spähte argwöhnisch in die Diele hinaus. Keine Bewegung. Ich holte tief Luft, atmete langsam aus, um mich zu fokussieren und trat in die Diele hinaus.

Ich hörte, wie sie auf der anderen Seite der Tür die Barrikade vorschoben. Das Licht, das in die Diele gefallen war, wurde nach und nach weniger, als sie die Tür bis auf einen Spalt schlossen. Ich schaute in diesen Spalt, und Leilah erwiderte meinen Blick. Ihr Gesicht und ihr Blick waren eiskalt. Ich wandte mich ab und ging die lange, dunkle Diele entlang in Richtung der großen, geschwungenen Treppe am Ende. Die Kerze hielt ich vor mir und bewegte mich vorsichtig in ihrem gelben Lichtschein, der so herrlich normal und frei von Wahnsinn war. Kein Lüftchen regte sich in der Diele, die Kerzenflamme brannte absolut senkrecht.

Außer meinen Schritten war kein Geräusch zu hören. Sie klangen viel schwerer und realer als Sylvias zuvor. Aber ich fürchtete, sie klängen auch ein wenig zögernd. Ich wollte nicht, dass Sylvia mich für schwach, für Beute hielt. Argwöhnisch witterte ich. Es lag ein Hauch von Blut und Verfall in der Luft, ein geisterhafter Überrest des Gestanks eines offenen Grabes.

Am Fuß der langen, geschwungenen Treppe blieb ich stehen. Ich hob die Kerze hoch in die Luft und konnte in ihrem Lichtschein fast die Hälfte der Treppe recht deutlich erkennen. Sylvia war nirgends zu sehen, also blieb mir nur, nach oben zu gehen und sie zu suchen. In gleichmäßigem Tempo erklomm ich die Treppe in der Hoffnung, dadurch zuversichtlicher zu klingen. Als hätte ich einen Plan, nicht nur einen abgebrochenen Stock in einer verschwitzten Hand. Ich hatte in meinen verschiedenen geheimen Vergangenheiten schon allerhand Unheimliches gesehen, aber so etwas noch nie. Wie Jeeves gesagt hatte, der Gedanke an den Tod war gar nicht so schlimm. Es war die Vorstellung, nicht tot zu bleiben. Als wandelnde Leiche zurückzukehren, die ununterbrochen nach Blut und Schrecken dürstete.

Vor mir lag immer noch ein Hauch von Blut und Verfall in der Luft, wo Sylvia zuvor treppauf und treppab gegangen war, um uns zu provozieren. Ich klammerte mich an den Gedanken, dass sie aktuell nicht mehr in meinem Geiste herumspielte, denn ich konnte ihre Anwesenheit ja jetzt riechen, wozu ich zuvor nicht in der Lage gewesen war

Als ich schließlich oben ankam, atmete ich schwer und meine Beine zitterten. Die Kerze hielt ich immer noch ganz ruhig. Ich trat auf den Treppenabsatz, und plötzlich stand Sylvia unmittelbar vor mir. Ohne Vorwarnung und ohne erkennbare Bewegung stand sie einfach da. Sie schenkte mir ihr schreckliches Lächeln, und ihre Augen leuchteten furchterregend in ihrem verrottenden Gesicht. Ich hätte mich beinahe zu Tode erschreckt. Es war lange her, dass es jemandem gelungen war, mich zu überraschen. Sylvia hielt sich ganz am Rand des Lichtkreises meiner Kerze auf. Ein Schritt rückwärts, und die Finsternis hätte sie eingehüllt. Sie wollte, dass ich sie sah. Also musterte ich sie ganz ruhig.

Sie lächelte wieder, wobei sich ihr Mund grotesk weit dehnte, bis ihre verfärbte Haut aufriss, sodass ich noch mehr Zähne zu sehen bekam. Ihre Lippen waren noch immer mit Jeeves' Blut verschmiert. Aber ihr zerlumptes Totenhemd hatte zu viele alte Blutflecke, als dass ich hätte erkennen können, welche frisch waren. Welche von ihm stammten. Aus der Nähe stank die Vampirin nach Gemetzel und Gräbern.

»Was hast du nur für strahlende Augen, Sylvia«, sagte ich. »Warum habe ich die zuvor nicht im Dunkeln gesehen?«

»Weil es in meiner Natur liegt, nicht aufzufallen, bis ich gesehen werden will«, erklärte Sylvia. Ihre tote Stimme hatte immer noch die Macht, mich innerlich erbeben und mich krümmen zu lassen. »Im Gegensatz zu dir, mein lieber Ishmael, habe ich mich immer im Griff.«

»Du bist ohnehin ganz anders als ich«, sagte ich. »Aber wenn du wirklich alles im Griff hättest, könnte ich dich gar nicht sehen.«

»Was genau bist du?«, fragte Sylvia. »Ich kann dich irgendwie nicht … erfassen. Du siehst aus wie ein Mensch, doch du bist keiner. Du bist anders.«

»Aber so was von«, bestätigte ich.

»Also, was bist du?«

Ich zuckte lässig die Achseln. »Nicht von hier.«

»Ich kann deine Angst riechen«, sagte Sylvia. »Aber dafür besteht kein Grund, Ishmael. Es ist noch nicht so weit. Ich habe dir ja versprochen, zuerst alle anderen zu töten. Dich hebe ich mir für den Schluss auf. Als Nachtisch.«

»Das wird nicht passieren«, versicherte ich. »Dafür musst du an mir vorbei.«

»Glaubst du, du könntest mich aufhalten?« Sylvia lachte leise. Es klang träge und befriedigt.

Dann stürzte sie sich auf mich, genau wie zuvor auf Jeeves. Aber ich war darauf vorbereitet und sprang ihr meinerseits entgegen. Ich rammte ihr die Kerze ins Gesicht, womit sie nicht gerechnet hatte. Sie hielt einen Augenblick inne, um mir den Kerzenhalter aus der

Hand zu schlagen. Er prallte gegen die Wand und fiel zu Boden, doch die Kerze brannte wunderbarerweise noch, sodass ich gerade genug Licht hatte, um etwas zu sehen. Ich traf Sylvia mit aller Kraft mit der Faust am Kopf und spürte und hörte, wie ihr Schädel brach, barst und nachgab. Sylvia wankte, als ihr halbes Gesicht in sich zusammenfiel. Sie schlug mit einer Klauenhand nach mir, und ich duckte mich darunter weg. Ich spürte den Luftzug unmittelbar über dem Kopf. Dann riss ich den Pflock hoch, um ihn ihr die Brust zu rammen, doch sie sprang sofort rückwärts, zog sich aus meiner Reichweite zurück und wäre fast in der Finsternis verschwunden. Doch sie hielt mir stand und fauchte mich an wie eine Katze. Ich hörte die gebrochenen Knochen in ihrem Schädel knirschen und schaben, als sie sich wieder zusammensetzten.

So aus der Nähe war ihr Gestank fast unerträglich: Sie roch nach Blut und unmittelbar bevorstehendem Gemetzel.

Dann wandte sie sich ab, setzte über das Geländer und ließ sich in die Diele hinunterfallen. Ich schnappte mir die Kerze, die aus dem Halter gefallen war, schirmte die Flamme mit der Hand ab, eilte zum Geländer und schaute ihr nach. Sylvia schwebte wie ein Blatt im Wind nach unten. Sie landete elegant wie eine Katze und ohne jedes Geräusch in der Diele. Sie sah einfach nur zu mir herauf, lächelte und schritt lautlos die Diele entlang. Ich hätte sie im trüben Zwielicht dort unten nicht erkennen können sollen, aber sie wollte, dass ich sie sah.

Ich rannte zurück zur Treppe. Sylvia bewegte sich noch immer geisterhaft leise die Diele entlang. Vor der Tür des Salons hielt sie inne. Sie war beinahe geschlossen, nur ein kleiner Lichtschimmer fiel in die Diele heraus. Aus welchem Grund auch immer war Leilah nicht auf ihrem Posten. Sylvia betrachtete die Tür eingehend und klopfte dann: dreimal schnell und zweimal laut und langsam. Sie hatte gelauscht.

Man hörte, wie Möbel gerückt wurden, dann öffnete sich die Tür, und Leilah schaute heraus, in der Erwartung, mich zu sehen. Sylvia sprang vor und stieß mit einer Hand die Tür komplett auf, und ich hörte, wie die Barrikade dahinter in sich zusammenbrach. Leilah trat vor und schoss Sylvia mehrfach ins Gesicht. Die Vampirin wurde nicht einmal langsamer. Sylvia packte Leilahs Kopf mit beiden Händen und riss ihn ab. Ich schrie auf, aber Sylvia wandte nicht einmal den Kopf. Leilahs Leichnam sackte langsam in sich zusammen, kam auf dem Boden zu sitzen, und aus dem Halsstumpf spritzte und pumpte Blut. Sylvia hielt sich den Kopf direkt vor ihr verrottendes Gesicht und sah Leilah glücklich lächelnd in die sich noch immer bewegenden Augen. Der Mund versuchte, etwas zu sagen, bis Sylvia es mit einem Kuss unterband.

Die Vampirin warf den Kopf beiseite, und er rollte hüpfend durch die Diele, bis er außer Sicht im Dunkeln liegen blieb. Sylvia beugte sich über den kopflosen Leichnam, senkte ihr Gesicht in den noch nicht versiegten Blutstrom aus dem Halsstumpf und trank gierig. Dann richtete sie sich auf, wischte sich mit dem Handrücken den bluttriefenden Mund ab und betrat vollends den Salon.

In der Zwischenzeit war ich über das Geländer gesprungen und stürzte der Diele entgegen. Ich bereitete mich nach Kräften auf den Aufprall vor. Der Fall schien ewig zu dauern, dann schlug ich so hart auf, dass einige Holzdielen brachen. Für einen Augenblick nahm mir die heftige Landung den Atem, und ich ließ meine Kerze fallen. Sie war ohnehin ausgegangen. Aber meinen Pflock hatte ich noch. Ich rannte die Diele entlang in den Salon.

Die ganze Zeit über hörte ich Sylvia lachen.

Als ich durch die offene Tür gestürmt kam, hatten sich Khan und Penny in die hinterste Ecke des Raumes zurückgezogen, standen mit dem Rücken zu der Wand, die Sylvia gegenüber lag. Khan hatte mit der letzten Kraft der Verzweiflung einen Stuhl zerschlagen, um eines der Holzbeine als Pflock zu verwenden. Penny hatte eines der anderen Beine und warf es mit aller Kraft nach Sylvia. Die Vampirin wischte es achtlos beiseite.

»Du hast meine Eltern getötet, du Schlampe!«, brüllte Penny. »Ich werde einen Weg finden, dich zu vernichten!«

»Dieses Spruchs werde ich einfach nicht müde«, sagte Sylvia. »Er wärmt mein altes Herz … Aber das haben schon Bessere als du versucht, meine süße Penny, und ich bin im Gegensatz zu ihnen immer noch hier. Jetzt sei ruhig und halt still. Es ist Zeit zu trinken. Du willst doch nicht, dass man dich als hässliche Leiche auffindet, oder?«

»Geh hinter mir in Deckung, Penny«, sagte Khan rau.

»Oh, wie süß!«, meinte Sylvia und applaudierte. »Ein Held in letzter Minute! Die liebe ich …«

Penny löste ihren Blick von der Vampirin mit dem blutigen Gesicht und sah Khan an. Er ließ Sylvia nicht aus den Augen, das hölzerne Stuhlbein in seiner Hand zitterte ein wenig. Penny wich einen Schritt zurück und trat hinter Khan. Ihr Vertrauen in ihn schien Khan zu ermutigen, und das Stuhlbein zitterte plötzlich nicht mehr. Sylvia rückte langsam vor, ließ sich Zeit, genoss den Augenblick. Ich blieb, wo ich war, unter der Tür, und versuchte verzweifelt, einen Plan zu entwickeln, bei dem die anderen beiden nicht draufgehen würden. Ich wagte nicht, mich zu bewegen. Wenn ich Sylvia irgendwie auf mich aufmerksam machte, würde sie die beiden anderen vielleicht sofort töten, nur um mich zu ärgern.

»Ich hätte nie gedacht, dass ich dich mal den Helden spielen sehe, Alex«, sagte Sylvia. »Ziemlich untypisch für dich, oder? Den Mann, der immer nur an sich denkt?«

»Du machst es mir leicht«, erwiderte Khan. Es war eindeutig, dass er zurückweichen, sich der Vampirin gegenüber andererseits aber auch keine Blöße geben wollte. »Du bist so widerwärtig, dass ich neben dir rein wirke. Ich muss ein Held sein, Sylvia, weil ich es nicht ertragen könnte, zu sein wie du.«

»Das ist nicht besonders nett«, tadelte Sylvia. »Leuten, die schlimme Dinge sagen, passieren auch schlimme Dinge.«

Khans Gesicht war ganz grau vor Angst, doch er wich und wankte nicht, sondern starrte sie trotzig an, den Pflock noch immer vor sich ausgestreckt.

»Wir haben uns unterhalten«, sagte er heiser. »Du und ich. Wir haben uns einander anvertraut. Ich dachte, ich kenne dich …«

»Tust du nicht«, erwiderte Sylvia. »Das tut niemand.«

»Also, wie ist es?«, fragte Khan. »Tot zu sein?«

Sylvia überraschte mich, indem sie auf diese Frage hin stehen blieb, um ernsthaft darüber nachzudenken. »Untot, mein Lieber«, begann sie schließlich. »Es ist sehr … befreiend. Ich liebe es! Dich übrigens auch jeden Augenblick. Zumindest, solange du durchhältst.«

»Erinnerst du dich an dein Leben davor?«, fragte Khan verzweifelt. »Fehlt es dir nicht?«

»Es ist immer total süß«, sagte Sylvia, »wenn sich die Beute unterhalten will. Um mich anzuflehen oder mit mir zu feilschen … wenn sie zu verstehen versucht, was gleich Furchtbares mit ihr geschehen wird … mit einem letzten Kommunikationsversuch den grauenhaften Augenblick aufschieben möchte … eine Verbindung zwischen uns herstellen will. Nun, mein lieber Alex, das Leben war ein Albtraum, aus dem ich erwacht bin. Endlich frei! Kein Gewissen, keine Sterblichkeit, keine Ketten der Zivilisation, die mich an irgendetwas hindern oder mir die Freiheit rauben. Jetzt kann ich tun, was immer ich will, und das tue ich auch!«

»Du tötest Menschen!«, sagte Penny, die noch immer hinter Khan stand. »Das ist alles! Du vernichtest Leben!«

»Dafür sind sie da«, meinte Sylvia. »Ich trinke und töte, ich schlachte ab und metzle … und es macht mir einen Riesenspaß! Ich mache dir einen Vorschlag, mein lieber Alex. Gib mir das Mädchen. Gib mir Penny … und ich lasse dich gehen.«

Penny sah Khan ängstlich an, aber er zuckte nicht mit der Wimper und zögerte keine Sekunde, das musste man dem Mann lassen.

»Niemals«, sagte er.

»Na schön«, meinte Sylvia. »Einen Versuch war es wert. Ich liebe es, wenn sie aufeinander losgehen, um mir zu gefallen.«

Unsagbar schnell schoss sie nach vorn und schlug Khan so brutal das hölzerne Stuhlbein aus der Hand, dass es durch den Raum flog und bis zur Hälfte in die Wand fuhr. Sylvia sprang Khan an und schlug ihm die Fänge in den Hals, biss heftig zu und zerrte mit den Zähnen an dem blutigen Fleisch. Khan schwankte, fiel aber nicht.

Sylvia ließ es nicht zu. Er gab ein angewidertes, entsetztes Geräusch von sich und versuchte, sie wegzustoßen, doch er hatte bereits keine Kraft mehr in den Armen. Er wusste, dass er starb. Blut strömte über seine Brust, während Sylvia ihm mit den scharfen Zähnen den Hals zerfetzte. Penny trommelte mit den Fäusten auf Sylvias Kopf und Schultern ein und versuchte, die Vampirin in die Flucht zu schlagen, doch Sylvia nahm keinerlei Notiz von ihr.

Langsam hob Khan eine Hand und tauchte sie in das Blut, das ihm über die Brust strömte. Er legte eine Fingerspitze auf Sylvias Stirn und zeichnete ein blutiges Kreuz darauf. Sie warf den Kopf in den Nacken und funkelte ihn mit widerwärtig leuchtenden Augen an. Dann brach sie ihm mit einer plötzlichen, gehässigen Bewegung das Genick. In der Stille war das Geräusch der brechenden Knochen sehr laut. Sylvia warf die Leiche von sich und packte Penny am Arm. Penny wehrte sich heftig gegen die Vampirin, konnte sich aber nicht losreißen. Sylvia zog sie an sich, sodass sie einander von Angesicht zu Angesicht gegenüberstanden, und Penny spuckte ihr ins Auge.

Die Vampirin drehte Penny um die eigene Achse, ohne ihren Arm loszulassen, und funkelte mich an. Ich stand noch immer unter der Tür. Sie hatte die ganze Zeit gewusst, wo ich war. Alles war so schnell gegangen, dass ich noch immer keinen Plan hatte. Sylvia war so viel schneller und stärker als ich …

Die Vampirin hielt Penny wie einen Schutzschild zwischen uns. Penny schrie auf, als sich untote Finger tief in ihren Arm gruben und verstummte dann abrupt, als Sylvia ihr Gesicht direkt neben ihres schob und das verrottende Kinn auf Pennys Schulter legte. Frisches Blut troff von Sylvias Gesicht und beschmutzte Pennys Kleid. Sie stand vollkommen reglos da und sah mich flehend an. Ich schenkte ihr mein bestes ermutigendes Lächeln.

»Jetzt wirf diesen widerlichen Holzpflock weg, Ishmael«, forderte Sylvia.

Ich sah den Stock in meiner Hand an und ließ ihn fallen. Mit dem Fuß stieß ich ihn weg. Mit einem leisen, jämmerlichen Geräusch rollte er über den Boden.

»Jetzt«, sagte Sylvia, »zeig dich, mein lieber Ishmael, und ergib dich mir.«

»Warum sollte ich das tun?«, fragte ich.

»Weil ich dann die kleine Penny verschonen werde.«

»Nein, Ishmael!«, protestierte Penny sofort. »Sie wird dich töten! Aber mich wird sie deshalb nicht verschonen! Das weißt du doch … hau ab, Ishmael. Hau einfach … ab.«

»Schh, schh«, sagte ich. »Ich kann doch nirgends hin, Penny. Außerdem würde ich dich niemals verlassen, selbst wenn ich es könnte.«

»Oh je«, sagte Sylvia. »Ich hasse es, wenn sie rührselig und sentimental werden.«

»Glaubst du wirklich, ich würde dir vertrauen?«, fragte ich. »Deinem Wort?«

Die Vampirin lachte keuchend. »Du hast keine andere Wahl. Denn wenn du nicht genau das tust, was ich dir sage, mein lieber Ishmael … werde ich die süße kleine Penny hier auf eine ganz besondere Art und Weise beißen. Dafür sorgen, dass sie mich liebt. Bis in alle Ewigkeit. Ich könnte eine Gefährtin brauchen …«

Sie riss den Mund auf, und von ihren Fängen troff noch Blut, als sie die Spitzen sacht an Pennys Hals legte. Unwillkürlich durchlief Penny ein heftiger Schauer, und sie kniff die Augen zusammen. Sie konnte nicht verhindern, dass ihr Tränen über die Wangen rannen.

»Schon gut!«, gab ich nach. »Schon gut … Das reicht. Bitte tu ihr nicht weh. Schau her. Ich zeige mich.«

Langsam ging ich durch den Salon auf sie zu, Schritt für Schritt, während Sylvia mir mit hungrigem, brennendem Blick entgegensah.

»Bitte nicht, Ishmael«, flüsterte Penny. »Sie wird dich töten. Aber ohne dich will ich nicht leben.«

»Ruhe, Kind«, sagte Sylvia. »Bald ist dir das alles ohnehin egal.«

»Schon gut, Penny«, beruhigte ich sie. »Ich weiß, was ich tue.« Sylvia wartete bis zum allerletzten Augenblick, dann stieß sie Penny zu Boden. Heftig genug, um ihr den Atem zu nehmen und zu verhindern, dass sie sich weiter einmischte. Sylvia packte mich am Arm und zog mich an sich, die widernatürlich glänzenden Augen starr auf mich gerichtet. Dann zuckte ihr Kopf nach vorn und sie schlug mir die Fänge in den Hals. Es tat furchtbar weh, aber ich unterdrückte jeglichen Schmerzensschrei. Ich wankte und wich nicht, wehrte mich nicht einmal, als grauenhafter Abscheu die tiefsten Tiefen meiner Seele erfüllte. Sie schlug die Zähne tief in meinen Hals und schmiegte ihre Wange an meine, und ich ballte die Fäuste an den Seiten. Ich spürte, wie die Kraft aus mir herausfloss ... bis Sylvia plötzlich den Kopf in den Nacken warf und mich wegstieß. Sie torkelte zurück, sah mich ungläubig an. Zitternd und bebend stand sie da, mein Blut troff aus ihrem Mund.

Mein goldenes Blut.

»Du hättest besser aufpassen sollen, Sylvia«, sagte ich. »Ich sagte doch, ich bin nicht von hier.«

Sylvia schrie. Rauch quoll aus ihrem Mund. Mein Blut tat ihr nicht gut. Es vergiftete sie, zerfraß sie von innen heraus. Ihr fauliges Fleisch wurde schwarz und zerfiel. Die Hände fielen ihr ab, und an ihrem ganzen Leib brachen tiefe Wunden auf. Sie stürzte unablässig kreischend zu Boden und zerfiel, und am Ende war nur ein blutiger Schmierfilm auf dem Boden von ihr übrig, der sich ebenfalls bereits auflöste und verging.

Ich eilte zu Penny hinüber und half ihr auf. Lange klammerten wir uns einfach nur aneinander. Ich spürte, wie ich wieder zu Kräften kam, doch für den Augenblick gestattete ich ihr, mich aufrecht zu halten. Sie brauchte das, und ich brauchte sie. Schließlich lösten wir uns voneinander und sahen einander an.

Penny berührte meinen Hals. »Die Wunde ist beinahe verschwunden! Aber du siehst trotzdem beschissen aus.« Von irgendwoher brachte sie ein Taschentuch zum Vorschein und presste es gegen meinen Hals.

»Keine Sorge«, sagte sie. »Es ist noch unbenutzt.« Wir lächelten einander an.

»Es ist vorbei«, erklärte ich. »Es ist endlich vorbei ...«

»Das also war dein Plan«, stellte Penny fest. »Damit habe ich nicht gerechnet, und sie auch nicht. Warst du wirklich sicher, dass das klappen würde?«

»Natürlich«, log ich.

»Du hast das für mich getan. Hast für mich dein Leben riskiert.«

»Ja«, sagte ich. »Ich konnte nicht zulassen, dass sie dich tötet.«

»Du wolltest sie für das vernichten, was sie deinem Colonel angetan hatte«, sagte Penny.

»Aber vernichtet habe ich sie letztlich für dich«, erwiderte ich. »Schon gut. Der Colonel hätte es verstanden.«

Penny lächelte. »Ich glaube … das ist der Beginn einer wunderbaren Freundschaft.«

»Ja«, sagte ich.

Zwölf

Nach der Party wird aufgewischt

Am Morgen hatte sich der Sturm gelegt.

Als lange nach dem Frühstück Jeeves' Leute eintrafen, wehte kein Wind mehr, und es hatte aufgehört zu schneien. In der klaren, kühlen Morgenluft lag nicht der leiseste Hauch von Nebel. Ich hörte die Sicherheitskräfte, lange bevor sie eintrafen, denn sie stapften und trampelten fluchend die eingeschneite Auffahrt herauf, weil sie mit ihren Fahrzeugen nicht näher herankamen. Also erwarteten Penny und ich sie angemessen warm gekleidet an der Haustür. Ein Dutzend Frauen und Männer, alle in den gleichen paramilitärischen Outfits. Ein ziemlich kompetenter Haufen. Sie schienen sich nicht gerade zu freuen, Penny und mich zu sehen, oder zu hören, dass die Notsituation vorbei und wir die einzigen Überlebenden waren. Dass der Mörder ebenso tot war wie Jeeves und Leilah.

Der Einsatzleiter wollte uns nicht einmal sagen, für wen sie arbeiteten. Das war ich gewohnt. In meiner Branche begegnete man vielen Leuten, die es offiziell nicht gab. Der Einsatzleiter war kurz davor, uns einem hochnotpeinlichen Verhör zu unterziehen, und ich bereitete mich darauf vor, ihm zu sagen, dass er sich das in den Arsch schieben konnte und wenn nötig auch eine körperliche Demonstration folgen zu lassen, als ein weiterer Mann mit selbstbewusstem Gang die Einfahrt entlang auf uns zukam. Der Einsatzleiter warf ihm einen Blick zu und machte sich dann augenblicklich davon, um sich anderswo nützlich zu machen.

Der Neuankömmling hatte scharf geschnittene Züge, war Mitte dreißig, trug einen militärischen Schnurrbart, einen rustikalen Tweedanzug und abgelatschte Wanderstiefel, und ich wusste sofort, wer er war. Wer er sein musste. Er übernahm mit ruhiger Effizienz das Kommando und schickte die Sicherheitsleute ins Haus, um mit dem Aufräumen anzufangen. Sie eilten an Penny und mir vorbei, als wären wir gar nicht da, und diskutierten dabei laut darüber, wie viele Leichensäcke sie brauchen würden und wer sie aus dem Van holen musste.

Der Neuankömmling sah Penny und mich ruhig an. »Hallo Ishmael. Miss Belcourt. Ich bin der Colonel.«

»Komisch«, erwiderte ich. »Sie sehen gar nicht aus wie der Colonel.«

»Ich bin der neue Colonel. Der König ist tot, lang lebe der König und so. Es gibt immer einen Colonel, der die Organisation repräsentiert.«

»Ich schätze, Sie sind so gut wie jeder andere«, sagte ich.

Der Colonel hob kurz eine Braue. »Mein Vorgänger hat mir einen Aktenvermerk hinterlassen, dass Sie häufig aufsässig sind. Offenbar hat er das an Ihnen geschätzt. Ich teile diese Meinung nicht.«

»Ihr Problem«, sagte ich.

Ich sah ihm in die Augen, und der Colonel ging ins Haus, um die Aufräumarbeiten zu koordinieren. Ich ließ ihn machen. Es bestand kein Grund, mich einzumischen. Am Ende des Tages würden sie alle Beweisstücke, die Verdacht hätten erregen können, gesäubert oder vernichtet haben, alle Leichen würden verschwunden sein, sie würden eine Verschleierungsgeschichte etabliert haben. Niemand in der normalen Welt würde je erfahren, was hier wirklich geschehen war.

»Wie werden sie all die Toten erklären?«, fragte Penny, nachdem ich ihr die Prozedur erklärt hatte.

»Wahrscheinlich Lebensmittelvergiftung«, vermutete ich. »Das geht immer. Die Leichen werden verbrannt, die entsprechenden Totenscheine werden ausgestellt, und man bringt die hiesigen Medien dazu, die Geschichte unter den Tisch fallen zu lassen. Ist das akzeptabel für dich?«

»Ich denke schon«, antwortete Penny. »Aber egal, wie gut sie aufräumen, dieses Haus wird für mich nie wieder so sein wie früher. Für mich wird es immer der Ort bleiben, an dem zu viele Menschen gestorben sind. Es hatte sich wirklich ein Monster im Dunkeln versteckt, genau wie ich es mir als kleines Mädchen immer vorgestellt habe.«

»Lass uns spazieren gehen«, schlug ich vor. »Lassen wir sie einfach machen.«

Es war immer noch schrecklich kalt, aber nicht mehr annähernd so schlimm wie am Vortag. Nur ein ganz normaler Wintertag mit strahlend heller Sonne an einem klaren, blassblauen Himmel. Vor uns erstreckte sich das verschneite Gelände, das sich hob und senkte wie ein gefrorener weißer Ozean. Penny und ich spazierten Arm in Arm durch den Park.

»Die Leute überraschen einen doch immer wieder«, begann Penny nach einer Weile. »In all den Jahren war Alex für mich immer nur Daddys etwas unheimlicher Geschäftspartner. Ich glaube, wir haben nie ein freundliches Wort gewechselt. Aber er hat sich im richtigen Augenblick Sylvia entgegengestellt, um mich zu beschützen. Ich glaube, etwas anderes wäre ihm nie in den Sinn gekommen.«

»Entscheidend ist, was wir dann tun, wenn es darauf ankommt«, sagte ich. »Als es darauf ankam, war Alex ein guter Mann. Tapfer und aufrecht.«

»Das macht es irgendwie noch schlimmer«, fand Penny. »Ich werde ihm niemals sagen können, wie viel er mir bedeutet hat. Genauso wenig wie Daddy und Mami. Es gibt so viel, was ich ihnen immer sagen wollte und es dann doch nicht getan habe, weil ich immer dachte, wir hätten ja noch Zeit genug. Bis wir ganz plötzlich keine Zeit mehr hatten. Der arme Roger, die arme alte Diana …« Sie blieb stehen und sah sich um. »Ich schätze … jetzt gehört alles mir. Das Haus, der Grund, alles. Wobei du den Großteil davon ja niedergebrannt zu haben scheinst.«

Da hatte sie nicht unrecht.

Die terrassenförmig angeordneten viktorianischen Cottages waren nur noch ausgebrannte Ruinen, die zum Teil noch immer qualmten und glommen. Der tosende Wind der vergangenen Nacht hatte die Flammen auch auf die Bäume, Büsche und Formschnitthecken übergreifen lassen, die jetzt nur noch schwarze, verdrehte Formen waren.

»Wie typisch«, sagte Penny, »dass Belcourt Manor am Ende dem einzigen Familienmitglied in die Hände fällt, das es wirklich nicht haben wollte.«

»Niemand sagt, dass du es behalten musst«, erwiderte ich. »Verkauf alles und mach dich endlich frei davon.«

»Das würde ich gern«, sagte Penny. »Aber wo soll ich dann hin? Ich kann nicht in meinen alten Beruf, mein altes Leben zurückkehren. Ich kann nicht einfach vergessen, was ich jetzt weiß – wie viel größer die Welt wirklich ist.«

»Darüber habe ich auch schon nachgedacht«, sagte ich. »Mir ist der Gedanke gekommen, dass ich möglicherweise zu lange allein war. Ich könnte eine Partnerin gebrauchen.«

»Ich hatte gehofft, dass du das sagen würdest!«, rief Penny mit einem strahlenden Lächeln.

»Ich finde, wir haben gut zusammengearbeitet. Aber ich muss das fragen, Ishmael: Wenn es wirklich Außerirdische und Vampire gibt … was gibt es dann da draußen sonst noch? Was ist noch alles real? Wie groß ist die Welt eigentlich wirklich?«

»Komm mit mir«, schlug ich vor. »Wir finden es heraus.«

»Mit dem größten Vergnügen«, sagte Penny. Wir gingen gemeinsam weiter.

»Du erinnerst dich wirklich nicht, was du warst, bevor du zum Menschen wurdest?«, fragte Penny.

»Ich habe … manchmal Träume«, erzählte ich zögernd. »Kurze Sequenzen, Bilder. Nichts davon sagt mir viel.«

»Hast du … dich eigentlich je gefragt, was du tätest, wenn deine Leute dich holen kämen?«, fragte Penny und sah mich ernst an. »Ich meine – würdest du mit ihnen zurückgehen wollen? Ein … anderer sein? Du bist jetzt schon so lange hier …«

»Penny«, begann ich. »Dies hier ist jetzt meine Welt. Ich mag nicht als Mensch geboren sein, aber ich habe gelernt, Mensch zu sein. Alles, was ich brauche, finde ich hier auf diesem Planeten.«

»Alles?«, fragte Penny und schmiegte sich an mich.

»Ja«, antwortete ich.

»Weißt du eigentlich inzwischen, warum James dich hierher bestellt hat?«, fragte Penny nach einer Weile. »Ich meine, warum er ausgerechnet dich hier haben wollte?«

»Ich glaube schon«, sagte ich. »Ironischerweise hast du mir das letzte Mosaiksteinchen geliefert, als du sagtest, Diana sei bei der Hochzeit mit Walter, der fast sicher nicht der Vater war, schon schwanger gewesen. Gehe ich recht in der Annahme, dass Diana Walter 1970 geheiratet hat?«

»Ja«, sagte Penny. »Warum?«

»Ein Jahr nach meiner Affäre mit Diana in Paris«, rechnete ich nach.

Penny blieb abrupt stehen und sah mich mit weit aufgerissenen Augen an. »Aber … Ach du lieber Gott! Den Zusammenhang hatte ich noch gar nicht erkannt! Willst du damit sagen …«

»Ja«, sagte ich. »Ich glaube, der frühere Colonel, James, war mein Sohn. Das würde erklären, warum er mich hier haben wollte – um seine Familie zu beschützen.«

»Glaubst du, er wusste es?«, fragte Penny.

»Es würde erklären, warum er sich so große Mühe gegeben hat, mich aufzuspüren und mir den Schutz der Organisation anzubieten«, antwortete ich. »Ich bezweifle, dass ich es je sicher wissen werde. So etwas steht sicher nicht in seiner offiziellen Personalakte. Für mich war er immer so etwas wie eine Vaterfigur, und umgekehrt war es wahrscheinlich die ganze Zeit dasselbe. Ich wünschte … wir hätten darüber reden können.«

»Moment mal«, sagte Penny. »Bedeutet das … wir sind verwandt?«

»Nicht auf eine relevante Weise«, erwiderte ich.

»Gut!«, sagte Penny. »Das Letzte, was unsere Beziehung braucht, sind weitere Komplikationen.«

»Das heißt, wir haben jetzt eine Beziehung?«, fragte ich.

»Aber so was von«, verkündete Penny.

»Was ist diese … Liebe, Erdling?«, fragte ich ernst.

»Weißt du das nicht?«, fragte Penny.

»Doch«, antwortete ich. »Das weiß ich.«

»He!«, rief Penny. »Da fällt mir ein … Heute ist ja Weihnachten! Frohe Weihnachten, Ishmael!«

»Für dich auch, Penny. Und den Menschen ein Wohlgefallen, auch denen, die gar nicht wirklich Menschen sind.«

»Eines muss ich dich aber noch fragen«, sagte Penny. »Warum Ishmael?«

»Warum nicht?«, antwortete ich.

Weitere Titel von Simon R. Green
bei ***Feder & Schwert***:

Shaman Bond:

Shaman Bond 1: Der Mann mit dem goldenen Torques
Shaman Bond 2: Dämonenfieber
Shaman Bond 6: Sterben und leben lassen
Shaman Bond 7: Casino Infernal
Shaman Bond 8: Im Bann der Lady Venus

Nightside:

Nightside 8: Bilder aus der Anderwelt
Nightside 9: Wieder einmal Weltenbrand
Nightside 10: Für eine Handvoll Pfund
Nightside 11: Aller Tage Abend
Nightside 12: Die Braut in schwarzem Leder
Sammelband 1: Schattenspiele
Sammelband 2: Blutsbande
Sammelband 3: Zwischenfälle

Der Dämonenkrieg:

Das Regenbogenschwert
Unter dem blauen Mond
Der träumende Turm
Einst, unter blauem Mond